Gesine Schwan

POLITIK TROTZ GLOBALISIERUNG

Gesine Schwan

POLITIK TROTZ GLOBALISIERUNG

Inhalt

Vorwort

Dieses Buch soll praktisch wirken. Es soll dazu ermutigen und gangbare Wege dafür zeigen, sich mit anderen zusammenzutun, um in der Dauerkrise demokratischer Politik überzeugende Lösungen für unsere Herausforderungen zu finden.

Solche Wege brauchen Orientierung. Ich schöpfe sie aus tragfähigen ideengeschichtlichen Einsichten und aus den gegenwärtigen Erfahrungen von Politik. Zugleich müssen die aktuellen Herausforderungen illusionslos in den Blick genommen werden. Für demokratische Politik, die bisher in der Regel im Rahmen des Nationalstaats gedacht wird, ist heute die ökonomische Globalisierung, sprich: der globale Kapitalismus die entscheidende Herausforderung. Denn er überschreitet die Grenzen der Nationalstaaten und deren politische Reichweite. Damit kann er sich der einzelstaatlichen Kontrolle und Gestaltung entziehen.

Dem müssen wir uns konsequent stellen, dürfen uns bei der Frage nach Sicherung und Weiterentwicklung demokratischer Politik nicht immer wieder – explizit oder implizit, oft schon in der Wortwahl – in gewohnte und bequeme Vorstellungen nationalstaatlicher Demokratien zurückflüchten. Ohne transnationale, grenzüberschreitende demokratische Politik, die die ökonomische Globalisierung aus ihrer marktradikalen Deregulierung wieder einfängt und sie menschlich gestaltet, können unsere politischen Probleme – insbesondere weltweite Freiheit, Sicherheit und gerechter sozialökologischer Wandel – nicht mehr gelöst werden. Damit verlöre demokratische Politik endgültig ihre Glaubwürdigkeit. Dies führt uns die Corona-Krise existenziell vor Augen.

Zugleich brauchen wir konkrete Antworten vor Ort und vor allem mehr Möglichkeiten für Bürger*innen, sich wirksam mit ihren Kompetenzen zu beteiligen: demokratische Politik zum Anfassen. Dafür mache ich den Vorschlag, „Entwicklungsbeiräte" einzurichten. In ihnen berät gewählte Politik – bei der die Entscheidung verbleibt – gemeinsam mit organisierter Zivilgesellschaft und Unternehmen über die längerfristige Entwicklung. So kann auch die kapitalistische Wirtschaft in die politische Verantwortung einbezogen werden. Und so kann insbesondere auf der Ebene der Kommunen die Quadratur des Kreises gelingen, direkte und wirksame Bürgerteilhabe mit legitimierter repräsentativ-demokratischer Politik zu vereinbaren. Was man gemeinsam beraten und erarbeitet hat, verbindet, auch wenn es nicht legal bindet.

Nicht zufällig ist mit Entwicklungsbeiräten, für die ich eintrete, zuerst in der Entwicklungszusammenarbeit experimentiert worden: beim Bau von Staudämmen, um zu vermeiden, dass die Zusammenarbeit von Politik und Wirtschaft auf Kosten der betroffenen Bürger*innen geht, deren Wohngebiete geflutet werden sollten; und bei UNEP (UN Environment Programme) sowie UN-Habitat (UN Human Settlements Programme), wo zusammen mit den Bürger*innen neue Wege der Stadtentwicklung ausprobiert wurden. Von Jochen Eigen, der als Leiter der Stadtentwicklung viele Jahre lang für „Sustainable Cities" neue Ideen entwickelt und ausprobiert hat, konnte ich über die Vorteile der Zusammensetzung dieser Beiräte aus Politik, organisierter Zivilgesellschaft und Unternehmen viel lernen. Dafür danke ich ihm herzlich.

Am schwersten fällt es gewählten Politiker*innen und Geldgeber*innen bis heute, Vertrauen in die politische Klugheit und Verantwortungsfähigkeit der Bürger*innen aufzubringen. Auch in der Europäischen Union finanziert man lieber Einzelprojekte mit berechenbarem Ergebnis als das Ausprobieren neuer *Governance*-Formen, bei denen man das Resultat nicht genau vorherbestimmen kann. Dabei brauchen wir gerade solche neuen *Governance*-Formen dringend, für gute Lösungen und für die Stärkung demokratischer Politik.

Ganz im Geiste der UN-Ziele für nachhaltige Entwicklung (UN Sustainable Development Goals), die für den Süden wie für den Norden gelten sollen, bietet die Entwicklungszusammenarbeit dafür eine reiche Inspiration, eben auch für uns im Norden. Deshalb ziehe ich bis heute wertvollen Gewinn aus den Gesprächen mit meinem Mann Peter Eigen, der nicht nur die Antikorruptionsorganisation „Transparency International" gegründet hat, sondern zuvor 25 Jahre lang Erfahrungen in der Weltbank sammeln konnte. Es muss nicht schlimm sein, wenn Ehegespräche sich auch um Entwicklungspolitik drehen …

Danken möchte ich Thymian Bussemer, der für mich viele Jahre lang ein „Sparringspartner" in politischen Gesprächen war, insbesondere während meiner beiden Kandidaturen für das Amt der Bundespräsidentin. Er hat Wichtiges zum Abschnitt über Hannah Arendt beigesteuert. Die jungen Mitarbeiter*innen der „HUMBOLDT-VIADRINA Governance Platform", die ich seit Jahren leite, fordern mich täglich unbestechlich und zugleich sehr freundlich heraus, meine Gedanken zu klären. Das ist mir eine wertvolle Hilfe.

Ich danke auch Clemens Heucke für die Einladung, diesen Essay bei der Wissenschaftlichen Buchgesellschaft zu publizieren, und seinem Team, insbesondere Regine Gamm, für dessen Engagement bei der Veröffentlichung des Manuskripts.

Gesine Schwan, im Juli 2020

Einleitung

Politik hat einen schlechten Ruf. Vielen steht sie für Unredlichkeit, Undurchsichtigkeit, Mangel an Sachkenntnis, die Unfähigkeit, Lösungen zu finden, und für unaufhörlichen Streit. „Ein politisch Lied, ein garstig Lied."[1] Deutsche Bildungsbürger*innen wollten mit Politik, der es doch nur um Macht gehe, historisch lange nichts zu tun haben. Unternehmer*innen verachten sie heute vielfach, weil sie erfolgreiches Wirtschaften und schnelle Entscheidungen nur bürokratisch beeinträchtige und kein Problem löse. Die liberale Demokratie hat an Glaubwürdigkeit verloren.

Das ist beunruhigend. Denn wir leben nicht wie Robinson allein (oder mit seinem Freund Freitag) auf einer Insel, sondern zusammen mit Milliarden anderer Erdenbürger*innen auf einem endlichen Planeten. Was wäre statt Politik die Alternative für die Gestaltung unseres Zusammenlebens? Was wäre statt der Demokratie eine politische Ordnung, in der wir friedlich zusammenleben können? Ein aufgeklärter Diktator oder eine Avantgardepartei, die effizient Flughäfen baut und mit künstlicher Intelligenz für Disziplin und Ordnung sorgt? Eine „neutrale" Technokratie, die aus eigener Sachkenntnis weiß, was für uns alle am besten ist? Die Hoffnung, dass sich alles findet, wenn man Herrschaft einfach abschafft? Die Regelung aller Angelegenheiten durch den lokalen, nationalen oder globalen Markt?

So klar würde wohl niemand für eine dieser Alternativen plädieren. Aber unter der Hand und sogar immer ausdrücklicher kommen doch zunehmend Zweifel daran auf, ob demokratische Politik noch zeitgemäß ist, ob sie in einer hochkomplexen Welt zufriedenstellende Lösungen schaffen kann, ob die Menschen, die immer stärker unter Stress stehen, überhaupt genügend Zeit für sie haben. Zuletzt wurde die Frage aufgeworfen, ob ein Stopp des Klimawandels in einer Demokratie denn zu bewerkstelligen ist. Hat demokratische Politik noch eine Zukunft? Macht sie noch Sinn?

Im Unterschied zur Politik im Allgemeinen verspricht demokratische Politik – als institutionelles System, als politische Kultur und als konkrete Umsetzung von Entscheidungen – zumindest theoretisch, dass sie global die beste Chance für alle Menschen bietet, ein Leben in Würde, d. h. in Freiheit und Verantwortung, zu führen.

„Die Würde des Menschen ist unantastbar" – mit diesem Satz beginnt das Grundgesetz der Bundesrepublik Deutschland. Der Begriff ist – wie alle umfassenden und traditionsreichen Begriffe – umstritten und nicht eindeutig definierbar. Für mich ist er der notwendige Anker aller Politik. Wenn wir auf ihn verzichten, wird Politik haltlos. Die Würde des Menschen, die faktisch oft verletzt wird, kommt jedem Menschen ohne Ansehen der Person oder seiner Leistungsfähigkeit zu; sie ist das Maß aller Politik. Sie wird verletzt, wenn der Gebrauch der persönlichen oder politischen Freiheit durch die Verfassung, durch konkrete Politik, durch die Mitmenschen, durch faktische Verhältnisse, durch physische oder psychische Unterdrückung, auch durch Demütigung verwehrt oder beeinträchtigt wird. Sie wird unterstützt und gestärkt, wenn Menschen „frei von Not und Furcht" leben können, wie die traditionelle Forderung der Sozialdemokratie lautete; wenn die politischen Institutionen, aber auch die politische Kultur im Alltag ebenso wie in Ausnahmesituationen der Selbstbestimmung aller Menschen, nicht nur einiger, nicht nur der Privilegierten dienen.

Ist das Versprechen, dass jedem Menschen eine unantastbare Würde eignet, heute obsolet? Weckt es unrealistische Erwartungen? Haben Menschen daran überhaupt noch ein Interesse? Wenn ja: Wie kann dieses Versprechen, das heute vielfach als zynische Leerformel erfahren wird, realistisch erfüllt werden?

In diesem Essay möchte ich die theoretischen und praktischen Hindernisse für die Verwirklichung demokratischer Politik vor dem Hintergrund der ökonomischen, technischen, kulturellen und nicht zuletzt politischen Globalisierung nüchtern benennen und analysieren. Daraus sollen konstruktive und zugleich realitätstüchtige Antworten hervorgehen.

Um den eigenen Politikbegriff zu schärfen, will ich zunächst unterschiedliche Verständnisse von Politik erörtern und sie mit theoretischen und praktischen Einwänden konfrontieren. Das mündet in eine genauere Bestimmung von demokratischer Politik heute. Sie muss sich in ihrer Realisierung an den wichtigsten gegenwärtigen Herausforderungen abarbeiten.

Im Ergebnis ist demokratische Politik, so behaupte ich, auch heute, in der sozialen, ökonomischen und politischen Globalisierung, möglich und realistisch. Sie muss aber durch eine deutlich umfassendere politische Teilhabe der Bürger*innen an den politischen Entscheidungen weiterentwickelt werden – nicht zuletzt, um den über die nationalen Grenzen hinweg dominierenden Kapitalismus politisch zu gestalten.

Was ich hier vorschlage, unterscheidet sich von den aktuell ins Kraut schießenden Angeboten von Kommunikationsberatungen für alle möglichen Partizipationsmodelle. Was diesen in der Regel fehlt, ist die unverzichtbare theoretische Verankerung von politischer Teilhabe in ihrem ideengeschichtlichen und demokratietheoretischen Kontext und in der jeweiligen politischen Verfassung, ohne die sie legitimations- und begründungslos bleiben.

Eine erweiterte demokratische Teilhabe sollte in der Gegenwart zum einen beachten, dass der nationalstaatliche Rahmen für wirksame demokratisch-politische Lösungen nicht mehr genügt, weil seine Regelungskompetenz in der Globalisierung nicht weit genug reicht. Zum anderen muss die Erweiterung von Partizipation zu den Verfassungsprinzipien der repräsentativen Demokratie passen. Realistische und wirksame demokratische Politik muss – zusätzlich zur nationalen Ebene – zugleich kommunal *und* global weiterentwickelt werden. Sie erfordert auch eine Rehabilitierung und Aktualisierung des „Gemeinwohls" unter dem Verständigungsbegriff der „Nachhaltigkeit".

Theoretische – politisch-philosophische, ideengeschichtliche und empirisch- wissenschaftliche – Einsichten will ich mit praktischen Erfahrungen konfrontieren und verbinden. Der Ertrag von Verfahren politischer Teilhabe wird an aktuellen und langfristigen thematischen Aufgaben verdeutlicht. Dazu gehört, unser Leben ökologisch, ökonomisch und sozial gerechter zu gestalten, eine Wirtschaft zu entwickeln, die Klima- und Ressourcenschutz in unseren planetarischen Grenzen respektiert, Migration gerecht und friedlich zu regeln, Digitalisierung und Künstliche Intelligenz transparent, sicher, gerecht und kreativ zu praktizieren sowie unsere individuelle Entfaltung mit sozialer Solidarität zu vereinbaren.

Ich wende mich an Leser*innen, denen ebenso wie mir daran liegt, dass alle Menschen in Würde leben können, die das durch praktisches Engagement und politische Teilhabe verwirklichen und mit nachhaltiger, ja sogar sinnstiftender Orientierung verbinden wollen: an Handwerker und Informatikerinnen, an junge Eltern und pensionierte Lehrerinnen, an Schülerinnen und Journalisten, an Verwaltungsbeamte und Sportvereine, und besonders an zivilgesellschaftliche Organisationen und Unternehmen.

KAPITEL 1

Was heißt Politik?

Zu verschiedenen Zeiten und bei verschiedenen Menschen meint Politik sehr Unterschiedliches. Gibt es dafür einen gemeinsamen Nenner?

Vielleicht diesen: Politik zielt darauf, in einem umgrenzten Raum oder in einem umgrenzten Sachzusammenhang für Fragen, die umstritten sind, aber verbindlich entschieden werden müssen, überzeugende und durchsetzbare Antworten zu finden. Wer solche Entscheidungen trifft, warum, mit welcher Berechtigung (Legitimation), für wen, nach welchen Kriterien, mit welchen Verfahren, über welche Themen, für wie lange Zeit, in welchem Kontext – das ist damit noch nicht gesagt. Immerhin kann man ein demokratisches Verständnis von Politik von allen anderen Politikverständnissen dadurch unterscheiden, dass im Zentrum seiner Legitimation (der Rechtfertigung der Institutionen und der laufenden Politik) die Würde des Menschen, sein Recht auf Selbstbestimmung, steht. Schauen wir uns eine Reihe von Grundverständnissen von Politik an.

Vereinbarungen zwischen freien und gleichberechtigten Bürgern: Athen

Das Wort Politik kommt vom griechischen Wort *polis*. Es bezeichnet die Stadt als politische Einheit – als Muster gilt dafür Athen – und steht am Anfang des europäischen Nachdenkens über Politik. Dabei entstanden gleich zu Beginn mindestens zwei theoretisch sehr unterschiedliche Denkrichtungen, die wichtige Traditionen begründet haben. Platon suchte um die Wende vom 5. zum 4. Jahrhundert v. Chr. vor dem Hintergrund der von ihm erlebten Wirren in Athen, die ihn abgeschreckt hatten, nach einem vorbildlichen Modell einer Polis. Sie sollte nach den Ideen der Schönheit, Wahrheit und des Guten gestaltet sein. In seiner Sicht verlangt Politik einen klugen Lenker bzw. Steuermann, der besonders kenntnisreich und weise ist, das Wahre, Gute und Schöne erkannt hat und es – von eigenen Leidenschaften unangefochten – verwirklicht.

Der Politiker handelt nach Platon wie ein Kapitän auf hoher See, der das Staatsschiff im Sturm zu lenken hat und dazu in der Lage ist, weil er die Sterne lesen und die richtige Route ausmachen kann. Die Seeleute können das nicht, sie haben weder die notwendige intellektuelle noch die moralische Qualität, deshalb müssen sie ihm gehorchen, sonst geht das Schiff unter. Denn die Umwelt der Polis – die hohe See – ist rau und gefährlich. Die Matrosen haben auch nicht die Kompetenz, ihren Kapitän zu wählen, es geht bei der politischen Steuerung nicht um unterschiedliche mögliche Routen, schon gar nicht um unterschiedliche legitime Interessen der Matrosen, sondern um den besten Weg für das ganze Schiff, den allein der Kapitän dank seiner Einsicht in die Wahrheit ermitteln kann.

Für öffentliche politische Debatten, für das gleiche Recht auf Freiheit aller Bürger, für Mitbestimmung und gesellschaftliche Pluralität, für legitime Kritik an der lenkenden Regierungspolitik ist in diesem Verständnis kein Raum. Eher für autoritäre Politikverständnisse, in denen Befehl und Gehorsam eine zentrale Rolle spielen.

Aristoteles, ein Schüler Platons, glaubt nicht daran, dass es unangefochten gute und kluge Staatenlenker als Entscheider für gute Politik gibt. Zwar sind Bürger prinzipiell vernünftig, aber mal mehr, mal weniger. Daher müssen sie durch eine vor Missbrauch schützende Verfassung, die die Macht ausbalanciert, darin unterstützt werden, gute Entscheidungen zu treffen und schlechte zu unterlassen. Nicht hierarchische, eindeutige Entscheidungslinien, sondern eine „gemischte" Anordnung von Gewalten und Akteuren gehört zu dieser politischen „Ausbalancierung". Im Übrigen waren zu Aristoteles' Zeit nicht alle Einwohner*innen Athens auch Bürger: Frauen, Sklaven und er selbst, der als Metöke dauerhaft, aber ohne Stadtrecht in Athen wohnte, gehörten nicht dazu.

Theoretisch unterscheiden sich Platon und Aristoteles hinsichtlich der Möglichkeit und des Anspruchs, Politik und Wahrheit zur Deckung zu bringen. Beide halten eine gut geordnete Polis für notwendig, um ein geglücktes Leben zu führen, das den wesentlichen Aufgaben und Fähigkeiten, den „Tüchtigkeiten" (wie Aristoteles sie in der „Nikomachischen Ethik" philosophisch herleitet und abwägt) der Menschen entspricht. Aber Endlichkeit und legitime Vielfalt der Menschen erlauben in der Sicht des Aristoteles keine perfekten Lösungen, die unangefochtene Wahrheit für sich beanspruchen könnten.

Politik, wie überhaupt menschliches Handeln, muss immer erneut die Mitte zwischen falschen Extremen finden. Der Weg der Entscheidung über Politik verläuft daher bei Aristoteles nicht hierarchisch von oben nach unten per Anordnung – wie bei der Steuerung durch den Kapitän bei Platon –, sondern prinzipiell horizontal über Beratschlagung und Argumentation zwischen den dazu gewählten und befähigten Bürgern.

Wer war empirisch an politischen Entscheidungen in Athen beteiligt? Seit ca. 800 v. Chr. – 300 Jahre vor der Blütezeit der Athener Demokratie im 5. und 4. Jahrhundert v. Chr. – hatten in einem formalen Königtum die führenden wohlhabenden Handels- und Grundbesitzerfamilien das politische Sagen. Sie entschieden über die ca. 300 000 Athener, einschließlich der Bauern und Fischer auf Attika in den Dörfern um Athen. Bedrohlich zunehmende soziale Gegensätze zwischen Arm und Reich forderten zweimal eine Befriedung durch Regeln heraus: zunächst unter Solon (ca. 640–560 v. Chr.), der bemerkenswerterweise zunächst alle Schulden erließ, die u. a. zur Selbstversklavung vieler verschuldeter Bürger geführt hatten; und knapp hundert Jahre später unter Kleisthenes.

Die eigentliche Athener Demokratie, die sogenannte attische Demokratie, die im westlich-liberalen Denken als Ursprung und Vorbild von Politik gilt, begann mit der Verfassung des Kleisthenes ca. 507/6 v. Chr. Er sprach, anders als hundert Jahre vor ihm Solon, allen Bürgern Athens das gleiche Recht auf politische Mitbestimmung zu und schuf drei Entscheidungsorgane: die Volksversammlung (*Ekklesia*), die die Gesetze beschloss, die Beamten, Richter und Offiziere wählte, über Krieg und Frieden entschied, Regierung und Militär kontrollierte und im sogenannten Scherbengericht Bürger verbannte, die der Stadt gefährlich werden konnten. Der „Rat der 500" bereitete die Volksversammlungen und deren Gesetzgebung vor und leitete die laufenden Staatsgeschäfte. Täglich wurde durch das Los ein neuer Vorsitzender des Rates der 500 bestimmt, derart groß war die Angst vor einem Diktator. Schließlich wurden von der Volksversammlung die Volksgerichte eingesetzt, sie waren zuständig für Verbrechensbekämpfung, Gerichtsverfahren und die Kontrolle von Häfen und Märkten.

Um die Chancengleichheit aller Bürger, die als besonders hohes Gut galt, zu sichern, wurden viele Ämter per Los besetzt. Nur der Stratege – über viele Jahre hinweg der überragende Staatsmann Perikles – wurde jedes Jahr erneut durch Wahlen bestellt.

Die Beratschlagung der Politik nahm viel Zeit in Anspruch. Damit jeder sich das leisten konnte, wurden den Ärmeren Diäten gezahlt. Gleichzeitig erwartete man von allen Bürgern die Teilnahme an Festen, Kunst- und Sportveranstaltungen. Politik und öffentliches Engagement waren vorrangig und ein Vollzeitgeschäft; wer sich nur um seine privaten Dinge kümmerte, galt als „Idiot".

Bemerkenswert ist die historische Erfahrung im alten Griechenland, dass soziale Unruhen wegen zunehmender Ungleichheit dem Zusammenleben und auch dem wirtschaftlichen Erfolg der großen Familien immer wieder gefährlich wurden. Als Gegenmittel galt die Festlegung gemeinsamer Regeln, also von Gesetzen, deren Umsetzung zur Beruhigung von Konflikten nötig wurde. Sie standen am Anfang der systematisch geordneten Politik. Ein besonderes Gewicht legten die Griechen auf die politische Gleichheit aller Bürger und damit auf den Schutz ihrer gleichen politischen Freiheit vor Unterdrückung durch Diktatoren oder vor überwältigenden gesellschaftlichen Machtzusammenballungen. Daher die Bedeutung von Losverfahren anstelle von Wahlen.

Zwar wirkten soziale Spannungen als Ursprung von Politik, aber wichtige Gebiete heutiger Politik, z. B. die Wirtschaft oder das Arbeitsleben, aus denen soziale Spannungen entstehen können, gehörten nicht in die Politik, sondern in den privaten Bereich des *Oikos*, des familiären Hauses. Über diese Sphäre geboten die Frauen, die keine öffentlichen Ämter führen durften. Sklaven und Angestellte hatten keine Lobby. Der Regelungsbeitrag der Politik zur Wirtschaft, d. h. zum Handel, war allein die Sicherheit auf den attischen Märkten und in den Häfen.

Am Ende des ersten Jahres im Peloponnesischen Krieg (431/30 v. Chr.), dem langen Krieg zwischen Athen und Sparta, hielt der Athener Staatschef Perikles anlässlich der Bestattung der Kriegstoten eine Rede, die der griechische Historiker dieses Krieges, Thukydides, als „Gefallenenrede des Perikles" für die Nachwelt festgehalten und berühmt gemacht hat. Perikles formuliert hier, warum es gerechtfertigt war, die jungen Gefallenen um des Schutzes von Athen und seiner Lebensart willen der Lebensgefahr auszusetzen und praktisch in den Tod zu schicken. Diese Rede enthält die (idealisierte) Quintessenz dessen, wodurch Athen sich legitimierte.

Die attische Polis bezieht ihre Rechtfertigung aus ihrer Verfassung und der daraus folgenden politischen Kultur und Lebensweise. Perikles' Worte belegen den für Jahrhunderte gültigen Zusammenhang von Verfassung und Lebensweise, von Institutionen und politischer Kultur. Athen steht darin als die „Schule von Hellas" – im Unterschied zum unfreien Sparta – für Freiheit, Gleichheit, Weltoffenheit gegenüber Fremden, Selbstlosigkeit und Unabhängigkeit. Hier eine berühmte Passage aus der Rede:

„Die Staatsverfassung, die wir haben, richtet sich nicht nach den Gesetzen anderer, viel eher sind wir selbst für manchen ein Vorbild […]. Mit Namen heißt sie, weil die Staatsverfassung nicht auf wenige, sondern auf die Mehrheit ausgerichtet ist, Demokratie. […] Frei leben wir als Bürger im Staat und frei vom gegenseitigen Misstrauen des Alltags, ohne gleich dem Nachbarn zu zürnen, wenn er sich einmal ein Vergnügen macht […]. Wie ungezwungen wir aber auch unsere persönlichen Dinge regeln, so hüten wir uns doch im öffentlichen Leben, allein aus Furcht, vor Rechtsbruch – in Gehorsam gegen Beamte und Gesetze, hier vor allem gegen solche, die zum Nutzen der Unterdrückten erlassen sind […]. Dank der Größe der Stadt strömen aus aller Welt alle Güter bei uns ein […]. Wir lieben die Kunst mit maßvoller Zurückhaltung, wir lieben den Geist ohne schlaffe Trägheit. Reichtum dient uns der rechten Tat, nicht dem prunkenden Wort, und seine Armut einzugestehen ist für niemanden schmählich, ihr nicht zu entrinnen durch eigene Arbeit gilt als schmählicher."

Das dürre Gerüst der Verfassungsregelungen ist hier eingebettet in ein kulturell reiches und gelungenes Leben. Mehr als zwei Jahrtausende später, im Jahr 1863, wird Abraham Lincoln im Amerikanischen Bürgerkrieg eine ebenso berühmt gewordene Gefallenenrede halten, die „Gettysburg Address". Sie endet mit einer unübertroffen prägnanten und konzentrierten Formulierung dessen, was den Tod für das „gute" gelungene Leben der Nachfahren der Amerikanischen Revolution im 19. Jahrhundert so legitimiert, dass selbst ein Bürgerkrieg gerechtfertigt ist:

„Four score and seven years ago our fathers brought forth on this continent, a new nation, conceived in liberty, and dedicated to the proposition that all men are created equal.

Now we are engaged in a great civil war, testing whether that nation, or any nation so conceived and so dedicated, can long endure. We are met on a great battle-field of that war. We have come to dedicate a portion of that field, as a final resting place for those who here gave their lives that that nation might live. It is altogether fitting and proper that we should do this.

But, in a larger sense, we can not dedicate, we can not consecrate, we can not hallow this ground. […] It is rather for us to be here dedicated to the great task remaining before us – that from these honored dead we take increased devotion to that cause for which they gave the last full measure of devotion – that we here highly resolve that these dead shall not have died in vain – that this nation, under God, shall have a new birth of freedom – and that government of the people, by the people, for the people, shall not perish from the earth."[1]

Die Grundpfeiler der legitimen Verfassung, die sogar den Bürgerkrieg in den USA rechtfertigen, lauten: „Regierung des Volkes, durch das Volk und für das Volk". Das Volk wird nach dem Bürgerkrieg in „neu geborener Freiheit" regiert, es unterwirft sich der Regierung, weil es selbst diese Regierung bildet und weil diese für das Volk ausgeübt wird, nicht zugunsten einzelner Interessen; die Regierung dient dem Gemeinwohl.

Freiheit als Selbstregierung, der sich die Bürger*innen nicht sklavisch unterwerfen, bei der sie aber die Disziplin der Gesetzestreue gegenüber den selbstgesetzten Regeln üben, mit dem Ziel des Gemeinwohls: Dem hat Politik in dieser Tradition zu dienen. Damit kann die Würde der Individuen unter der Bedingung von Vielfalt und Konflikt erhalten bleiben und gestärkt werden. Diese Intuition verbindet Lincoln mit der Athener Polis. Das klingt einfach. Ist aber praktisch sehr schwer.

Denn die hier in riesigen Schritten skizzierte freiheitliche Politik geschieht nicht im luftleeren Raum, sondern heute innerhalb der Dynamik von Gesellschaften, deren Mitglieder als Individuen und in ihrem sozialen Kontext, z. B. ihrer familiären Herkunft, sehr unterschiedlich ausgestattet sind. So verfolgen sie unterschiedliche Ziele, Ideen und Interessen und haben ganz unterschiedliche Möglichkeiten und Machtpotenziale, um sich durchzusetzen. In einer Verfassung der Freiheit sind politische Regeln und Gesetze dazu da, diese Unterschiede immer wieder einzuebnen, damit die politische Gleichheit nicht verloren geht. Aber sowohl das beharrende Eigengewicht von sozialen Gebilden (Ständen, Kasten, Clans, Familien, Dorfgemeinschaften, Klassen, Zünften, Vereinen, Parteien, Unternehmen) als auch die Dynamik wirtschaftlichen Handelns, das unterschiedliche Machtpotenziale nutzen kann, schränken die Handlungsmöglichkeiten von Politik ein. Manchmal so weit – das gilt besonders, aber nicht nur für die Gegenwart –, dass Politik sich der sozialen oder wirtschaftlichen Logik unterwirft oder gar unterwerfen zu müssen scheint.

Das betrifft vor allem politische Verfassungen und Verfahrensweisen, die – anders als das Athener Vorbild – nicht mehr auf dem Prinzip der politischen Gleichheit der Bürger beruhen. So war das in Europa im Feudalismus und in Monarchien über Jahrhunderte hinweg.

In einer Zeit immer offenkundigerer und immer wirksamerer globaler Zusammenhänge mag es naiv wirken, sich bei der Definition von Politik ohne Zögern auf europäische Ursprünge zu beziehen. Gilt denn der griechische Beginn auch für ein afrikanisches oder asiatisches Politikverständnis? Dagegen gibt es trotz der gemeinsamen Erklärung der Menschenrechte der Vereinten Nationen aus dem Jahr 1948 deutlichen Widerspruch. Er zielt auf die Geltung des liberalen, auf das Individuum konzentrierten Menschenbildes, das die Verwobenheit der Individuen in soziale Gewebe künstlich zerschneide und die Gesellschaft atomisiere.

Die faktisch angelegte und normativ anzustrebende Harmonie zwischen den Menschen werde so zerstört zugunsten einer Stärkung und Legitimierung von Konflikten, die schließlich die Einigung auf ein verbindendes Gemeinwohl untergrabe. Überdies setze dieses liberale Menschenbild in der kapitalistischen Wirtschaft seit Jahrhunderten Dynamiken der sozialen Ungleichheit und der Monopolisierung wirtschaftlicher Macht frei, die dem griechischen Ideal der politischen Gleichheit und der gleichen Freiheit Hohn sprächen. Wir müssen erkennen: Die Tradition der freiheitlichen Demokratie steht heute mehr und mehr infrage – in Bezug auf ihre Realisierbarkeit, aber auch ihre Vorbildfunktion.

Bevor wir diese Vorbehalte diskutieren, wollen wir zunächst die hier gezogene Traditionslinie eines normativ freiheitlich-demokratischen Politikverständnisses, in dem die gleich freien Bürger*innen miteinander Entscheidungen treffen, exemplarisch mit anderen Vorstellungen von Politik konfrontieren.

Mit Lug und Trug für Staatsräson und Stabilität: Machiavelli

Machiavelli (1469–1527) hat einen schlechten Ruf. Er gilt als skrupellos, amoralisch, als einer, der List und Gewalt befürwortet. Der Satz „Der Zweck heiligt die Mittel" wird ihm – vermutlich zu Unrecht – zugeschrieben. Als moralischer Mensch möchte man mit ihm nichts zu tun haben. Das ist ein Fehler. Denn der Wunsch, Politik mit dem Maßstab von Moral zu messen bzw. eine politische Moral zu vertreten, braucht intellektuell das Säurebad der Fragen des Machiavelli, um eine realistisch tragfähige Antwort zu finden.

Machiavelli verabschiedet sich in der Tat revolutionär von einer politischen Theorie, die sich moralisch begründet, ohne sich mit den Gründen der Unmoral in der Wirklichkeit hinreichend auseinanderzusetzen. Eine solche Theorie sei daher scheinheilig und unwirksam und trage damit ihrerseits zu Unehrlichkeit und zu unmoralischem Verhalten bei.

„Viele haben sich Republiken und Fürstentümer ausgemalt, von deren Existenz man nie etwas gesehen hat. Denn zwischen dem Leben, wie es ist und wie es sein sollte, ist ein so gewaltiger Unterschied, dass, wer das, was man tut, aufgibt für das, was man tun sollte, eher seinen Untergang als seine Erhaltung bewirkt; ein Mensch, der immer nur das Gute tun wollte, muss zugrunde gehen unter so vielen, die nicht gut sind. Daher muss ein Fürst, der sich behaupten will, auch imstande sein, nicht gut zu handeln und das Gute zu tun und zu lassen, wie es die Umstände erfordern. Ich lasse also die Phantasien über den Fürsten beiseite und rede von dem Tatsächlichen."[2]

Der Florentiner beschreibt und analysiert vor dem Hintergrund seiner jahrelangen Erfahrung in den Diensten des Florentiner Staates mit unbestechlicher Schärfe, was ein Politiker – der Fürst – tun muss, um Macht zu gewinnen und an der Macht zu bleiben. Ohne Macht wird er nämlich handlungsunfähig, und der Staat, den er regieren soll, verliert seine Stabilität. Wir erkennen hier bereits zwei moralisch durchaus ernst zu nehmende Gebote, unter denen Machiavellis Trennung zwischen individueller Moral und politischer Maßgabe steht: Ehrlichkeit gegenüber sich selbst und Dienst am Erhalt des Staates, an der Staatsräson.

Seine Erfahrung mit den Ränken in Florenz und zwischen den dortigen mächtigen Familien hat Machiavelli zu einem eher pessimistischen Menschenbild gebracht: „Denn von den Menschen lässt sich im Allgemeinen so viel sagen, dass sie undankbar, wankelmütig und heuchlerisch sind, voll Angst vor Gefahr, voll Gier nach Gewinn."[3] Er teilt nicht die christliche Heilserwartung und glaubt nicht an Fortschritt in der Geschichte, sondern an Kreisläufe des Verfalls politischer Reiche und nachfolgend des Beginns neuer politischer Herrschaft. Persönlich gibt Machiavelli der freiheitlichen Republik (vor allem in den „Discorsi", seinem Werk über die Römische Republik, aber auch im „Fürsten") den Vorzug, plädiert also keineswegs für individuelle Willkür oder gar Brutalität, relativiert sie auch nicht. Aber seine unerbittliche zeitgenössische Beobachtung des Erwerbs und Erhalts politischer Macht veranlasst ihn zu der Einschätzung, dass der Fürst skrupellos sein muss, um seine Macht im Dienste der Staatsräson zu erhalten. Die „moralische" Rechtfertigung der Staatsräson liegt darin, dass sie die Stabilität der politischen und sozialen Verhältnisse ermöglicht. Um der Stabilität willen von der Moral abzusehen – dieses Argument wird auch heute noch häufig vorgebracht.

Ebenfalls sehr modern, wenn man an die vielen uns gegenwärtig umgebenden Politikinszenierungen denkt, plädiert Machiavelli dafür, als Herrscher den schönen Schein zu wahren, also nicht einfach erkennbar willkürlich oder verlogen zu handeln, sondern darauf zu vertrauen, dass die Mehrheit der Bürger die brutale oder zumindest rücksichtslose Wahrheit hinter einer freundlichen, scheinbar ehrlichen Fassade nicht erkennt, vielleicht auch nicht erkennen will.

Dabei ist der Herrscher keineswegs allmächtig, sondern zum Gelingen seiner Politik angewiesen auf drei „Mächte" über oder außer ihm, die er begreifen, respektieren und, wenn möglich, für sich nutzbar machen muss: *Virtú, Fortuna* und *Necessitá*. Er braucht *Virtú* als Tüchtigkeit, Energie und Kraft, um überhaupt etwas zu bewirken – und nicht nur seine eigene *Virtú*, sondern auch die seiner Zeitgenossen. Deshalb befürwortet Machiavelli z. B. für den militärischen Sieg über Nachbarstädte kein Söldnerheer, sondern eines, das sich aus den eigenen Untertanen zusammensetzt, die sich mit der Stadt identifizieren.

Der Fürst muss überdies die launische Göttin *Fortuna* achten, also die verschiedenen Gelegenheiten genau wahrnehmen, die ihm in seinem Handeln Grenzen setzen oder Chancen bieten. Und er muss – ein wenig in Fortsetzung dieses Gedankens – unabänderliche Zusammenhänge, die *Necessitá*, die Notwendigkeit von Ursachen und Wirkungen, von geschichtlichen Abfolgen, von psychologischen Kausalitäten, respektieren. Im Rahmen dieser Notwendigkeit muss er gegebenenfalls Grausamkeiten begehen, am besten kurz, alle auf einmal, aber keineswegs maßlos; und gefolgt von Wohltaten, um das Volk danach zu beruhigen und günstig zu stimmen.

Wem es heute in der Politik vorrangig um Machterwerb und Machterhalt geht, dem sind diese „handwerklichen" Erwägungen des Machiavelli nicht fremd, sondern ein wertvoller Rat. Und sie genießen auch in unserer Demokratie durchaus die positive Reputation einer politischen „Professionalität". Sie setzen ein Intelligenz- und Moralgefälle zwischen Herrscher und Untertanen als selbstverständlich voraus, das der Fürst benutzen kann und muss. Für die von ihm angestrebte Republik nimmt Machiavelli in seinen „Discorsi" dieses Gefälle allerdings nicht in dem Ausmaß an, befürwortet es auch gar nicht.

Das verweist auf die Prämissen, unter denen seine Ratschläge im „Fürsten" gelten: Bürger erscheinen hier als Untertanen, denen man die Wahrheit intellektuell oder emotional nicht zumuten kann. Sie können nicht durch Argumente überzeugt werden, erst recht nicht anhand eigener politischer Erfahrung einsichtig und selbstständig reagieren, sondern müssen im Prinzip geschickt manipuliert werden. Sonst wird die Stadt oder der Staat instabil.

Umgekehrt wird deutlich: Wer Machiavellis Ratschlägen im „Fürsten" nicht folgen will, weil sie seiner Auffassung von politischer Moral widersprechen, weil sie einem demokratischen Gemeinwesen mit dem Plädoyer für List und Ruchlosigkeit im Dienste des Machterhalts schaden, der muss sich die Voraussetzungen der eigenen Position klarmachen. Er oder sie muss vor allem das eigene – auch historisch oder kulturell geprägte – Menschenbild als theoretische Handlungsgrundlage und damit die anspruchsvollen Voraussetzungen erkennen, die demokratische Politik verlangt, wenn sie sich nach Werten richten will.

Daraus folgt: Wenn man – bei aller Notwendigkeit der Unterscheidung – doch einen stimmigeren Zusammenhang von privater und politischer Moral anstrebt, muss man die politischen, moralischen, sozialen und kulturellen Bedingungen dafür schaffen, dass die Bürger*innen nicht hinters Licht geführt werden müssen, weil sie als reife politische Subjekte zu handeln und zu reagieren vermögen. Dazu brauchen sie neben sozialer und psychischer Sicherheit eigene politische Erfahrungen, die ihre Urteilsfähigkeit stärken. Sie müssen durch ein demokratisches politisches System geboten und unterstützt werden. Deshalb suche ich in diesem Essay nach einer Weiterentwicklung demokratisch-politischer Teilhabe.

Zwischen Bürgerkrieg und tugendhaftem Gemeinwillen: Gesellschaftsverträge

Der radikale Bruch, den Machiavelli mit der Tradition des politischen Denkens vor ihm vollzieht, liegt darin, dass er keine theologischen Maßstäbe mehr an die Politik anlegt und auch der Legitimation von Gottes Gnaden den Rücken kehrt. Stattdessen beschreibt er die Instrumente, die ein absoluter Fürst einsetzen muss, um an die Macht zu kommen und sie zu bewahren. Deren „Legitimation" liegt im Dienst an der Staatsräson und hier in der Sicherung von politischer Stabilität. Die kommt auch den Untertanen zugute.

Im 17. und 18. Jahrhundert entstehen Konzepte eines staatlichen Zusammenlebens, die sich zwar auch nicht mehr von Gottes Gnaden her legitimieren, aber auch nicht einfach auf Staatsräson und Stabilität berufen. Vielmehr leiten sie vor dem Horizont eines erstarkenden Bürgertums die Legitimität von Staat und Politik nun aus dem freien Entschluss der Individuen, faktisch zunächst der wohlhabenden männlichen Bürger, her. Je nachdem, auf welchen Grundannahmen von der „Natur des Menschen" diese Entwürfe basieren, die sie literarisch in der Form des sogenannten Naturzustandes beschreiben, entstehen daraus idealtypisch unterschiedliche politische Verträge zwischen den Bürgern, sogenannte Gesellschaftsverträge, und daraus folgende Herrschaftssysteme. Diese Konzepte präsentieren damit auch unterschiedliche Vorstellungen von Politik. Im 17. Jahrhundert kann man hier zunächst Thomas Hobbes und John Locke einander gegenüberstellen.

Der englische Staatstheoretiker und Philosoph **Thomas Hobbes** (1588–1679) geht von den mörderischen Erfahrungen der Religionskriege aus, die England in der Mitte des 17. Jahrhunderts beherrschten. Daher präsentiert er in seinem 1651 in London erschienenen „Leviathan" die Menschen im Naturzustand so, dass sie in ständigem bitterem Konflikt miteinander leben – „*homo homini lupus*" lautet die einschlägige Formel. Zugleich sind sie untereinander ebenbürtig in ihren Rechten und Ansprüchen, also gleich und frei. Deshalb kämpfen sie prinzipiell unaufhörlich mit gleichem Recht gegeneinander, um sich die Güter zur Befriedigung ihrer sich immerfort steigernden Bedürfnisse zu verschaffen. Konkurrenz, Ruhmsucht und Misstrauen dominieren die Menschen.[4] In diesem Zustand herrscht, „was das Schlimmste von allem ist, beständig Furcht und Gefahr eines gewaltsamen Todes – das menschliche Leben ist einsam, armselig, ekelhaft, tierisch und kurz".[5] Das ist in der Tat ein miserables Dasein; ein Ende des Krieges aller gegen alle ist nicht in Sicht.

Es sei denn, die Bürger übergeben ihre Freiheitsrechte einem omnipotenten Staat, der sie um des Friedens willen in strenger Zucht hält. Unterschiedliche gesellschaftliche Gruppen, wie sie zum modernen Pluralismus gehören, sind hier nicht erlaubt, weil sie unvermeid-

lich zu Ungleichgewichten führen, die einen neuen Bürgerkrieg auslösen. Frieden und persönliche Freiheit gibt es nur zum Preis der klaren
Unterordnung der individuellen Freiheit unter den Staat. Gewaltenteilung ist nicht vorgesehen, weil dysfunktional, auch Zusammenschlüsse von Individuen nicht, beide würden immer erneut Unfrieden
auslösen. Unter dem Staat Leviathan ist die bürgerliche Gesellschaft
atomisiert und schwach.

Eine natürliche Geselligkeit oder Verbundenheit der Individuen,
gar die Fähigkeit, einander zu vertrauen, findet man bei Thomas
Hobbes nicht. Eine Frieden stiftende Antwort auf seine Zeiterfahrung
der Religionskriege konnte in Hobbes' Sicht deshalb nur ein ab-
solutistischer Staat bieten, in dem sich die politische Macht konzentrierte. Da er nicht mehr durch Gottes Gnaden, sondern durch die
Freiheit der individuellen Bürger legitimiert ist, zählt man Hobbes zu
den Vertragstheoretikern des Liberalismus. Ein Vorläufer der liberalen gewaltenteiligen Demokratie ist er aber gerade nicht. Das festzuhalten, ist wichtig.

Sein Gesellschaftsbild findet sich in der internationalen Politik
in vielen politisch-theoretischen Grundmustern wieder, die die internationale Arena als anarchistische Ansammlung von souveränen
Einzelstaaten betrachten. Sie stehen analog zu den atomisierten und
antagonistischen Individuen in der Hobbes'schen bürgerlichen Gesellschaft prinzipiell immer gegeneinander. Für sie gibt es keine natürliche
Ordnung oder Hierarchie, aber auch nicht die Perspektive freiwilliger
haltbarer – um nicht zu sagen „nachhaltiger" – Zusammenschlüsse
oder Vereinbarungen.

Hobbes zeigt: Wenn die Individuen ihre Freiheit prinzipiell
gegeneinander richten – sei es, weil sie einander die Objekte ihrer
unersättlichen Bedürfnisse abjagen oder weil eine marktradikale
Wettbewerbskultur sie von der Kinderkrippe bis zum Altenheim
als Konkurrenten gegeneinander hetzt –, dann verlieren sie ihre
Freiheit an einen absolutistischen Staat, an ein autoritäres Regime
oder unter der Hand an transnationale Unternehmen, die sie unterwerfen, ohne dass die Bürger*innen es sofort merken. Dagegen hilft
nur freiwillige Kooperation, die unter den philosophischen Prämissen

von Hobbes nicht möglich ist. John Locke dagegen hält sie dreißig Jahre nach Hobbes für möglich und für erstrebenswert, allerdings unter anderen Prämissen.

John Lockes (1632–1704) Erfahrungshintergrund waren nicht mehr die Religionskriege, sondern eine schon weiter fortgeschrittene bürgerliche Gesellschaft mit Privateigentum und sich deutlicher herausbildenden Märkten. In seiner Idee des Naturzustandes begegnen sich die Menschen prinzipiell freundlich. Aber es gibt immer Bürger, die die freundlichen Gewohnheiten nicht beachten und sich Vorteile verschaffen wollen. Deshalb braucht man einen Gesellschaftsvertrag, der mit seinen Regeln ein staatliches Gemeinwesen begründet. Er soll Freiheit und Eigentum jedes Bürgers sichern. Das hat der englische Philosoph John Locke festgehalten in seinen „Two Treatises of Government", die 1689 erschienen sind.

Eigentum steht bei Locke noch nicht konträr zur individuellen Freiheit, ein Gegensatz, der erst im 19. Jahrhundert immer stärker thematisiert wird. Im Gegenteil: Es hat sogar eine zentrale legitimierende Bedeutung, weil die individuelle Freiheit sich auf das Eigentum stützt, das jeder Mensch an sich selbst hat. Ohne dieses Eigentum an sich selbst können Menschen – z. B. in der Antike als Sklaven oder in der mittelalterlichen Grundherrschaft als Leibeigene – zum Eigentum anderer gemacht oder unter deren Verfügung gestellt werden. Es ist wichtig, sich diese fundamentale Legitimationsfunktion des Eigentums klarzumachen.

Denn das Eigentum hat in der Folge, und zwar schon bei John Locke selbst, eine ambivalente Wirkung. Im Naturzustand sind noch alle Menschen gleich, Unterordnung durch Eigentum gibt es nicht. Aber wenn es sich vom Eigentum an der eigenen Person zum Privateigentum an Sachen weiterentwickelt und darüber – wenn die Sachen Produktionsmittel werden – zur faktischen Verfügung und Herrschaft über Menschen führt, dann legitimiert Eigentum historisch schließlich die Unterminierung der gleichen Freiheit aller.

In einer komplizierten Legitimationsableitung begründet John Locke die Weiterentwicklung vom Eigentum an sich selbst zum Privateigentum an Sachen und argumentiert, wie individuelles Sacheigentum doch legitimerweise über dieses Eigentum an sich selbst hinausgehen und mehr umfassen kann.

„Das Gesetz, unter dem der Mensch stand, wies ihn geradezu auf die Aneignung hin. Gottes Gebot und seine Bedürfnisse zwangen ihn zu arbeiten. Worauf er auch immer seine Arbeit richtete, war sein Eigentum, das ihm nicht genommen werden durfte. So erkennen wir, dass die Unterwerfung oder die Kultivierung der Erde und die Ausübung von Herrschaft eng miteinander verbunden sind."[6]

Dieser Zusammenhang führt unmittelbar zu Privatbesitz.[7] Eigentlich legitimiert sich Sacheigentum nur aus der Arbeit des einzelnen Menschen, der seine Kräfte (die ihm gehören) in die Bearbeitung eines Gegenstandes zur eigenen Nutzung legt, wodurch der bearbeitete Gegenstand sein Eigentum wird. Das kann man dann auch ansammeln, wenn es dabei nicht verdirbt. Aber die Erfindung des Geldes ermöglicht, Eigentum unendlich anzusammeln. Wenn man es zu Geld macht, schützt man es vor dem physischen Verderben, das in Gottes Schöpfung nicht erlaubt wäre.

Damit stellt Locke legitimatorisch die Weichen dafür, dass aus der natürlichen, unverlierbar gleichen Freiheit aller Menschen doch Ungleichheit entsteht. Denn wer mehr Eigentum ansammelt und damit sogar andere Menschen verpflichten kann, für sich zu arbeiten, verfügt über diese anderen Menschen. Jedenfalls, wenn diese Verfügung kraft des Privateigentums nicht – wie später im Sozialstaat angestrebt – gesetzlich geregelt und begrenzt wird.

Hier beginnt schon der m. E. geschichtsprägende Zwiespalt zwischen politischer und ökonomischer Freiheit, zwischen politischem und ökonomischem Liberalismus, auf den ich später zurückkommen werde. Marxistische Theoretiker wie der Kanadier C. B. Macpherson haben John Locke deswegen nicht als Begründer der individuellen politischen Freiheit, sondern des bürgerlichen Eigentums interpretiert und kritisiert.[8] Die ursprüngliche Legitimation der Freiheit durch das Eigentum der Person an sich selbst wird damit allerdings nicht im Kern getroffen und auch nicht überflüssig.

Weil Menschen bei John Locke im Naturzustand gleich und frei sind und einander durchaus wohlgesonnen und freundlich begegnen, müssen sie nicht alle Macht an den befriedenden Leviathan abgeben. Vielmehr behalten sie trotz Gesellschaftsvertrag ihre ursprünglichen Rechte und können diese gegebenenfalls auch im Widerstand gegen die eingesetzte Herrschaft ausüben, wenn diese gegen die gleiche Freiheit der Bürger verstößt. Sie können auch kooperativ Ziele verfolgen. Gewaltenteilung, zumindest im Sinne der Unterscheidung zwischen verschiedenen Funktionen der Regierungsweise – der exekutiven, der föderativen (die über Krieg und Frieden Verträge schließt), der legislativen und der prärogativen (die der exekutiven praktisch Sonderrechte erteilt) –, ist möglich, birgt nicht, wie bei Thomas Hobbes, die Gefahr des Bürgerkriegs.

John Locke gilt als einer der wichtigsten Theoretiker der liberalen Demokratie, auch wenn er traditionelle Elemente – vor allem der monarchischen Herrschaft – noch nicht revolutionär eliminiert hat. Er markiert eine wichtige Station auf dem Weg des Bürgertums gegen die überkommene monarchische Herrschaft hin zur Volkssouveränität, deren epochale Ausrufung aber erst mit der Französischen Revolution hundert Jahre später und theoretisch vorher durch Jean Jacques Rousseau geschah.

Im folgenden Jahrhundert hat der französische Soziologe und Politiktheoretiker **Charles de Montesquieu** (1689–1755) mit seinem großen Werk „Vom Geist der Gesetze" („De l'Esprit des Lois") – an dem er zwanzig Jahre gearbeitet hat – geistesgeschichtlich die liberale politische Linie von John Locke weiterentwickelt. Wichtig sind hier für das folgende Verständnis der liberalen Demokratie seine Ideen der Gewaltenteilung und der Repräsentation.

In seinem Buch „Vom Geist der Gesetze" versucht Montesquieu, die verschiedenen Dimensionen eines Landes, aus denen seine Gesetze sich herausbilden, systematisch zusammen zu betrachten: von der Geografie und dem Klima über die Geschichte, die Kultur, die Wirtschaft und die gesellschaftlichen Traditionen bis schließlich zum in Gesetze gefassten politischen System. Sein Ziel ist dabei, die Bedingungen des freien, d. h. für ihn: des politischen Handelns der Bürger zu ermitteln. Diese Freiheit jedes Menschen, politisch zu handeln, steht im Denken Montesquieus im Mittelpunkt. Sie wird durch die genannten Bedingungen eingegrenzt und geformt. Oft glücklicherweise.

Denn Menschen tendieren in ihrer Freiheit vor allem dazu, Macht zu erwerben und zu bewahren. Die nutzen sie dann oft willkürlich und schränken damit die Macht ihrer Mitbürger*innen ein. Auf individuelle Freiheit haben aber alle Menschen in gleicher Weise Anspruch. Freiheit und Gleichheit gehören in der Legitimation des politischen Systems zusammen.

Institutionen sind dazu da, Machtmissbrauch, der die gleiche Freiheit unterminiert, zu verhindern. Daher der zentrale Stellenwert der Gewaltenteilung bei Montesquieu: „Eine ewige Erfahrung lehrt jedoch, dass jeder Mensch, der Macht hat, dazu getrieben wird, sie zu missbrauchen. […] Damit die Macht nicht missbraucht werden kann, ist es nötig, durch die Anordnung der Dinge zu bewirken, dass die Macht die Macht bremse."[9]

Damit ist die Voraussetzung dafür beschrieben, dass politische Freiheit, die Teilhabe an den Entscheidungen des Gemeinwesens, möglich wird. Montesquieu bindet diese politische Freiheit interessanterweise grundsätzlich an Sicherheit: „Politische Freiheit für jeden Bürger ist jene geistige Beruhigung, die aus der Überzeugung hervorgeht, die jedermann von seiner Sicherheit hat. Damit man diese Freiheit genieße, muss die Regierung so beschaffen sein, dass kein Bürger einen anderen zu fürchten braucht."[10]

Freiheit braucht Sicherheit vor Willkür – ein sehr umfassender Satz, der im Laufe der weiteren Geschichte freiheitlicher Politik alle möglichen Formen von Willkür und unterschiedliche Dimensionen von Sicherheit einschließen wird. Die genaue Gestalt der Gewaltenteilung, auch die Frage, ob es sich um eine Trennung oder zugleich um eine Verschränkung der Gewalten handelt, ist Gegenstand vieler rechtlicher und politikwissenschaftlicher Erörterungen. Funktional ist das Ziel klar – die Verhinderung von Willkür, die aus Machtanhäufung folgt.

Wie sie konkret institutionell umgesetzt wird, ist offen, aber zugleich wichtig. Vor allem, weil die mögliche gegenseitige „Bremsung" der Gewalten ja auch die Gefahr einer totalen Blockade der Politik birgt. Nachdem Montesquieu die drei Gewalten am Beispiel der am weitesten entwickelten zeitgenössischen Verfassung Englands beschrieben und ihre gegenseitige Bändigung analysiert hat, kommt er zu dem Schluss: „Eigentlich müssten diese drei Befugnisse einen Stillstand oder eine Bewegungslosigkeit herbeiführen. Doch durch den notwendigen Fortgang der Dinge müssen sie notgedrungen fortschreiten und sind daher gezwungen, in gleichem Schritt zu marschieren."[11]

Diesen „notwendigen Fortgang der Dinge" beschreibt oder begründet Montesquieu nicht näher. Zeitgenössisch kann man als Grund dafür den Bedarf des Monarchen an Finanzierung seiner Politik oder seiner Kriege annehmen. Heutzutage gibt es aber durchaus die Erfahrung von gegenseitiger Blockade – z. B. zwischen Bundestag und Bundesrat. Oder auch durch das Einstimmigkeitsprinzip im Europäischen Rat, in dem jeder Staat ein Vetorecht hat und die anderen „bremsen" kann. Das Ergebnis war in den letzten Jahren praktisch ein Stillstand in der Europäischen Union (EU) hinsichtlich notwendiger europäischer Entscheidungen in Sachen Steuer- oder Asyl- und Flüchtlingspolitik. Überwunden wird die Blockade, wenn es ein gemeinsames Interesse oder verbindende Werte gibt, die diese Blockade schließlich auflösen. Eins von beidem ist jedenfalls nötig.

In der Gegenwart stellt sich immer dringlicher die Frage, ob diese Notwendigkeit, die Blockaden zu überwinden, auf der Ebene der nationalen Regierungen noch zureichend wahrgenommen wird. Während Abgeordnete der Legislative durch ihre regelmäßigen Kontakte mit ihren Wähler*innen noch mit deren Alltagsleben vertraut sind, schiebt sich zwischen Bürger*innen und Exekutive inzwischen mehr und mehr eine Schicht professioneller Lobbyist*innen, die zur Bürgerferne führen kann. Gleichzeitig wird die Exekutive im Vergleich zur Legislative zunehmend stärker. Manche Analytiker der Demokratie sprechen inzwischen von der Tendenz zur „Präsidialisierung" der Demokratie.[12]

Mehr als John Locke differenziert Montesquieu am Beispiel Englands die Gewalten inhaltlich und begründet die klassische Trias von Legislative, Exekutive und Judikative. Letztere ist zu seiner Zeit besonders gefürchtet. Deshalb will Montesquieu sie durch sehr begrenzte Funktionsperioden möglichst machtlos halten: „[D]ie Gerichtsbefugnis, so gefürchtet sie unter den Menschen ist, [wird] sozusagen unsichtbar und nichtig."[13]

Heutzutage hingegen ist die Unabhängigkeit der Judikative in Demokratien zum Erhalt der Freiheit und der Rechtsstaatlichkeit überaus wichtig geworden. Sie wird angesichts vieler autoritärer politischer Entwicklungen vor allem der sogenannten „illiberalen Demokratien" zu einem unverzichtbaren und zunehmend gefährdeten Kern demokratischer Politik.

Neben der Begründung der Gewaltenteilung finden wir bei Montesquieu wichtige Vorarbeiten für den Gedanken der Repräsentation durch Wahlen. Er begründet die Wahl von Repräsentanten des Volkes für die Legislative damit, dass das Volk selbst zu politischen Entscheidungen nicht fähig sei. Zwar gilt: „In einem freien Staat soll jeder Mensch, dem man eine freie Seele zugesteht, durch sich selbst regiert werden."[14] Allerdings traut er dem Volk nicht zu, die politischen Angelegenheiten wirklich erörtern zu können: „Das Volk ist dazu durchaus nicht in der Lage. Das ist eines der großen Gebrechen der Demokratie."[15]

Repräsentation verlangt auch wegen dieser Unfähigkeit des Volkes ein „freies", kein gebundenes bzw. imperatives Mandat, das zu komplizierte Rückkopplungen erfordern würde, zumal wenn Wähler nicht kompetent sind. Wenn sie ein „Volksganzes" repräsentierten, müssten die Mandatsträger als Deputierte zwar Rechenschaft ablegen. Bei kleinen englischen Marktplätzen sei das dagegen nicht nötig.

Montesquieu vermengt hier einerseits technisch-pragmatische Fragen – Größe der Wählerschaft, Kompliziertheit der Rückkopplung – mit der Einschätzung, dass „das Volk" zwar fähig sei, die Repräsentanten auszuwählen, aber nicht, selbst zu entscheiden. Dafür baut er ganz klar auf „Leute, die durch Geburt, Reichtum oder Auszeichnungen hervorragen"[16]. Zwar plädiert er für eine freiheitliche Republik, aber nicht für eine aus allgemeinen gleichen und freien Wahlen hervorgegangene Demokratie.

Doch er legt den Keim für sie: Denn prinzipiell hat jeder Mensch eine freie Seele, es sind nicht biologische oder unumstößliche Umstände, die der Demokratie entgegenstehen, sondern soziale, z. B. der Mangel an wirtschaftlicher Unabhängigkeit großer Teile des Volkes. Mit der historischen Entwicklung des allgemeinen, gleichen und geheimen Wahlrechts hat der Keim der „freien Seele" seine Kraft entfaltet und sich gegen Abstammung und Legitimation von Gottes Gnaden oder Besitz durchgesetzt, inzwischen theoretisch zumindest weltweit.

Das Problem, wie die seit Locke legitimen Partikularinteressen der freien Bürger mit dem Gemeinwohl vereinbart werden können, thematisiert Montesquieu nicht. Er vertraut darauf, dass die „hervorragenden" Repräsentanten die Situation derer, die sie gewählt haben, gut kennen und zugleich eine für alle verträgliche vernünftige Lösung finden. Damit klafft eine empfindliche Lücke in der neuen Legitimation des Gemeinwesens aus der Freiheit der individuellen Bürger.

Sie wird in Montesquieus politischer Theorie durch seine Unterscheidung zwischen der Natur und dem Prinzip von Regierungen immerhin angegangen. Die Natur der Regierungen beschreibt ihr Verfassungs- und Institutionengefüge, das Prinzip die Einstellungen und Handlungsmotive der Bürger. Unter dem Blickwinkel der bei ihm im Zentrum stehenden politischen Freiheit unterscheidet Montesquieu zwischen Despotien, Monarchien und Republiken. In der Despotie gibt es gar keine Freiheit der Untertanen, in der Monarchie genießen nur Privilegierte ihre Freiheit, und in der Republik haben alle Bürger ein gleiches Recht auf politische Freiheit.

Um sich zu erhalten, sind die politischen Institutionen angewiesen auf Werte und Grundeinstellungen der in ihnen lebenden Menschen, die diese – Untertanen oder Bürger – motivieren, nach denen sie handeln und die diese Institutionen entsprechend ihren Aufgaben unterstützen. In der Despotie ist das die Furcht. Wenn Menschen den Despoten nicht fürchten, hat er keine Macht über sie.

Man konnte auf dieser Basis die Implosion der DDR voraussehen, wenn man vor 1989 kontinuierlich beobachtete, dass die Bürger*innen immer weniger Angst vor dem Staatsicherheitsdienst der DDR hatten. Am Ende, also im Herbst 1989, konfrontierte dieser das SED-Politbüro mit der ernüchternden Nachricht, dass er die Bürger*innen nicht mehr unter Kontrolle habe. Das war das Ende der DDR.

Monarchien brauchen in der Interpretation Montesquieus als Motivation der Untertanen das Bedürfnis nach „Ehre". Der absolute Herrscher regiert durch Auszeichnungen, z. B. bei Hofe. Ludwig XIV. hat das exemplarisch praktiziert. Die Republik schließlich kann nur bestehen, wenn die Bürger von der „Liebe zur Gleichheit" – sprich zur Gleichheit aller Bürger vor dem Gesetz – getrieben sind. Liebe – nicht nur zähneknirschendes Akzeptieren! – ist ein starkes Gefühl. Die Republik erfordert tugendhafte Bürger, die von der Rechtsgleichheit aller Bürger überzeugt sind und für sie eintreten. Mittelbar erwartet Montesquieu also aus der Tugend der Bürger Entscheidungen, die sich am Gemeinwohl orientieren und auch Blockaden, die sich aus der Gewaltenteilung ergeben, überwinden.

Liberale Demokratien heute bauen nicht auf eine so anspruchsvolle Moral, auch sie können sich aber ohne einen Grundkonsens über gemeinsame Werte als zentrales Element ihrer demokratischen politischen Kultur nicht halten. Der Grundkonsens fällt allerdings nicht vom Himmel. Der Politikwissenschaftler **Ernst Fraenkel**, der nach dem Zweiten Weltkrieg aus dem amerikanischen Exil nach Deutschland zurückgekehrt ist und sein Lebenswerk darin gesehen hat, nach dem Nationalsozialismus die Deutschen für die liberale pluralistische Demokratie des Westens zu gewinnen, hat darüber in seiner „Pluralismustheorie" ausgiebig nachgedacht.[17] Im Unterschied zu Rousseau verwirft er die Idee eines A-priori-Gemeinwillens.

Das Gemeinwohl (im Unterschied zum Gemeinwillen), das die Gesellschaft auf der Basis eines Grundkonsenses über die Mindeststandards von Freiheit, Gerechtigkeit und Solidarität in den einzelnen Politikentscheidungen „erstreiten" muss, folgt nach Fraenkel a posteriori aus diesem Streit. Den braucht die Gesellschaft deshalb zur immer erneuten und aktualisierten Klärung ihrer Grundwerte und ihres Grundkonsenses, sonst verliert sie ihren Zusammenhalt. Politischer Streit, sozialer Zusammenhalt und Gemeinwohl gehören in der westlichen pluralistischen Demokratie untrennbar zusammen. Wenn öffentlich politisch nicht genug gestritten wird – wie in den vergangenen 15 Jahren in Deutschland –, dann leiden Grundkonsens und gesellschaftlicher Zusammenhalt.

Jean-Jacques Rousseau (1712–1778), der Gesellschaftsphilosoph, Erziehungstheoretiker und Vordenker der Französischen Revolution, formuliert in seinem Begriff des Gemeinwillens (der *Volonté Générale*) eine Gegenposition zu Montesquieus Legitimität von Partikularinteressen.

Für unsere Frage nach dem Politikverständnis bei den liberalen Vertragstheoretikern fallen zunächst der radikale Freiheitsdrang Rousseaus und sein Konflikt mit der zeitgenössischen Gesellschaft auf. „Der Mensch ist frei geboren, und überall liegt er in Ketten." Mit diesem Fanfarenstoß beginnt Rousseaus „Gesellschaftsvertrag". Er verkündet einen krassen Gegensatz zwischen Natur und Gesellschaft. Natur heißt Freiheit, Gesellschaft heißt Ketten. Diesen Gegensatz kann Rousseau letztlich nicht auflösen.

In seiner „Abhandlung über den Ursprung und die Grundlagen der Ungleichheit unter den Menschen" führt er aus, dass die Gesellschaft auf unvermeidliche Weise die ursprüngliche Güte des Menschen verdirbt, weswegen er seine Freiheit, die auf seine Güte und Tugendhaftigkeit angewiesen ist, verliert.

Im Gegensatz zu Thomas Hobbes, dem Theoretiker des allmächtigen Leviathan-Staates, und seiner Vorstellung, der Mensch sei im Naturzustand dem anderen ein Wolf, nimmt Rousseau also im Naturzustand Freiheit und Güte des Menschen zum Ausgangspunkt. Aber diese Güte hält – als spontane, unbewusste Friedfertigkeit – nur so lange an, wie Menschen nicht enger miteinander in Kontakt treten oder in Gesellschaft leben. In diesem isolierten Zustand haben sie nicht viel Gelegenheit, gegeneinander aggressiv zu sein. Sobald sie allerdings gesellig werden, beginnt unweigerlich ihr Verderben. Sie vergleichen sich unaufhörlich miteinander und werden von Eigensucht, Neid, Eitelkeit und Feindseligkeit beherrscht. Rousseaus Gesellschaftszustand endet im oben zitierten Naturzustand von Thomas Hobbes.

Aber: Die Spannung zwischen Natur- und Gesellschaftszustand wird zum Ansporn, warum Rousseau mit seinem auch persönlich unbändigen Freiheitsdrang nicht definitiv den allmächtigen Leviathan anstrebt, sondern den „Gesellschaftsvertrag" schreibt. Er soll die ursprüngliche Freiheit der Menschen auch unter den Bedingungen der

Gesellschaft ermöglichen und begründen. Während der Leviathan durch Konzentration der politischen Macht die Sicherheit der rein privaten, nicht der politischen (!) Freiheit praktisch erzwingt, soll Rousseaus Gesellschaftsvertrag die politische Freiheit sichern. Und zwar dadurch, dass die Bürger sich freiwillig und aus eigener Einsicht, aber strikt und verbindlich dem vereinheitlichenden Gebot des „Gemeinwillens" unterwerfen. Die Frage wird sein, ob die Grundidee, dass die Menschen als Volk einheitlich dem Gemeinwillen folgen sollen und können, verwirklicht werden kann, ohne dass die Freiheit der Individuen dabei doch verloren geht.

Während Montesquieu den Bürgern und ihrer individuellen Freiheit als legitim zugesteht, partikulare Interessen in ihren Marktflecken zu verfolgen, und ihnen zutraut, sich mit vernünftigen Kompromissen zu einigen, verurteilt und verbietet Rousseau ebendiese Partikularinteressen, erst recht ihren Zusammenschluss in Verbänden, weil sie der alten Gesellschaft mit ihrer Verderbtheit, ihrer Ungleichheit, ihren Konflikten und ihrer Unterdrückung der Armen durch die Reichen wieder Tür und Tor öffnen.

So wird der „Gesellschaftsvertrag" zu einer theoretischen Konstruktion, die *einerseits* die Freiheit jedes Menschen radikal zum Maßstab der Verfassung erhebt. Klassen, unterscheidende Traditionen, Geburt oder Leistung dürfen, anders als bei Montesquieu, für die Stellung der Individuen im Staat keine Rolle mehr spielen. Alle Menschen sind gleich frei. Ihre gleiche Freiheit ist ihre *wesentliche* menschliche Eigenschaft, und in der unterscheiden sie sich eben auch nicht voneinander. Deshalb sind sie *im Wesentlichen* untereinander gleich, sind sie politisch (nicht privat!) ein einheitliches, homogenes Volk. Was sie voneinander unterscheidet, ihre Partikularwillen oder ihre Einzelinteressen, zählt politisch nicht, ist vielmehr für den Gemeinwillen unerheblich oder schädlich. Dem in seiner gleichen Freiheit einheitlichen Volk kommt zudem die Souveränität der Herrschaft zu. Rousseau ist der Begründer der Volkssouveränität nach innen und nach außen.

Andererseits verlangt die Freiheit der Individuen zugleich ihre vorbehaltlose Unterwerfung unter den Gemeinwillen, der die ursprüngliche Güte der Menschen nun in der Gesellschaft verwirklicht und sie von ihrer gesellschaftlich gewordenen Verderbnis – vor allem vom Egoismus, von der Eitelkeit und der Herrschsucht – befreit. Aber es handelt sich bei Rousseau doch zugleich um eine Unterwerfung unter den eigenen, nicht unter einen fremden Willen. Der eigene Wille hat allerdings nur dann seine Berechtigung und Würde, wenn er dem Gemeinwillen folgt. Der „Einzelwille neigt seiner Natur nach zur Bevorzugung und der Gemeinwille zur Gleichheit"[18].

Dieser Gemeinwille als Volkssouveränität kann nicht geteilt werden. „Denn der Wille ist entweder allgemein, oder er ist nicht; er ist derjenige des Volkskörpers oder nur der eines Teils. Im ersten Fall ist dieser erklärte Wille ein Akt der Souveränität und hat Gesetzeskraft. Im zweiten Fall ist er nur ein Sonderwille oder ein Verwaltungsakt; es handelt sich bestenfalls um eine Verordnung."[19]

Kriegserklärungen z. B. sind keine Souveränitätsakte, sondern nur „eine Anwendung des Gesetzes"[20]. Der Gemeinwille kann auch nicht irren. Zwar irrt manchmal das Volk, aber nur, wenn es irregeleitet ist. Verdorben ist es als Volk allerdings nie.

Ganz konsequent unterscheidet Rousseau zwischen „Gemeinwille" und „Gesamtwille". Der Gemeinwille sieht nur auf das Gemeininteresse, der Gesamtwille dagegen auf die vielen Privatinteressen. Er ist „nichts anderes als eine Summe von Sonderwillen"[21]. Die Menschen bewahren zwar ihre natürlichen Rechte, derer sie sich erfreuen dürfen. Aber der Souverän kann darüber entscheiden, wie viel sie davon zugunsten des Gemeinwillens abtreten müssen. Missbrauch kann der Gemeinwille „nicht einmal wollen: denn unter dem Gesetz der Vernunft geschieht nichts ohne Grund, ebenso wenig wie unter dem der Natur"[22]. Der Gemeinwille kann sich legitimerweise nur auf alle Bürger beziehen. Er „verliert seine Richtigkeit, sobald er auf einen einzelnen und festumrissenen Gegenstand gerichtet ist"[23].

Man fragt sich, was in diesem Zusammenhang Politik bedeuten kann, die sich ja auf konkrete Sachverhalte und Personen, obgleich nicht notwendigerweise auf Einzelfälle, beziehen muss. Dabei zeigt sich, dass bei Rousseau diese Art von Politik gar nicht Gegenstand seiner Überlegungen ist. Vielmehr trennt er zwischen konkreter Politik und dem allgemeinen Verfassungsgrundsatz, den Gemeinwillen zu erfüllen; auf ihn kommt es an. Alles andere sind ableitbare (man ist versucht, zu sagen: technokratische) Ausführungsbestimmungen, die ihn nicht als Politik interessieren. Was dann noch bleibt, ist privat.

Bei Montesquieu besteht Politik in der Aushandlung von Partikularinteressen, ohne dass er einen Maßstab des Gemeinwohls oder ein Verfahren dagegen angäbe, dass übermächtige Partikularinteressen sich gegen schwächere durchsetzen, was die auch von ihm postulierte gleiche Freiheit ja unterminiert. Allenfalls stellt der Grundsatz der Gewaltenteilung eine Bremse dar. Bei Rousseau dagegen verschwindet Politik in der allgemeinen Proklamation des Gemeinwillens, der sich hinsichtlich seiner Gegenstände bzw. Themen nicht ausdifferenzieren kann, weil er sich dann wieder nicht auf alles und alle beziehen würde.

Offenbar spürt Rousseau, dass er von den Bürgern viel Verzicht auf den eigenen persönlichen Willen verlangt. Den Vorteil dessen beschreibt er z. T. ähnlich wie Thomas Hobbes: Für „die natürliche Unabhängigkeit der Freiheit, für die Macht, anderen zu schaden, die eigene Sicherheit, für die eigene Stärke, die die anderen übertreffen könnte", erhält der Bürger „ein Recht, das durch die gesellschaftliche Einigung unüberwindlich wird".[24]

Wer nämlich den Gesellschaftsvertrag ablehnt und die Gesetze bricht, kann als „Feind" aus dem Staat ausgeschlossen werden, durch Verbannung oder Tod. Er ist keine sittliche Person mehr, sondern „irgendein Mensch", der unter Kriegsrecht getötet werden darf.[25] Wir sehen, Rousseau ist unerbittlich radikal: Der Gesetzesbrecher hat mit der Aufkündigung des Gemeinwillens die Gemeinschaft der sittlichen Menschen verlassen. Er hat kein Lebensrecht mehr.

Angesichts dieser Drohung, für die Tötung vogelfrei zu sein, stellt sich die Frage, wer schließlich in einem konkreten Staat den Gemeinwillen formulieren darf. Dazu macht sich Rousseau ausgiebige Gedanken. „Der Gesetzgeber ist ein in jeder Hinsicht außergewöhnlicher Mann im Staat"[26], von seinen Gaben her und durch sein Amt, das keine menschliche Herrschaft ausübt, über niemanden befehlen darf. Er errichtet die Republik, danach hört sein Amt auf. Sein Werk braucht „zwei Dinge zugleich, die unvereinbar scheinen: ein die menschliche Kraft übersteigendes Unterfangen und zu seiner Aus-

führung eine Macht, die nichts ist."[27] Schon vorher hat er sehr hohe
Anforderungen gestellt:

> „Wer sich daran wagt, ein Volk zu errichten, muss sich imstande füh-
> len, sozusagen die menschliche Natur zu ändern, jedes Individuum,
> das von sich aus ein vollendetes und für sich bestehendes Ganzes ist,
> in den Teil eines größeren Ganzen zu verwandeln, von dem dieses
> Individuum in gewissem Sinne sein Leben und Dasein empfängt;
> die Verfasstheit [*constitution*] des Menschen zu ändern, um sie zu
> stärken; an die Stelle eines physischen und unabhängigen Daseins,
> das wir alle von der Natur erhalten haben, ein Dasein als Teil und
> ein moralisches Dasein zu setzen. Mit einem Wort, es ist nötig, dass
> er dem Menschen die ihm eigenen Kräfte raubt, um ihm fremde
> zu geben, von denen er nur mithilfe anderer Gebrauch machen
> kann. Je mehr die natürlichen Kräfte absterben und vergehen, desto
> stärker und dauerhafter werden die erworbenen, desto fester und
> vollkommener wird auch die Errichtung. So dass man behaupten
> kann, wenn kein Bürger mehr etwas ist oder vermag außer durch
> alle anderen und wenn die durch die Gesamtheit erworbene Kraft
> der Summe der natürlichen Kräfte aller Individuen gleichkommt
> oder sie übersteigt, dann ist die Gesetzgebung auf dem höchsten
> Punkt der ihr möglichen Vollkommenheit angelangt."[28]

Diese Anforderungen zeigen, dass der „Gesetzgeber" keine Person,
sondern eine philosophische Konstruktion ist. Sie folgt der Definition des Gemeinwillens, dessen Wesen darin liegt, keinerlei menschliche Schwäche gegenüber Partikularwünschen zu teilen. Seine Richtschnur ist die Abstraktion von jedem Einzelinteresse. Damit bleibt kein
Raum für legitime Interessenkonflikte und eine pluralistische Gesellschaft. Rousseau aber erwartet gar nicht, dass sein Gesellschaftsvertrag
verwirklicht werden kann. „Es bedürfte der Götter, um den Menschen
Gesetze zu geben."[29]

Warum sollen wir uns dann mit seinen Überlegungen beschäftigen?
Ohne Zweifel legt er seinen Finger in die Wunde liberaler Gesellschaften
und politischer Systeme, wenn sie nur durch partikulare Interessen be-

herrscht werden. Sie können nicht zusammenhalten und auch keine gemeinsame Politik betreiben. Vor dieser Frage stehen wir heute in den meisten Gesellschaften liberaler Demokratien, auch in der Europäischen Union. Diesen Mangel durch ein radikales Gegenmodell zu überwinden, gelingt allerdings nicht, wenn man eine individuelle Freiheit retten will, die sich nur dem eigenen Gewissen unterordnet und dabei akzeptiert, dass Menschen endlich sind und irren können. Es zeigt sich, dass eine absolute politische Moralinstanz wirklichkeitsfern, ja gefährlich ist.

Zudem ist der Gemeinwille ein abstraktes Denkergebnis. Es entsteht, indem man vom konkreten politisch agierenden Bürger all das abzieht, was ihn zu einem konkreten, also spezifischen und damit auch partikularen Individuum macht.

Nicht zuletzt deshalb hat Rousseaus Propagierung eines radikalen und auch rabiat handelnden Gemeinwillens ihm den Vorwurf eingetragen, Vorbereiter des Totalitarismus zu sein, was seiner Intention sicher nicht entsprach. Aber er bietet dafür Anknüpfungspunkte.

Die hier vorgestellten vier vertragstheoretischen liberalen Positionen, die die individuelle Freiheit zum Ausgangspunkt nehmen, bleiben jede für sich befriedigende Antworten auf zentrale Fragen schuldig. Thomas Hobbes endet in einem absolutistischen Staat, der die individuelle persönliche Freiheit tilgt. John Locke kann diese Freiheit erhalten, allerdings eröffnet und legitimiert er eine Dynamik erneuter Unfreiheit und Unterwerfung, die sich aus individuellem Privateigentum legitimieren.

Damit entsteht eine Macht- und Legitimationskonkurrenz zwischen Privateigentum und Politik. Während liberale Politik sich aus der Erörterung und Vereinbarung zwischen gleich freien Bürger*innen über ihre gemeinsamen Angelegenheiten legitimiert, leiten sich ökonomische Entscheidungen aus dem (privaten) Verfügungsrecht über das Eigentum her, das dann auch implizit über andere Menschen verfügt, denen eigentlich die gleiche Freiheit zusteht. In der heutigen Situation des globalen Kapitalismus fragen wir inzwischen: Wer hat die Oberhand – die demokratisch legitimierte Politik oder der durch Privateigentum legitimierte Markt?

Montesquieu kann mit seiner Akzeptanz partikularer Interessen die konkrete individuelle Freiheit bewahren. Aber er weist – außer der sehr umfassenden Gewaltenteilung, die jedoch nicht in einzelne politische Prozesse eingreifen kann – keinen Weg, wie man der Übermacht privater Interessen begegnen könnte. Und Rousseaus radikale Herrschaft des Gemeinwillens verlangt einen übermenschlichen und gefährlichen Verzicht auf die konkrete Individualität, sie lässt keinen Raum für legitime Konflikte und eine pluralistische Gesellschaft – und kann auch nach seinen eigenen Worten nicht realisiert werden.

In der Entwicklung liberalen Denkens wurde die Frage nach der Gemeinsamkeit, nach einer gemeinsamen Basis zwischen den freien Individuen, die in Konflikt miteinander geraten, immer wieder gestellt. Beim Moralphilosophen und Ökonomen **Adam Smith** (1723–1790) gibt es nicht nur die „unsichtbare Hand" des Marktes („The Wealth of Nations"), sondern auch die „moralischen Gefühle" („The Theory of Moral Sentiments"), mittels derer sich Menschen in andere hineinversetzen können. **Immanuel Kant** unterstreicht die Pflicht zur Gemeinsamkeit im Kategorischen Imperativ und in den Maximen des „Gemeinsinns" (Selbst denken. An der Stelle jedes anderen denken. Jederzeit mit sich einstimmig denken). Sie sollen in seiner „Kritik der Urteilskraft" für Gerechtigkeit und eben Gemeinsinn sorgen. Der französische politische Soziologe und Philosoph **Alexis de Tocqueville** verweist in der ersten Hälfte des 19. Jahrhunderts auf eine Zivilreligion und auf „Assoziationen", die die Funktion der früheren Unabhängigkeit und Autorität des Adels übernehmen und in denen man Vorläufer heutiger zivilgesellschaftlicher Organisationen entdecken könnte.

In den siebziger und achtziger Jahren des 20. Jahrhunderts haben vor allem amerikanische und kanadische politische Philosophen, die sich als **„Kommunitaristen"** verstanden, gegen einen individualisierenden und atomisierenden Liberalismus sowie gegen den US-amerikanischen Rechtsphilosophen **John Rawls** und seine „Theorie der Gerechtigkeit" wieder republikanische Tugenden, insbesondere Verantwortung für das Gemeinwesen und für die Familie, gefordert. Sie kritisieren am Liberalismus, dass er nur die ökonomische Nutzenmaximierung und die Selbstverwirklichung des Individuums auch auf

Kosten der Gemeinschaft und des Gemeinwohls betone. Damit untergrabe er die gemeinschaftlichen Grundlagen der liberalen Kultur, die Demokratie und Freiheit erst möglich gemacht hätten.

Als Hauptvertreter des Kommunitarismus gelten u. a. **Michael Walzer**, **Charles Taylor** und **Amitai Etzioni**. Sie verweisen auf die Abhängigkeit der Menschen von der Gemeinschaft, zu der sie gehören, und die sie historisch und kulturell genährt und geprägt hat. Und sie warnen vor einer Vereinzelung der Menschen und ihrer Unterwerfung unter eine Ökonomisierung des Lebens, wie sie der Marktradikalismus bzw. der sogenannte Neoliberalismus im Gefolge haben. Die Freiheit des Individuums und seiner Entwicklung stellen sie aber nicht infrage. Sie muss jedoch mit der Gemeinschaft abgeglichen werden.

Um der Gefahr der Machtübernahme durch den Markt etwas entgegenzusetzen, rehabilitieren sie den Begriff des Gemeinwohls, das durch dezentrale politische Einheiten und Entscheidungen, durch die Zivilgesellschaft und lokale Einheiten und die oben genannten republikanischen Tugenden gestärkt werden soll. Die Individuen dürfen nicht nur als Träger von Rechten gesehen werden. Sie müssen ihre Praxis zugleich in sozialen Verpflichtungen verankern.

Gegenüber sogenannten etatistischen Positionen, die sich stark auf den Staat konzentrieren, auch gegenüber einem zu dominanten Wohlfahrtsstaat, der die Eigentätigkeit der Individuen unterminieren kann, hegen sie Misstrauen, ohne generell wie radikale Liberale den Staat so weit wie möglich reduzieren zu wollen. Das Gewicht soll mehr auf Eigentätigkeit in kleinen Einheiten liegen. Das Prinzip der Subsidiarität aus der katholischen Soziallehre ist ihnen wichtig. Danach soll die kleinste soziale Einheit bis hin zur individuellen Person die Aufgaben erledigen – und nicht abgenommen bekommen –, derer sie fähig ist. Dieses Prinzip dient vornehmlich der Stärkung und Unabhängigkeit der Person. Hier gibt es auch Überschneidungen zu dezentralen sozialistischen Positionen, die „Hilfe zur Selbsthilfe" propagieren.

Insgesamt weisen die Kommunitaristen auf Schwachstellen hin in einem rein rechtlich, individualistisch und ökonomisch verstandenen Liberalismus. Sie plädieren zu Recht für eine stärkere Suche nach Gemeinsamkeit, auch nach Einbettung der Individuen in soziale Gemeinschaften wie Familien, Vereinigungen und Kommunen, solange diese die individuelle Freiheit nicht unterminieren.

Damit bieten sie Inspirationen für eine Weiterentwicklung liberaler demokratischer Politik gerade auf der Ebene der Kommunen, die durch mehr Teilhabe von Bürger*innen insbesondere der Atomisierung entgegenwirken und den sozialen Zusammenhalt ebenso wie die demokratisch-politischen Kompetenzen der Bürger*innen stärken können.

Es ist vielleicht kein Zufall, dass in der aktuellen Diskussion, insbesondere in der Wahlforschung, ein Begriffsduo sehr in Mode gekommen ist, das „Kommunitaristen" gegen „Kosmopoliten" in Stellung bringt. Erstere legen demnach Wert auf kulturelle Gemeinschaft und Gemeinsamkeit, allerdings in einem eingeengten und ausschließenden Sinne, die die ideengeschichtlichen Vorgänger nicht vertraten. Gegenwärtig werden in der Wahlforschung so vor allem Wähler*innen, die sich gegen Flüchtlinge und Einwanderung wehren und die Ansicht vertreten, ihnen würden auf diese Weise ihre lieb gewordenen Bräuche genommen, als Kommunitaristen bezeichnet.

Von den oben genannten Kommunitaristen sind sie klar zu unterscheiden. Denn an Traditionen und an die Verankerung in der lokalen Welt zu erinnern, heißt nicht, fremdenfeindlich zu werden; heißt auch nicht, gegen den „Kosmopolitismus" anzugehen, dem vorgeworfen wird, die eigenen Wurzeln zu verraten. In positiver Konnotation versteht sich ein Kosmopolit dagegen als Weltbürger, der zwar gern auch in anderen Ländern als seinem Heimatland zu Hause ist, aber durchaus für sein eigenes Land oder seine kommunale Herkunft Verantwortung zu übernehmen bereit ist.

Aus dieser Entwicklung ergibt sich die Frage, ob man heute in liberalen Demokratien und mit einer liberal-demokratischen Politik politisch-kulturelle Gemeinsamkeiten entwickeln kann, ohne in kleingeistigen Tugendterror oder kleinbürgerliche Engstirnigkeit abzuleiten. Solche welt- und zukunftsoffene Gemeinsamkeit müsste im Alltag gelernt, praktiziert und immer wieder erneuert werden können. Sie müsste sich dort auch bewähren. Sie müsste Großzügigkeit – seit Aristoteles eine wichtige Tugend – mit kommunaler Verbundenheit und Verantwortungsbereitschaft verbinden. Darauf komme ich mit meinen Vorschlägen zur „gemeinsamen kommunalen Entwicklung" später zurück.

Was die liberalen Theoretiker nicht thematisieren, ist die Spannung zwischen politischem und ökonomischem Liberalismus. Das tut Marx – aber nicht, um den politischen Liberalismus zu retten oder zu stärken, sondern um ihn, sprich: die „bürgerliche Demokratie", als Ideologie und Schein zu entlarven, weil sie als „ideeller Gesamtkapitalist" allein den Kapitalisten und ihren ökonomischen Interessen diene. Die theoretische Grundlage dafür ist, dass Karl Marx Politik generell als kaschierenden „Überbau" der eigentlich herrschenden Dynamik der kapitalistischen Wirtschaft betrachtet, dass er der Politik also jegliche Eigenständigkeit, gar die Möglichkeit, den Interessen von Kapitalisten und dem System des Kapitalismus erfolgreich entgegenzutreten, abspricht.

Erst nach ausgiebigen und heftigen Diskussionen zwischen Marxisten (**Rosa Luxemburg**) und Revisionisten (**Eduard Bernstein**) darüber, wie die Überwindung des Kapitalismus und die Gestaltung des Sozialismus konkret gelingen könnten und welche Rolle dabei die liberale Demokratie spielen sollte (in der die SPD bereits eine gewichtige Position im Reichstag erkämpft hatte), wurde die Frage nach dem Verhältnis von liberaler Demokratie und kapitalistischer Wirtschaft zum brennenden Thema. In der Weimarer Republik stellte sie sich für die SPD anders als für die anderen Parteien.

Die KPD wollte den sowjetischen Weg gehen und die liberale Demokratie nicht erhalten, Liberale wollten den Kapitalismus nicht abschaffen, waren aber auch nicht allesamt engagierte Demokraten. Konservative und das christliche Zentrum standen dem Kapitalismus z. T. kritisch gegenüber, aber ohne ihn überwinden zu wollen und in der Regel ohne Begeisterung für die liberale Demokratie.

Die Sozialdemokraten standen mehrheitlich hinter der liberalen Demokratie, viele bewahrten ihr gegenüber jedoch zunächst eine ambivalente Distanz. Da sie Ausbeutung und Krisen im kapitalistischen System mit der Folge hoher Arbeitslosigkeit überwinden wollten, reichte ihnen die liberale Demokratie oft nicht aus. „Republik, das ist nicht viel, Sozialismus ist das Ziel", skandierten Jungsozialisten in der Weimarer Republik. Nach dem Desaster von Nationalsozialismus und Zweitem Weltkrieg ging die Ambivalenz gegenüber der liberalen Demokratie zurück.

Für Sozialdemokraten (**Kurt Schumacher, Richard Löwenthal** alias Paul Sering mit seinem grundlegenden Buch „Jenseits des Kapitalismus") rückte zur Überwindung des Kapitalismus nach dem Vorbild der britischen Labour Party der demokratische Staat als strategischer politischer Akteur ins Zentrum der Überlegungen, um die Wirtschaft im Sinne des Gemeinwohls zu regulieren und sozial gerecht zu gestalten. Hinzu kamen Vorstellungen zur Wirtschaftsdemokratie mit Gewerkschaften und betrieblicher sowie unternehmerischer Mitbestimmung. Dieses Ordnungskonzept war nach dem Zweiten Weltkrieg mehrere Jahrzehnte lang für die Wirksamkeit der liberalen Demokratie durchaus erfolgreich.

Nach der marktradikalen Periode seit den 1980er-Jahren, in der die Nationalstaaten in der ökonomisch deregulierten Globalisierung mehr und mehr ihre politische Gestaltungskraft gegenüber der kapitalistischen Wirtschaft wieder eingebüßt haben, müssen jetzt neue transnationale Wege für eine Balance zwischen Politik und Wirtschaft gefunden werden. Die tiefere Krise der Sozialdemokratie liegt aktuell zentral darin, dass sie diese noch nicht konzeptionell überzeugend gefunden, geschweige denn umgesetzt hat – was auch theoretisch und praktisch sehr schwer ist. Denn es geht ganz fundamental um die Möglichkeit und Wirksamkeit demokratischer Politik, jenseits parteipolitscher Interessen. Darauf komme ich im vierten Kapitel zurück.

Wird Politik überflüssig?
Marx, die Anarchisten und der Feminismus

Vor der Revolution ist Politik unwirksam, danach unnötig: Karl Marx

Karl Marx gilt nicht als Theoretiker der Politik, sondern als Ökonom und Gesellschaftskritiker. Zu Recht. Er hat Politik zwar durchaus vielfach als Ökonom und Soziologe analysiert, aber ihr, wie gesagt, keine

Eigenständigkeit gegenüber der Wirtschaft, genauer: gegenüber den Produktivkräften (menschliche Arbeit, Technik/Maschinen) und den Produktionsverhältnissen (Organisation der Produktion) des Kapitalismus und den daraus folgenden politischen, sozialen und kulturellen Verhältnissen zugesprochen.

In Entgegensetzung zum philosophischen Idealismus von Georg Friedrich Wilhelm Hegel[30] denkt Karl Marx die Entstehung der Wirklichkeit nicht aus der Idee, sondern aus der Arbeit des materiellen sinnlichen Menschen. Die menschliche Arbeit produziert anders gesagt die Wirklichkeit. Allerdings bisher in entfremdeter Form. So ist die bisherige Geschichte eine der entfremdeten Arbeit und in der Folge die Geschichte der Unterdrückung und der Klassenkämpfe zwischen der herrschenden Bourgeoisie und der produzierenden Arbeiterklasse. Der geschichtliche Fortschritt zielt aber letztlich auf die Befreiung von Klassen und von Herrschaft insgesamt.

Das Proletariat, das im 19. Jahrhundert im Unterschied zur herrschenden Bourgeoisie unter der Entfremdung seiner Arbeit leidet, ist darauf aus, diese Entfremdung revolutionär zu überwinden. Sie liegt nicht nur in der physisch quälenden Ausbeutung der Arbeiter durch die Fabrikherren, sondern vor allem in der Entfremdung der Arbeiter von ihrer Arbeit, dem Industrieprodukt, in das sie ihre Wesenskräfte investiert haben. (Hier scheint noch eine Analogie zu John Lockes Eigentumsbegriff auf.) Die kapitalistischen Herren eignen sich die Produktion der Arbeiter an und herrschen mittels dieser Aneignung über die Arbeit der Arbeiter und damit über diese selbst. Sie transformieren das Produkt der Arbeiter in Kapital und schöpfen daraus Mehrwert bzw. Profit ab, den sie in ihrem eigenen Interesse wieder investieren. So wird den Arbeitern das Produkt ihrer eigenen Arbeit, in das sie ihre „Wesenskräfte" investieren, fremd und zugleich zum Instrument ihrer Unterdrückung. Die kapitalistischen Produktionsverhältnisse führen also zu einer ökonomischen und folglich politischen Herrschaft, die die Arbeiter mittels ihrer eigenen Produkte und ihrer Produktivkraft geschaffen haben und die sie jetzt unterjocht. Das ist nach Marx der Ursprung aller gesellschaftlichen Konflikte.

Die Entwicklung des Kapitalismus führt in der Marktdynamik zur Bildung von Monopolen und zur Monopolisierung der Produktion, so dass schließlich ein Heer von Proletariern einer immer kleineren Zahl von Kapitalisten gegenübersteht. Infolge der mangelnden kaufkräftigen Nachfrage und der damit steigenden Überproduktion entsteht aus den entlassenen Arbeitern eine industrielle Reservearmee, die das revolutionäre Potenzial für die Überwindung des Kapitalismus und damit der kapitalistischen Produktionsverhältnisse insgesamt bereitstellt. Mit und in der Revolution gehen diese Produktionsverhältnisse unter – und mit ihnen die aus ihnen herrührenden gesellschaftlichen Konflikte und Herrschaftsverhältnisse überhaupt. Damit verliert der Staat, dessen Hauptaufgabe es bis dahin war, die Interessen und die Herrschaft der Bourgeoisie gegen die Arbeiter durchzusetzen und diese in Schach zu halten, seine Funktion: Der Staat stirbt ab und damit auch die Notwendigkeit von Politik. Sie wird ersetzt durch die Verwaltung von Sachen.

Im Aufstand der Pariser Kommune im Jahr 1870/71 sieht Marx ein erstes Beispiel der proletarischen Revolution, aus der die herrschaftslose nachrevolutionäre Gesellschaft entsteht. Sie wird nicht gezielt nach politischen Werten gestaltet. Die Arbeiterklasse „hat keine Ideale zu verwirklichen; sie hat nur die Elemente der neuen Gesellschaft in Freiheit zu setzen, die sich bereits im Schoß der zusammenbrechenden Bourgeoisgesellschaft entwickelt haben."[31] Dabei bringt Marx diese neue Gesellschaft ebenso wie die sie hervorbringende Arbeiterklasse sprachlich im Singular zum Ausdruck. Entsprechend ist die aufständische Pariser Kommune, das erste Beispiel für die neue Gesellschaft, ein einheitlich handelndes Subjekt: Sie ist zugleich Subjekt und Objekt allen Handelns. Angesichts dieser Übereinstimmung von politischem Subjekt und Objekt in der einheitlich gedachten Gesellschaft haben innergesellschaftliche Konflikte nach der Revolution gar keinen Grund mehr. Sie sind dann nur Folge von „sporadischen Sklavenhalter-Rebellionen" der Kapitalisten, die den Verlust ihrer Herrschaft noch nicht akzeptieren wollen.[32] Das einheitliche Subjekt der verbleibenden Arbeiterklasse kann nicht in sich gesellschaftliche Konflikte tragen und austragen.

Politik aber entsteht eben erst, wenn in Konfliktsituationen Entscheidungen innerhalb der Gesellschaft getroffen werden müssen, die zum einen umstritten sind und zum anderen von der gesamten Gesellschaft als verbindlich anerkannt werden müssen.

Überdies hatte Marx alle bisherigen geschichtlichen Konflikte aus den Widersprüchen zwischen den Produktivkräften und den Produktionsverhältnissen hergeleitet, die die Gesellschaften schließlich in Klassen teilen, mit einer oder mehreren jeweils herrschenden Klassen. Diese verfügen nach Marx für die Sicherung ihrer Herrschaft über den Staat. Diese Konstellation wird durch die Revolution aufgehoben. Eigenständige Politik war vor der Revolution gegen die Produktivkräfte und die Produktionsverhältnisse nicht möglich, nach der Revolution wird sie überflüssig.

Die Logik von Marx ist klar: Wenn Konflikte vor der Revolution allein aus den kapitalistisch organisierten Produktionsverhältnissen stammen, dort aber zur Überlegenheit einer Klasse führen, können sie nicht politisch im Sinne eines gerechten Ausgleichs oder des Gemeinwohls ausgetragen werden. Wenn es aber keine Konflikte mehr gibt, braucht man auch keine Politik mehr.

Im Umkehrschluss: Politik ist nur dann möglich, wo es eine Chance auf Ausgleich auch der Machtpotenziale gibt und nicht eine Macht einfach das Sagen hat. In modernen Demokratien mit einer pluralistischen Gesellschaft und kapitalistischen Wirtschaft kann Politik damit nur eigenständig gestalten, wenn die Kapitaleigner*innen nicht von vornherein die Oberhand haben bzw. wenn die Entscheidungen nicht de facto durch Marktmacht getroffen werden. Ob das der Fall ist, stellt heute eine der brisantesten Fragen an die Möglichkeit von demokratischer Politik dar.

Zugleich hat sich im praktizierten Staatssozialismus nach dem Ersten und dem Zweiten Weltkrieg gezeigt, dass Konflikte in den Gesellschaften nicht nur aus den vorangegangenen kapitalistischen Produktionsverhältnissen herrühren. Der Vorsitzende der KPdSU Michail Gorbatschow hat daraus in seiner berühmten Rede zum 70. Jahrestag der Oktoberrevolution am 2. November 1987 über *Glasnost* und *Perestroika* die Konsequenzen gezogen. Er erkennt die legitime

Pluralität der Gesellschaft implizit an, indem er in seiner Rede auf die Vielfalt menschlicher Erfahrungen hinweist:

> „Jeder Mensch besitzt seine sozialen Erfahrungen, seinen Wissens- und Bildungsstand, seine Besonderheiten bei der Rezeption des Geschehens. Daher rührt das ungewöhnlich breite Spektrum von Meinungen, Überzeugungen und Bewertungen, die selbstverständlich aufmerksam in Betracht zu ziehen und zu erwägen sind. Wir sind für eine mannigfaltige öffentliche Meinung, für ein reiches geistiges Leben. Wir brauchen keine Angst davor zu haben, schwierige Probleme der gesellschaftlichen Entwicklung offen aufzuwerfen und zu lösen, Kritik zu üben und zu diskutieren. Gerade unter solchen Bedingungen setzt sich die Wahrheit durch, formen sich richtige Entscheidungen."[33]

Gorbatschows politisch epochemachende Schlussfolgerung zeigt: Die Erwartung einer homogenen konfliktfreien Gesellschaft nach der Revolution hat sich als illusionär erwiesen. Politik bleibt deshalb so lange möglich, aber auch nötig, wie es freie oder zumindest de facto pluralistische Gesellschaften ohne Machtmonopol gibt.

Freiheit von Herrschaft und Politik: Anarchismus

Aus einer Radikalisierung des Freiheitsverständnisses sind nach der Französischen Revolution im 19. Jahrhundert anarchistische Bewegungen und Theorien entstanden, die, wie Marx dies nach dem Ende des Kapitalismus erwartete, ein herrschaftsfreies Zusammenleben der Menschen anstrebten bzw. propagierten. Für Marx ergab sich das zwangsläufig aus dem notwendigen Fortschritt der Geschichte; die Anarchisten wollten dafür aktiv die alten Herrschaftsstrukturen sprengen, um damit der neuen Welt zum Durchbruch zu verhelfen, zur Not mit Gewalt. Es ging ihnen darum, die in der Französischen Revolution verkündete Freiheit konsequent und radikal zum Gestaltungsprinzip des gesellschaftlichen Zusammenlebens zu machen und gegen jegliche Unterordnung anzutreten.

Dazu mussten alle Hierarchien überwunden werden. Tendenziell wurden die Beziehungen zwischen den Individuen oder zwischen sozialen Kollektiven – Kommunen, Assoziationen oder Genossenschaften – daher im Anarchismus als ebenbürtige und kooperative Koordination vorgestellt. Solche Formulierungen finden wir auch im „Kommunistischen Manifest" von Marx und Engels. Es schließt mit dem Ausruf: „An die Stelle der alten bürgerlichen Gesellschaft mit ihren Klassen und Klassengegensätzen tritt eine Assoziation, worin die freie Entwicklung eines Jeden die Bedingung für die freie Entwicklung aller ist." Im Ziel gibt es also eine Affinität zwischen Karl Marx und den Anarchisten, in Bezug auf den Weg dahin unterscheiden sie sich scharf.

Die traditionell zentrale politische Kategorie der Macht löste sich bei den Anarchisten theoretisch entweder in ein zwischenmenschliches Band der Liebe auf, das entstehen würde, wenn die unterdrückenden Hierarchien erst einmal abgeworfen wären; oder Macht sollte organisatorisch so atomisiert werden, dass sie nicht mehr zum Zweck der Herrschaft eingesetzt werden könnte. Hier entsteht eine Nähe zur libertären Tradition, die – als eine grundsätzliche Alternative zur Politik – theoretisch in die Auflösung von Politik in anonyme Marktentscheidungen münden kann. Ich komme darauf zurück.

Praktisch wirksam wurden in dieser Tradition Genossenschaften: Produktions- und Konsumgenossenschaften, Finanzgenossenschaften (Sparkassen) und Wohnungsbaugenossenschaften. Sie haben in jüngerer Zeit eine Renaissance erlebt, aber nicht als Gesamtmodell für politische Gemeinwesen wie etwa ganze Staaten. Vielmehr sind sie ein wichtiges Experimentierfeld für Einzelsektoren der Gesellschaft geworden. Sie knüpfen an ökonomische, soziale und historische Studien zur Allmende an, d. h. zu Formen des Gemeineigentums oder der gemeinsamen Nutzung von Böden, Tierhaltungen, Fischzuchten etc. Elinor Ostrom hat in den achtziger Jahren des 20. Jahrhunderts dazu geforscht und 2009 dafür den Nobelpreis für Ökonomie erhalten. Dabei ist es kein Zufall, dass sie nicht nur Ökonomin, sondern auch Politikwissenschaftlerin ist.[34]

In Form der Genossenschaften hat der Grundgedanke der Anarchisten, Herrschaft durch Ebenbürtigkeit bzw. Partnerschaft und durch Entscheidung im Konsens zu ersetzen, eine neue Aktualität erfahren. Der Anarchismus wurde dadurch seiner utopischen ebenso wie seiner gewaltorientierten Elemente entkleidet.

Die Renaissance des Genossenschaftsgedankens folgt auch aus der Erfahrung vieler, dass die herkömmliche demokratische Politik in vielen Fällen nicht mehr in der Lage zu sein scheint, gegen die systemische Übermacht von wirtschaftlichen Lobbygruppen und der Logik des Privateigentums Lösungen für den Alltag der breiten Bevölkerung durchzusetzen.

Feministische Herrschaftskritik

Aus der Frauenrechtsbewegung des 19. Jahrhunderts, die sich stark auf die Forderung nach dem gleichen Wahlrecht für Männer und Frauen konzentrierte, hat sich im 20. Jahrhundert der Feminismus entwickelt, dessen Themen sehr viel breiter angelegt sind und die sich auf gesellschaftliche, politische und kulturelle Erfahrungsbereiche erstrecken. Der ursprüngliche Fokus liegt auf der Aufdeckung von Herrschaft, die sich aus den historisch entstandenen und kulturell geprägten Geschlechterverhältnissen ergibt. Sie gelten vielen fälschlicherweise als selbstverständlich oder naturgegeben. Beim Unterschied zwischen „Gender" und „Geschlecht" geht es darum, dass die körperliche Konstitution von Frauen und Männern (Geschlecht) keineswegs selbstverständlich oder „naturgegeben" soziale oder kulturelle geschlechtsspezifische Praktiken und Gewohnheiten (Gender) schafft. Vielmehr sind diese durch historische Zuschreibungen entstanden und verfestigt worden. Der Feminismus will sie im Namen einer wirklichen Gleichheit bzw. Gleichberechtigung aller Menschen aufdecken und überwinden.

Dabei zielt diese Sicht schließlich auch auf die grundsätzliche Infragestellung einer naturgegebenen Zweiteilung der Geschlechter. Nicht nur gibt es weibliche Selbstwahrnehmungen in männlichen Körpern und umgekehrt sowie Personen, die sich in der Geschlechteranziehung bisexuell erfahren – was keine Erkenntnis des Feminismus allein ist. Manche Menschen verstehen sich auch als *queer* (wörtlich „ab-

weichend"), d. h., sie wollen bzw. können sich nicht einer Geschlechter-
kategorie oder überhaupt der Kategorie „Geschlecht" unterordnen.

Der Feminismus versteht sich – trotz aller Variationen – eher als
Kritik. Es geht ihm nicht um den Entwurf einer alternativen politischen
Ordnung. Darin ähnelt er der Theorie von Karl Marx. Aber einige Vertreter*innen gehen doch von typischen Einstellungen und Präferenzen
von Frauen aus, die für das Verständnis von Politik relevant sind.

So gibt es Kritik an einem männlichen Autonomie- oder Souveräni-
tätsverständnis, das die sichernde und hilfreiche Bedeutung von
zwischenmenschlichen Beziehungen unterschätzt, weil diese über Jahrhunderte hinweg „gratis" von Frauen aufgebaut und gepflegt worden
sind. Ihr besonderer „nährender" Wert ist deshalb von Männern vielfach
nicht wahrgenommen worden. Daraus ergibt sich auch eine Kritik am
klassischen Liberalismus, der sich normativ auf das „autonome", d. h.
faktisch männliche und isolierte Individuum konzentriert und damit die
für ein gelungenes Leben und auch für gelungene Politik unverzichtbaren sozialen Einbettungen ausblendet.[35] Hier besteht eine Nähe zum
Kommunitarismus.

Auch in der empirischen Analyse von Führungsstilen – zwar zumeist untersucht in Wirtschaftsunternehmen, aber durchaus auch in
Studien über Politikerinnen[36] – werden Unterschiede registriert, die
darauf hindeuten, dass Frauen eher aushandelnd und weniger an-
ordnend führen. Möglicherweise deshalb werden bei gravierenden
Konflikten immer häufiger Frauen engagiert, um einen gemeinsamen
Neuanfang zu schaffen.

Dies gewinnt auch eine Bedeutung für die politische Praxis. Die
Frage, wie in einer globalen politischen Verständigung Konflikte über-
wunden oder zumindest entschärft werden können, wird immer dring-
licher. Vieles deutet darauf hin, dass autoritäre Führungsstile für das
Schlichten vor allem von interkulturellen Konflikten ungeeignet sind.
Der von einigen feministischen Forscher*innen angenommene Unter-
schied in den Präferenzen von Frauen und Männern hinsichtlich ihrer
moralischen oder lebenspraktischen Prioritäten könnte hier wertvolle
Hinweise geben: Während Männer ihr Selbstwertgefühl eher aus der
Erfahrung von Macht über andere gewinnen, scheinen Frauen ihres

eher aus der Anerkennung innerhalb gelingender Beziehungen zu schöpfen. In der Finanzkrise haben empirische Untersuchungen überdies gezeigt, dass Bankerinnen in ihrem Anlageverhalten erheblich vorsichtiger waren als Banker, was den Banken zugutegekommen ist.

Immerhin wäre nach feministischem Verständnis auch bei Einebnung der Genderdifferenz Politik als Aushandlung von unterschiedlichen Interessen und Vorlieben nötig. Insofern zielt die feministische Herrschaftskritik nicht auf die Abschaffung von Herrschaft, sondern auf die partnerschaftliche Regelung von Konflikten im Allgemeinen und von politischen im Besonderen.

Dass Feminist*innen in der Regel doch von der Möglichkeit von Politik ausgehen, unterscheidet sie von soziologischen Systemtheoretikern, namentlich von Niklas Luhmann.

Ist Politik eine Illusion? Niklas Luhmann vs. Fritz W. Scharpf

Das System macht's unmöglich: Niklas Luhmann

Wir erinnern uns: Platon hatte in der Analogie zwischen dem Schiffskapitän und dem Politiker Politik als Steuerung definiert. Der Kapitän steuert das Schiff dank seiner überlegenen Kenntnisse sicher durch die raue See. Der Politiker steuert den Staat dank seiner Einsicht in die realen Gegebenheiten durch eine unfreundliche Außenwelt. Mehr als 2000 Jahre später nimmt ein berühmter Soziologe, **Niklas Luhmann** (1927–1998), diesen Begriff auf, allerdings in einem ganz anderen Kontext.

Als Systemtheoretiker richtet er seinen analytischen Blick nicht wie Platon auf politische Akteure, sondern begreift die soziale und politische Welt als einen prinzipiell unüberschaubaren Zusammenhang von Systemen, die füreinander zugleich Umwelt sind und sich so gegenseitig beeinflussen und bedingen. Menschen, Tiere, Gesellschaften, Universitäten sind – in Analogie zu natürlichen Organismen oder zu kybernetischen Rückkopplungsanlagen – Systeme, die sich immer weiter ausdifferenzieren, unübersehbare Rückkopplungen auslösen und ihnen zugleich folgen. Jeder Einzelne hat in seinem System eine Funktion, die er sich nicht individuell auswählt, sondern die gleichsam naturgesetzlich der Selbsterhaltung des Systems dient.

Anders als bei Platon gibt es also nicht einzelne Akteure, die frei entscheiden oder steuern können. Sie sind vielmehr als Systeme und als Einzelteile innerhalb der Systeme funktional determiniert. Nicht Akteure handeln und kommunizieren, sondern Kommunikation findet zwischen Systemen als ganzen statt. Systeme steuern sich selbst.

Einzelne Akteure können weder die Prämissen noch die Folgen ihres Handelns überschauen oder definieren, dazu sind diese zu komplex. Zwar suggeriert Luhmann, dass Akteure politisch entscheiden könnten, wenn er feststellt, dass die „funktionale Definition der Politik als Herstellung kollektiv bindender Entscheidungen für das Gesellschaftssystem [...] derzeit das einzige solide Angebot" für die Bestimmung von Politik sein dürfte.[37] Denn das Wort „Entscheidungen" legt immerhin nahe, dass Menschen als Systeme noch eigenständig handeln können. Aber die Vorstellung, dass Bürger*innen sich zusammentun und miteinander politische Entscheidungen frei nach eigenen Erwägungen aushandeln könnten, ist für Luhmann illusionär.

Politik bleibt, systemtheoretisch begriffen, ein anonymer subjektloser Vorgang der Kommunikation: Ein „politisches System beschreibt sich selbst als Staat, wenn Kommunikationen, die diese Formel verwenden, als verstehbar eingeschätzt und verstanden werden (was immer konkret im Bewusstsein der Einzelnen dabei abläuft)"[38]. Das klingt sehr abstrakt und diffus, aber der Grund für diese Diffusität liegt laut Luhmann nicht beim Autor dieser Analyse, sondern in der Diffusität des Systems.

Am Beispiel des grundlegenden Modells von Steuerung, dem Thermostat, lässt sich das nachvollziehen: Während dieser die Differenz zwischen vorgegebener und faktischer Temperatur durch Differenzminderung steuern kann, also die Temperatur rauf oder runter stellt, ist solche Steuerung als Differenzminderung zwischen „Soll" und „Ist" im Gesellschaftssystem nicht möglich. Denn dort gibt es keinen eindeutigen stabilen Ausgangspunkt. Vielmehr ändert sich die Gesellschaft schon während des Steuerungsvorgangs, ohne dass man dies genau erkennen, kausal beeinflussen oder vorhersehen könnte. Damit verfehlt der Steuerungsvorgang notwendig sein Ziel, weil die Gesellschaft während des Steuerungsvorgangs schon wieder eine andere geworden ist, ganz abgesehen von der unüberschaubaren Komplexität gegenseitiger Beeinflussungen.[39]

Luhmann beschreibt hier einen hilflosen Untergang in der Komplexität. Wie soll man da noch Politik machen? In der Tat stehen wir heute vor der Frage, wie man in einer Welt noch gestalten kann, in der z. b. der Verbrauch von Fleisch in Europa über den CO_2-Ausstoß zur Trockenheit in der Sahara beiträgt, in der die Handelspolitik eines Landes zur Arbeitslosigkeit in einem anderen führt, in der ein Corona-Virus in China den Weg um die Welt antritt und Staaten und Wirtschaften in einen Lockdown stürzt, in der gleichzeitig an verschiedenen Stellen unseres Planeten Bürgerkriege ausbrechen, vor denen Menschen fliehen und anderswo Asyl suchen und dort auf Menschen treffen, die sich gegen sie wehren, weil sie in ihrem eigenen Land durch eine Wirtschafts- und Sozialpolitik frustriert sind, die ihnen Verlustängste einflößt. Wie soll man in einer solchen Welt unüberschaubarer gegenseitiger Abhängigkeiten noch Politik als Steuerung der Gesellschaften betreiben? Bleibt Politik also notwendig eine Illusion?

Ein Grund für die Luhmann'sche Unmöglichkeit von Politik mag darin liegen, dass Luhmann sehr grundsätzlich annimmt, Systeme seien gegenseitig nicht offen oder durchlässig, sondern hermetisch geschlossen. Auch Menschen sind bei Luhmann „Monaden ohne Fenster"[40] (Leibniz), sie können nur *annehmen*, dass sie einander verstehen, eine sichere Verständigung zwischen ihnen gibt es aber nicht. Luhmanns Annahmen lassen sich nicht einfach von der Hand weisen, das lehrt jede Enttäuschung bei Liebeskummer oder Scheidung. Offenbar war das frühere Einvernehmen zumindest zum Teil eine Täuschung.

Und doch rührt seine Annahme der hermetischen Grenzen zwischen den Menschen auch aus einem prinzipiellen Menschenbild, das man nicht teilen muss. Verständigung, so kann man dagegen argumentieren, funktioniert nie absolut sicher, aber sie ist doch in Annäherungen möglich.

Allerdings kommt bei Luhmann ein perfektionistischer, geradezu totaler Anspruch hinzu, der verlangt, politisch *alles* durchschauen und steuern zu müssen. Vielleicht ist dieser Perfektionismus auch eine Ursache für das pessimistische Menschenbild. In diesem Sinne kann Politik nie perfekt sein und alles umfassen, sondern muss sich mit der prinzipiellen Unzulänglichkeit menschlicher Entscheidungen, der Notwendigkeit, Ergebnisse immer erneut korrigieren zu müssen, abfinden und sich sogar strategisch darauf einstellen. Deshalb sind definitive Lösungen unmöglich und Ansprüche darauf fatal. Politik muss revidierbar sein, muss sich auf die Endlichkeit von uns Menschen einstellen.

Mehrsprachigkeit macht's möglich: Fritz W. Scharpf

Niklas Luhmanns Gegenspieler Fritz W. Scharpf betrachtet Politik aus einem anderen Blickwinkel. Denn er ist nicht nur beobachtender Soziologe wie Luhmann, sondern auch beratender Politikwissenschaftler. Damit geht es ihm nicht nur darum, Politik zu beschreiben oder zu analysieren, sondern auch darum, Wege für eine gute praktische Politik zu finden. Gegen die praktische Ausweglosigkeit des Luhmann'schen Systemdenkens, die für Akteure keinen Spielraum lässt, setzt Scharpf, dass die von Luhmann postulierte Abgeschlossenheit der Systeme, ihre gegenseitige Hermetik, eine unbegründete Behauptung sei. Träfe sie zu, wäre eine Gesundheits-, Bildungs-, Arbeitsmarktpolitik nicht möglich. Sie ist aber empirisch möglich, auch wenn sich ihre jeweiligen Absichten nicht erschöpfend mit ihren Ergebnissen decken. Es gibt also durchaus viele Misserfolge, aber eben auch Erfolge.

Luhmanns systemtheoretischer Ansatz verführe ihn, so Fritz W. Scharpf, „zu einer systematischen Überschätzung wechselseitiger Intransparenz der Teilsysteme".[41] Es gibt aber kommerzielle Kliniken (also die Verbindung von Wirtschafts- und Gesundheitssystem) oder Forschungseinrichtungen großer Wirtschaftsunternehmen. Sie könnten gar nicht existieren, wenn Kommunikation zwischen den Systemen Forschung und Wirtschaft völlig unmöglich wäre. „Organisationen […] können es sich also nicht leisten, nur eine einzige Funktionssprache zu sprechen – sie müssen multilinguale Kommunikations-kompetenz erwerben und je nach Bedarf zwischen Funktionslogiken wechseln können."[42]

Aus der Tatsache, dass Systeme, Organisationen, Krankenhäuser oder Unternehmungen fortexistieren, innerhalb derer sich unterschiedliche Teilsysteme befinden und überschneiden, dass damit unterschiedliche Rationalitäten, Logiken, Zwecke, Sprachen („Codes") praktiziert werden, schließt Scharpf also, dass Luhmanns theoretischer Ansatz der gegenseitigen Abschottung der Systeme nicht stimmen kann.

Allerdings verbindet Scharpf damit auch die praktische Forderung, dass Politiker*innen – also Akteure – dadurch handlungsfähig werden müssen, dass sie eine „multilinguale Kompetenz", die Fähigkeit zur Mehrsprachigkeit, im wörtlichen wie im übertragenen Sinne erwerben. Mit dieser Kompetenz, so Scharpf, kann zwischen Systemen doch kommuniziert und insofern ihre behauptete gegenseitige Abschottung überwunden werden. Auf diese Weise wird Platons Kapitän und Steuermann rehabilitiert, der in sich ebenfalls geistige, ethische und handwerkliche Tüchtigkeiten verbinden muss, also kein „Fachidiot" sein darf.

Freilich beobachten wir heute, insbesondere angesichts der durchgreifenden Kommerzialisierung vieler gesellschaftlicher Teilbereiche wie der Bildung, aber eben auch der Gesundheit oder der Kultur, dass das kapitalistische Wirtschaftssystem mit seiner ökonomischen Effizienz- und Gewinnlogik eine Dominanz gewonnen hat, die nicht ganz zufällig sein kann. Das wirft die Frage auf, ob die Politik der Wirtschaft gegenüber wirklich noch Steuerungs- bzw. Gestaltungsmacht behält. Diese Frage bedrängt uns so radikal und brisant, dass wir in ihr gegenwärtig eine Schicksalsfrage an die Möglichkeit von Politik erkennen.

In kommerziellen Kliniken etwa machen wir zuhauf die Erfahrung, dass deren wirtschaftliche Rentabilität ein wichtigerer Maßstab ist als medizinische Kriterien. Um des Gewinns willen werden vielfach teure Untersuchungen anberaumt, deren therapeutischer Nutzen gering ist. Sie treiben die gesellschaftlichen und staatlichen Gesundheitskosten zugunsten der betriebswirtschaftlichen Gewinne einzelner Kliniken in die Höhe. Umgekehrt werden Behandlungen, vor allem

Gespräche mit den Patient*innen, die deren Leid lindern können, eingeschränkt, weil sie nicht lukrativ sind. Wenn der Erfolg eines Klinikdirektors letztlich daran gemessen wird, wie hoch am Ende des Jahres seine schwarzen Zahlen sind, liegt es doch nahe, dass die ökonomische Logik die ärztliche verdrängt. Vielleicht könnte ein Arzt die Stärke aufbringen, deren gegenseitiges Verhältnis zu dosieren. Aber da die Kliniken zudem untereinander im Wettbewerb stehen, setzt sich trotz Verständigungsmöglichkeit die wirtschaftliche Logik durch und Scharpfs „Multilingualität", die Mehrsprachigkeit der Ärzt*innen, kann sich nicht behaupten.

Hat Luhmann also doch Recht? Wird Politik im starken System der kapitalistischen Wirtschaftsweise zur Illusion? Immerhin hat Scharpf die Möglichkeit von Politik von dem Grad der Mehrsprachigkeit der politischen Akteure abhängig gemacht. Er eröffnet also Spielraum. Zugleich formuliert er mit der Mehrsprachigkeit eine Bedingung, die keineswegs oft gegeben ist. Es genügt auch nicht, ihre Erfüllung von den Akteuren zu verlangen und damit allein von ihnen abhängig zu machen. Die Umgebung (Kooperation statt Wettbewerb) muss Mehrsprachigkeit, also die Balance zwischen verschiedenen Logiken, unterstützen.

Hier ist es also geboten, Wege der institutionellen und finanziellen Unterstützung von Mehrsprachigkeit – man könnte das erweitern auf Perspektivenvielfalt in der politischen Entscheidung – zu finden und umzusetzen. Wenn uns demokratische Politik als Grundlage unseres friedlichen Zusammenlebens wichtig ist und wir ihr gegen die Übermacht der ökonomisierenden Logik des kapitalistischen Systems Geltung verschaffen wollen, müssen wir das konsequent fördern.

Scharpf selbst zieht angesichts der ausgreifenden Differenzierung moderner Gesellschaften und ihrer damit zunehmenden Komplexität die Konsequenz, dass ein Steuermann allein dafür längst nicht mehr ausreicht, sondern dass gesellschaftliche Vernetzung und Kooperation erforderlich sind. Damit bringt er indirekt die Rolle der organisierten Zivilgesellschaft und der Unternehmen für die Ermöglichung demokratischer Politik ins Spiel.

Ein wichtiger Unterschied zwischen Scharpf und Luhmann liegt darin, dass der Soziologe praktische Abhilfe gegen Missstände gar nicht für möglich hält und von seinem Fach, der Gesellschaftsanalyse, auch nicht dazu angehalten ist, sie zu finden, während der Politikwissenschaftler nicht aufgibt, auf Abhilfe zu sinnen, und Anforderungen dafür benennt.

Wo liegen über die genannten hinaus noch höhere theoretische Hindernisse für solche Abhilfe bei Luhmann? Dies herauszufinden, ist wichtig, weil damit weitere theoretische und psychologische Voraussetzungen für die Möglichkeit von Politik im Allgemeinen und von demokratischer Politik im Besonderen zutage treten.

Luhmann sieht nicht nur historisch oder kulturell gewachsene, d. h. veränderbare Gründe dafür, dass Systeme und also auch Menschen sich nicht verstehen bzw. verständigen können. Als Mutter bzw. Großmutter, als Berufstätige, als Wissenschaftlerin, als Politikerin, als Katholikin, als Sozialdemokratin, als Deutsche und Europäerin lebe ich in sehr verschiedenen sozialen Kreisen und muss mich ihren Anforderungen und Sprachen, d. h. ihren Logiken, stellen. Entweder verliere ich dabei meine personale Einheit und zersplittere mich in die verschiedenen Sphären oder ich schaffe es, sie – nicht zuletzt zeitlich, aber auch in Bezug auf ihre Erfolgslogiken, Ansprüche, Wertesysteme oder Selbstverständnisse – für mich zu integrieren.

Dazu muss ich sie miteinander in eine Balance bringen, andauernd Brücken der inneren Verständigung zwischen ihnen schlagen, muss „Mehrsprachigkeit" in mir selbst entwickeln. Letzteres scheint Luhmann nicht für möglich zu halten. Scharpf vermutet, dass Luhmann diese Option verwehrt ist, weil er Politik von vornherein, geradezu kategorial als Nullsummenspiel zwischen Regierung und Opposition entwickelt. Das spezifisch Politische wäre damit für ihn allein der Gegensatz, nicht *auch* Dialog und Kooperation, die zu einer Win-win-Situation führen könnten.

Einiges spricht in der Tat dafür, dass bei Luhmann der Grund für die Hermetik der Systeme gegeneinander tiefer liegt, nämlich, wie oben bereits angesprochen, in einem prinzipiellen anthropologischen Pessimismus in Bezug auf die Möglichkeit, dass Menschen sich wirklich gegenseitig verstehen können.

Umgekehrt verweist die Unmöglichkeit, von Luhmanns Ansatz her Politik zu machen, auf die Einsicht, dass Politik auf einen Glauben an die Verständigungsmöglichkeit zwischen Menschen angewiesen ist. Das Wort „Glaube" wähle ich bewusst. Denn für die Verständigungsmöglichkeit gibt es keinen empirischen „Beweis", ebenso wenig aber einen für ihre zwingende Widerlegung. Dazwischen liegt der unbeweisbare (innerweltliche) Glaube, der eine durchaus aktive Haltung bedeutet: dass es sinnvoll ist, die Anstrengung der Verständigung immer wieder zu unternehmen und selbst aktiv daran zu arbeiten, dass sie gelingt. Solche Verständigung als Grundlage von Politik verlangt eine minimale Gemeinsamkeit der handelnden Menschen hinsichtlich ihrer Wirklichkeitswahrnehmung und ihrer Ziele. Und sie verlangt, Politik auf beides, auf Konflikt *und* Gemeinsamkeit, aufzubauen, nicht nur auf Konflikt.

Politik am Rande des Krieges: Carl Schmitt

Den Gegenentwurf zur Politik als Verständigung finden wir bei Carl Schmitt (1888–1985). „Die spezifisch politische Unterscheidung, auf welche sich die politischen Handlungen und Motive zurückführen lassen, ist die Unterscheidung von Freund und Feind."[43] Dies ist für Schmitt keine erschöpfende Definition von Politik, sondern nur ein notwendiges (nicht hinreichendes) Kriterium zur Bezeichnung einer Sache oder eines Vorgangs als „politisch". Nachdem wir bei Platon und auch bei Aristoteles ganz andere Definitionen von Politik gefunden haben, stellt sich die Frage: Wie kommt Schmitt zu seiner Definition? Wie lauten seine Begründungen und Prämissen?

Schmitt behauptet, Politik müsse gegenüber anderen „relativ selbstständigen Sachgebieten menschlichen Handelns und Denkens, insbesondere dem Moralischen, Ästhetischen, Ökonomischen in eigenartiger Weise wirksam werden. Das Politische muss deshalb in *eigenen letzten Unterscheidungen* liegen, auf die alles im spezifischen Sinne politische Handeln zurückgeführt werden kann."[44]

Hier finden wir eine erste Weichenstellung für Schmitts Definition: Während im antiken Denken, etwa bei Platon und Aristoteles, die verschiedenen Sphären des menschlichen Daseins trotz Unterscheidung in einem Zusammenhang gedacht werden, nimmt Schmitt eine scharfe Trennung des Politischen von allen anderen Sphären vor. Damit löst er die Politik bereits durch seine Definition ab von den Kategorien gut und böse oder hässlich und schön, generell von moralischen Kategorien, die dann folglich in der Beschreibung oder Beurteilung von Politik nichts mehr zu suchen haben. Das hat ambivalente Folgen:

> „Der politische Feind braucht nicht moralisch böse, er braucht nicht ästhetisch häßlich zu sein; er muss nicht als wirtschaftlicher Konkurrent auftreten, und es kann vielleicht vorteilhaft scheinen, mit ihm Geschäfte zu machen. Er ist eben der andere, der Fremde, und es genügt zu seinem Wesen, dass er in einem besonders intensiven Sinn existenziell etwas anderes und Fremdes ist, so dass im extremen Fall Konflikte mit ihm möglich sind, die weder durch eine im Voraus getroffene generelle Normierung, noch durch den Spruch eines ‚unbeteiligten‘ und daher ‚unparteiischen‘ Dritten entschieden werden können."[45]

Ob der politische Feind moralisch richtig handelt, ob er im Recht ist, kann so für die Politik, für seine politische Behandlung gar nicht von Belang sein. Es genügt, dass der politische Gegner als Feind fremd oder als Fremder Feind ist.

Darüber, wie weit man in der Bekämpfung des anderen gehen darf, kann es überdies bei Schmitt per definitionem keine Regel geben. Jedes Regel- und jedes Rechtssystem setzt ja gerade eine Gleichheit und damit *nicht* eine totale Fremdheit oder Andersartigkeit der Menschen untereinander voraus. Schmitt zufolge kann jedoch jeder „nur selbst entscheiden, ob das Anderssein des Fremden im konkret vorliegenden Konfliktfalle die Negation der eigenen Art Existenz bedeutet und deshalb abgewehrt oder bekämpft wird, um die eigene seinsmäßige Art von Leben zu bewahren."[46]

Diese Position verurteilt den anderen zwar nicht notwendig moralisch, baut aber umgekehrt die Moral als Barriere gegen eine Negation – und das schließt bei Carl Schmitt ausdrücklich die Möglichkeit der physischen Vernichtung ein – radikal ab. Sie beraubt den anderen, den Fremden damit jeglichen moralischen oder rechtlichen Schutzes. Deshalb war Carl Schmitt mit seiner Forderung nach Ausschluss der Juden aus der deutschen Juristengemeinschaft theoretisch auch durchaus mit sich im Reinen. So berief er 1936 in seiner Funktion als Reichsgruppenwalter der „Reichsgruppe Hochschullehrer im NS-Reichswahrer Bund" eine juristische Fachtagung ein, die den Titel trug „Die deutsche Rechtswissenschaft im Kampf gegen den jüdischen Geist". Die hier versammelten Juristen legten ein Gelöbnis ab, „ihre jüdischen Kollegen zu brandmarken und die juristische Landschaft von ihnen zu säubern".[47]

Aber selbst wenn man die logische Struktur der Schmitt'schen Argumentation durchschaut – die radikale Abtrennung des Politischen von allen anderen Sphären des menschlichen Lebens schon in der Definition –, ist doch noch nicht einsichtig, warum er diese Trennung vornimmt und überdies den Freund-Feind-Gegensatz zum Kern der Politik deklariert.

Die Grundlage dafür ist für Schmitt die Einschätzung seiner zeitgenössischen Wirklichkeit. In Absetzung vom Liberalismus, der das Freund-Feind-Verhältnis „in einer restlos moralisierten und ethisierten Welt"[48] zum Konkurrenz- oder Diskussionsgegner-Verhältnis abschwächen will, platziert Schmitt seine Erfahrung der zeitgenössischen Gegenwart geradezu als einen „Rocher de Bronze" ins Zentrum seines Politikverständnisses:

> „Ob man es aber für verwerflich hält oder nicht und vielleicht einen atavistischen Rest barbarischer Zeiten darin findet, dass die Völker sich immer noch wirklich nach Freund und Feind gruppieren, oder hofft, die Unterscheidung werde eines Tages von der Erde verschwinden, ob es vielleicht gut und richtig ist, aus erzieherischen Gründen zu fingieren, dass es überhaupt keine Feinde mehr gibt, alles das kommt hier nicht in Betracht. Hier handelt es sich nicht um Fiktionen und Normativitäten, sondern um die seinsmäßige Wirklichkeit und die reale Möglichkeit dieser Unterscheidung. Man kann jene Hoffnungen und erzieherischen Bestrebungen teilen oder nicht, dass die Völker sich nach dem Gegensatz von Freund und Feind

gruppieren, dass dieser Gegensatz auch heute noch wirklich und für jedes politisch existierende Volk als reale Möglichkeit gegeben ist, kann man vernünftigerweise nicht leugnen."[49]

Schmitts Politikbegriff liegt mithin eine Sicht der Feindschaft zwischen den Völkern zugrunde, die er für unabänderlich hält: Sie sind jeweils anders, also fremd, also feindlich. Warum wird diese zeitgenössische Gegebenheit von Schmitt, die heute in der Europäischen Union, selbst bei Gegnerschaft von Regierungen, weitgehend überwunden worden ist, zur überzeitlichen Bestimmung von Politik als Freund-Feind-Verhältnis verfestigt? Was heißt „seinsmäßige Wirklichkeit"? Ist das mehr als Faktizität? Wird hier dem Sein (in Anlehnung an den zeitgenössischen Philosophen Martin Heidegger) etwas zugeschrieben, was ahistorisch konstant ist, ohne dass Schmitt dies auswiese? Kann man das, was zu einem bestimmten Zeitpunkt gilt, für alle Zeiten behaupten?

Warum ist überdies ein Verhältnis umso politischer, je schärfer der Gegensatz ist? Denn es heißt bei Schmitt: „[J]ede konkrete Gegensätzlichkeit ist umso politischer, je mehr sie sich dem äußersten Punkte der Freund-Feind-Gruppierung nähert."[50] Denkt man diese Definition logisch zu Ende, so ist das Politische am vollkommensten in der gegenseitigen Vernichtung der Feinde, also zugleich in seiner Negierung.

„Die Begriffe Freund, Feind und Kampf erhalten ihren realen Sinn dadurch, dass sie insbesondere auf die reale Möglichkeit der physischen Tötung Bezug haben und behalten. Der Krieg folgt aus der Feindschaft, denn diese ist seinsmäßige Negierung eines anderen Seins."[51] Diese definitorische Kopplung der Politik an die schärfste Form des Freund-Feind-Verhältnisses, den Krieg, begründet Schmitt mit einer generellen These, der zufolge soziale Befunde im Ausnahmezustand am deutlichsten das Wesen einer Sache enthüllen:

„Man kann sagen, dass hier wie auch sonst gerade der Ausnahmefall eine besonders entscheidende und den Kern der Dinge enthüllende Bedeutung hat. Denn erst im wirklichen Kampf zeigt sich die äußerste Konsequenz der politischen Gruppierung von

Freund und Feind. Von dieser extremen Möglichkeit gewinnt das Leben der Menschen seine spezifisch politische Spannung. Eine Welt, in der die Möglichkeit eines solchen Kampfes restlos beseitigt und verschwunden ist, ein endgültig pazifizierter Erdball, wäre eine Welt ohne die Unterscheidung von Freund und Feind und infolgedessen eine Welt ohne Politik."[52]

Hier trägt Schmitt offensichtlich eine zirkuläre Begründung vor. Wenn man alle Prämissen von Carl Schmitt akzeptiert, dann folgt das Ende logisch: Eine Welt ohne Freund-Feind-Verhältnis ist eine Welt ohne Politik.

Aber es gibt wohl einen tieferen Grund, warum Schmitt auf der Freund-Feind-Definition von Politik beharrt. Er weist darauf hin, dass nur der Freund-Feind-Gegensatz, anders als alle möglichen anderen Gegensätze, Kontraste oder Konkurrenzen, einer ist, „auf Grund dessen von Menschen das Opfer ihres Lebens verlangt werden könnte und Menschen ermächtigt werden, Blut zu vergießen und andere Menschen zu töten."[53]

Nur Politik, die im existenziellen Ernst des Freund-Feind-Verhältnisses gründet, darf das Opfer des Lebens verlangen. Im Ersten Weltkrieg haben die politischen Oberhäupter der Staaten dieses Opfer millionenfach abverlangt. Es könnte sein, dass es sich hier bei Schmitt um eine philosophische Rechtfertigung des Krieges handelt, die nicht gegeben wäre, wenn nur materielle und nicht existenzielle Güter der Gegner auf dem Spiel gestanden hätten. Dann wäre der Erste Weltkrieg ein Grauen ohne Rechtfertigung gewesen – möglicherweise ein für Schmitt schwer erträglicher Gedanke.

Perikles hatte nach Thukydides, wie wir gesehen haben, in seiner „Leichenrede" nach dem ersten Jahr des Peloponnesischen Krieges das Opfer des Lebens der athenischen jungen Soldaten mit der Politik und politisch-kulturellen Lebensweise Athens gerechtfertigt. Abraham Lincoln führte ca. 2000 Jahre später die amerikanische Demokratie als Legitimation für den Bürgerkrieg an. Unter dem Eindruck der Vorherrschaft des zeitgenössischen existenzphilosophischen Denkens von Martin Heidegger (im Unterschied zu Karl Jaspers) nimmt Carl Schmitt wohl an, dass nur eine Politik des existenziellen Freund-

Feind-Verhältnisses den massenhaften Opfertod des Ersten Weltkrieges rechtfertigen kann. Allen dreien ist gemeinsam, dass der Tod im Krieg eine höchste Rechtfertigung fordert. Aber sie folgen dabei ganz unterschiedlichen Begründungen und Wertentscheidungen.

Politik gibt es im Sinne von Carl Schmitt damit notwendig nur als „Vorspiel". Denn sie erfüllt sich erst in ihrem Gegenteil: im Krieg, in dem der Feind ausgeschaltet und damit auch das Freund-Feind-Verhältnis beendet wird. Politik wird so zum Selbstwiderspruch. Damit scheidet Carl Schmitts Definition jedenfalls für Politik als anhaltende Methode der Konfliktlösung aus.

Allerdings finden wir sein Verständnis häufig auch unter realen demokratischen Verhältnissen wieder, nämlich überall dort, wo eine politische Gegnerschaft so gestaltet wird, dass sie auf eine (endgültige) Ausschaltung des Gegners, nicht auf die gewollte weitere Koexistenz mit ihm angelegt ist. Carl Schmitt macht implizit deutlich, dass das latente Ziel solcher „Ausschaltungspolitik" der vernichtende Krieg ist. Demokratie wird durch dieses Verständnis nur dann nicht zerstört, wenn ihm frühzeitig Einhalt geboten wird.

Schmitts Politikverständnis steht im deutlichsten Gegensatz zu einem Begriff des Politischen, mit dem wir begonnen haben, der auf friedliches, möglichst gemeinwohlorientiertes Aushandeln von Zielen und Interessen unter Beachtung des gleichen Rechts aller Menschen auf ein freiheitliches Leben in Gerechtigkeit und Solidarität aus ist. An dieses Verständnis von Politik knüpft Hannah Arendt an. Sie erhält in meinem Essay mehr Raum als die anderen Theoretiker, weil sie für die Weiterentwicklung des demokratischen Politikverständnisses – vor allem seiner kulturellen Erfordernisse – besonders wertvolle Inspirationen bietet.

Miteinander reden und handeln: Hannah Arendt

Die in Königsberg geborene deutsche Jüdin Hannah Arendt (1906–1975) hat sich in ihrem politischen Denken von der Vorstellung der antiken Polis inspirieren lassen, von der mein Essay ausgegangen ist.

Politik: Das ist nicht Technokratie, Verwaltung oder Bürokratie, sondern miteinander reden, um gemeinsam handeln zu können. In ihrem grundlegenden philosophischen Werk „Vita Activa" geht es ihr um drei Formen der Tätigkeit: Arbeiten, Herstellen und Handeln. Während Arbeiten und Herstellen auch von einzelnen Menschen für sich praktiziert werden können, gehört das Handeln in die Gemeinschaft. Handeln braucht andere Menschen. Deshalb ist es die im Kern politische Tätigkeit. Und deshalb sind Sprechen und Handeln auch die „Tätigkeiten", in denen sich die „Einzigartigkeit" des Menschen, der nach Aristoteles gattungsmäßig ein „vernünftiges und politisches" Lebewesen ist, besonders prägnant darstellt.[54]

Politik heißt also für Hannah Arendt in der Folge der griechischen Polis-Idee gemeinsames und freiwillig vereinbartes Handeln. Wenn man Politik über 2000 Jahre nach der örtlich überschaubaren Athener Polis heute als gemeinsames Handeln begreifen, bewahren und weiterentwickeln will, kommt es auf eine Modernisierung des Verständnisses von Öffentlichkeit und öffentlicher Rede an, die auf der Agora die zentrale Rolle spielten. Hier hat Hannah Arendt wichtige Gedanken von Immanuel Kant übernommen. Seine Überlegungen über den „Gemeinsinn", die er in seiner „Kritik der Urteilskraft" entwickelt hat, haben für ihre Philosophie großes Gewicht. Kants drei Maximen für den Gemeinsinn: „1. Selbst denken. 2. Jederzeit mit sich einstimmig denken. 3. Jederzeit an der Stelle des anderen denken"[55] sind entscheidende Wegweiser dafür, aus der legitimen Pluralität der Erfahrungen, Vorstellungen und Meinungen heraus argumentativ zu einer gemeinsamen Orientierung zu gelangen, die Öffentlichkeit und politisches Handeln auch heute leiten kann.

Wichtig ist für Hannah Arendt hier die Einbildungskraft, die die Menschen befähigt, in nachdenkliche Distanz zu ihren spontanen Vorstellungen zu treten und sie kritisch unter dem Aspekt zu betrachten, wie sie sich aus der Sicht eines anderen, in den ich mich hineinversetze, ausmachen.[56] Auf diese Weise kann ich über meinen kognitiven oder emotionalen Egoismus hinausgehen und im Pluralismus, der der Idee einer einheitlich geltenden, homogenen Wahrheit entgegensteht, einen gemeinsamen Boden mit anderen gewinnen.

Diese Einbildungskraft hängt eng mit dem Kant'schen Prinzip der Publizität zusammen, das einen Weg zur Gerechtigkeit ebnet. „Alle Maximen, die der Publizität bedürfen (um ihren Zweck nicht zu verfehlen), stimmen mit Recht und Politik vereinigt zusammen" – so zitiert Hannah Arendt Kant aus seiner Schrift „Zum Ewigen Frieden".[57] Denn durch die Veröffentlichung werden Ungerechtigkeiten und Privilegierungen offenbar. Das Böse dagegen, das Ungerechte, versteckt sich vor der Öffentlichkeit: „Auf der Privatheit der Maxime zu bestehen heißt böse sein."[58] Denn das Private, so erinnert Hannah Arendt an anderer Stelle, verweist dem Wortsinn nach – lateinisch: *privare* (ausschließen, berauben) – auf den Zustand der Beraubung.[59] Wenn ich auf der Privatheit meiner Maxime, meiner Handlungsorientierung, bestehe (im Gegensatz zu Kants Kategorischem Imperativ), dann beraube ich andere ihrer gleichen Rechte, dann schließe ich andere von einem Recht aus, das ich für mich selbst beanspruche.

Wenn Politik nun heute im Umfeld vielfältiger, pluraler Vorstellungen, Interessen, Perspektiven geschieht, wie kann da eine Übereinstimmung gefunden werden? Hannah Arendt geht auch hier zurück auf den griechischen, von Aristoteles ausgeführten Gedanken, dass für ein freiheitliches Zusammenleben die Freundschaft unter den Bürgern von hervorragender Bedeutung ist. Dabei denkt sie nicht an intime Beziehungen, vielmehr liegt für sie mit den Griechen das eigentliche Wesen der Freundschaft im Gespräch. Das dauernde Miteinander-Sprechen vereinigt die Bürger zu einer Polis, verlangt den Willen und das nötige Wohlwollen zur Verständigung und bringt beides zugleich immer wieder auf. Erst durch das Gespräch entsteht die Welt als das uns Gemeinsame.[60] Das freundschaftliche Sprechen stellt nicht persönlich-intime Ansprüche, sondern bleibt immer politisch auf die Welt bezogen.[61]

Freiheitliches, wir können heute sagen: demokratisches Zusammenleben kommt ohne eine solche kulturelle Grundlage nicht aus. Jürgen Habermas betont in seinem Buch „Zwischen Naturalismus und Religion", „dass liberale Ordnungen auf die Solidarität ihrer Staatsbürger angewiesen sind – und deren Quellen könnten infolge einer ,entgleisenden' Säkularisierung der Gesellschaft als Ganzer versiegen".[62] Wenn diese kulturelle Voraussetzung unseres demokratischen Zusammenlebens derart gefährdet ist, mag Hannah Arendts Gedanke des freundschaftlichen Gesprächs einen Hinweis geben, wie Kommunikation, das offene zugewandte Sprechen, gleichsam als Verfahren helfen kann, diese grundlegende Solidarität, die gegenseitige verständige und verständnisvolle Geneigtheit zu festigen und zu bewahren. Wichtig ist dafür, dass wir uns nicht in gegenseitigen Vorurteilen verbarrikadieren, dass wir bereit sind und bleiben, die Welt miteinander zu teilen. Helfen kann dabei, wenn wir uns im Gespräch besser kennenlernen und dadurch im Gespräch bleiben, den Faden nicht abreißen lassen.

Aber angesichts unserer Endlichkeit und Gebrechlichkeit, angesichts der Unbeständigkeit der Welt, in der wir leben, angesichts der Kränkungen, Beschädigungen und Verbrechen, die zwischen uns stehen und die aus der Vergangenheit nicht einfach „weggeräumt" werden können, angesichts der Unabsehbarkeit und völligen Unsicherheit der Zukunft stellt sich doch die Frage, wie eine solche gemeinsame Welt überhaupt entstehen kann. Muss sie nicht eine Illusion bleiben?

Kommen wir auf Hannah Arendts Verständnis von „Handeln" zurück, jener Tätigkeit, in der ihr zufolge neben dem Sprechen das Wesentliche der Menschen zum Ausdruck kommt. Zum Handeln gehört, so sahen wir, dass es mit anderen Menschen, zumindest mit einem anderen, zusammen geschieht. Handeln heißt dabei auch, etwas Neues anzufangen. Denn etwas herstellen kann man als Wiederholung einer schon einmal geübten Tätigkeit, für das Arbeiten gilt das Gleiche. Wenn man sich aber mit anderen zusammentut, um zu handeln, dann geht dem angesichts der Vielfalt der Mit-Handelnden eine Entscheidung für etwas Gemeinsames und dadurch für etwas Neues aus der Vielfalt voraus. Hannah Arendt bringt die Möglichkeit dazu mit unserer Natalität zusammen, d. h. mit der Tatsache, dass wir geboren werden. Wenn wir geboren werden, tritt mit uns ein neuer Mensch in die Welt, der dann auch neu handeln, Neues in die Welt setzen kann. „Handeln als Neuanfang entspricht der Geburt des Jemand, es realisiert in jedem Einzelnen die Tatsache des Geborenseins."[63] Und:

„In diesem ursprünglichsten und allgemeinsten Sinne ist Handeln und etwas Neues anfangen dasselbe."[64]

Wir können also, das leitet unsere Philosophin aus unserem Geborensein ab, gegenüber dem Gewesenen neu beginnen. Aber sind wir nicht z. B. durch eine „böse" Vergangenheit unwiderruflich gebunden? Können wir dann noch handeln? Ja, sagt Hannah Arendt. Wir können sogar eine unwiderrufliche kränkende Vergangenheit zwar nicht an sich ungeschehen machen, aber ihre Wirkung, indem wir verzeihen. Dies ist die zweite große Fähigkeit, die Hannah Arendt dem Menschen zuspricht und die für den Erhalt und die Wahrung einer gemeinsamen Welt ganz unverzichtbar ist: das Verzeihen. „Das Heilmittel gegen die Unwiderruflichkeit […] liegt in der menschlichen Fähigkeit, zu verzeihen."[65] Auch Verzeihen ist wie Freundschaft in dieser Sicht zwar ein persönlicher, aber nicht notwendig ein privater Akt.

„Ausschlaggebend ist vielmehr, dass in der Verzeihung zwar eine Schuld vergeben wird, diese Schuld aber sozusagen nicht im Mittelpunkt der Handlung steht; in ihrem Mittelpunkt steht der Schuldige selbst, um dessentwillen der Verzeihende vergibt. Das Vergeben bezieht sich nur auf die Person und niemals auf die Sache, es kann daher auch objektiv ungerecht sein […]."[66]

Die Kraft und der Wille zur Verzeihung gehen von der Liebe aus, die nun wirklich eine rein private, *welt*ferne und häufig *welt*zerstörende Leidenschaft ist. Welt als der politische Raum zwischen den Menschen hat für sie gerade keine Bedeutung. Aber es gibt eine weltliche Form der Liebe: den Respekt. Auch er ist Beweggrund genug, einem Menschen zu vergeben.

Wird Handeln trotz einer scheinbar unauflösbaren Bindung an die unwiderrufliche Vergangenheit durch Verzeihen doch möglich, so wird es hinsichtlich der Zukunft durch das Versprechen möglich. Da die Zukunft eigentlich völlig unvorhersehbar ist, erscheint Handeln, das in einer pluralen Welt auf Gemeinsamkeit angewiesen ist, zunächst unmöglich. Denn woher sollte die Verlässlichkeit kommen, die wir für gemeinsames Handeln brauchen? Woher soll ich wissen, wenn ich ein gemeinsames Projekt in der Stadtentwicklung, in der europäischen Wirtschaftspolitik oder in der globalen Klimapolitik anstrebe, dass die politische Strategie aufgeht und ich mich auf meine Partner*innen verlassen kann? Ohne die Fähigkeit, zu versprechen, blieben wir in der Tat in einem Meer von Ungewissheit, könnten wir übrigens auch gar kein eigenes Profil und keine eigene Identität erlangen. Denn unsere Mitwelt schafft unsere Persönlichkeit und unsere Identität u. a. dadurch, dass sie uns auf unsere Versprechen festlegt.[67]

Ohne für andere durch gehaltene Versprechen verlässlich zu sein, lässt sich gemeinsames demokratisches Handeln, lässt sich Politik als freiheitliche Politik in der Tat nicht denken. Sich gegenseitig auszutricksen oder zu zerstören, wäre im Sinne von Hannah Arendt nicht Politik.

Wenn man Politik im Arendt'schen Sinne als dieses bedingungsreiche Handeln versteht und für möglich hält, so bleibt doch weiter die Frage nach dem gemeinsamen Boden der Gesellschaft, der für Politik erforderlich ist – eine Frage, die uns in der Gegenwart unter den Nägeln brennt.

In ihrem in deutscher Sprache veröffentlichten Essayband „Wahrheit und Lüge in der Politik" hat Hannah Arendt die beiden Seiten der Medaille schon im Titel zum Ausdruck gebracht. Worum es ihr mit dem Begriff Wahrheit hier geht, ist nicht offene „Meinungswahrheit" oder die Einschätzung eines Sachverhalts, die unterschiedlich ausfallen kann, sondern die „Tatsachenwahrheit". Denn die Bestreitung von „blanken" Tatsachen ist es, auf die Arendts Kritik zielt. Für eine gemeinsame Welt und für einen gemeinsamen Boden in der Politik sind wir nämlich auf die Anerkennung von Tatsachen angewiesen.

Dabei weiß sie, wie schwierig es ist, eine Tatsache eindeutig zu bestimmen. Zum einen, weil Tatsachen als wirklich Geschehenes andere Möglichkeiten, die einer Situation inhärent gewesen sein mögen, definitiv aus der Welt schaffen. Politisch Handelnde möchten aber eine solche Definitivität nicht gern anerkennen, weil sie um ihrer eigenen Möglichkeit zu handeln willen nicht aus dem Blick verlieren wollen, dass es in einer vergangenen Situation auch hätte anders kommen können.[68] Darüber hinaus ist es schlichtweg oftmals nicht einfach, eine Tatsache eindeutig festzustellen oder zu rekonstruieren.[69] Einen weiteren Grund nennt Hannah Arendt hier nicht, aber man könnte ihn anführen: Tatsachen werden immer – explizit oder implizit – in einen Sinnzusammenhang gestellt, werden oft erst dadurch aussagekräftig. Wo die blanke Tatsache endet und wo der Zusammenhang, in dem sie steht und der immer Gegenstand von Interpretation ist, mit zur „Tatsache" gehört, mag strittig sein.

Dennoch: Die offenkundige Verdrehung, Verschweigung, Unterdrückung von „Tatsachen", die insbesondere in totalitären oder diktatorischen Regimen zum Instrumentenkasten von Terror, Unterdrückung, Gehirnwäsche und Manipulation gehören, zerstören die Möglichkeit, einen gemeinsamen Boden der Wirklichkeit zu finden, und darauf kommt es Hannah Arendt an.

Die Frage stellt sich übrigens auch für die Auseinandersetzung zwischen unterschiedlichen Interessen und ihren Vertreter*innen in einer Demokratie. Wenn systematisch, durch die Vormacht bestimmter Interessen, Fakten, die diesen Interessen entgegenstehen, in der Öffentlichkeit verschwiegen werden, dann bricht der für gemeinsames politisches Handeln notwendige gemeinsame Boden ein. Ohne Tatsacheninformationen gibt es, dies unterstreicht Arendt, keine Meinungsfreiheit;[70] und vielfach ist die Anführung von Tatsachen – in Diktaturen sowieso, aber auch in Demokratien – gefährlicher als die Präsentation von Meinungen, von deren Bestreitbarkeit sowieso alle ausgehen.[71] Wer aber Tatsachen für Meinungen ausgibt und so die Trennlinie zwischen Tatsachen und Meinungen verwischt, praktiziert bereits eine Form der Lüge.

Die Lüge ist ein Kind der Freiheit. Nur weil wir frei sind, weil wir nicht notwendig die Wirklichkeit um uns herum anerkennen müssen, *können* wir lügen. Zugleich aber pervertiert die Lüge die Freiheit, weil sie den politischen Zusammenhalt, in dem Freiheit allein konstituiert und praktiziert werden kann, unterminiert. Als Robinson allein auf einer Insel brauche ich keine Freiheit, weil keiner mich hindert, zu tun, was ich will. Allenfalls stößt sich mein Wille an der Realität, aber die kann auch politische Freiheit nicht überwinden. Im Gegenteil: Ihre Anerkennung als eine gemeinsame Welt, als eine, die wir teilen, nicht nur in ihren Ressourcen, sondern ganz grundlegend als einen uns gemeinsamen Boden, ist Voraussetzung aller demokratischen, freiheitlichen Politik.

Die Lüge als Täuschung führt jedoch auf längere Sicht zur Selbsttäuschung, weil die Menschen in der Regel die Schizophrenie der Selbstwidersprüchlichkeit nicht aushalten. Selbstwidersprüchlich aber werde ich, wenn ich zugleich behaupte, Weiß sei Schwarz, und für mich doch aufrechterhalte, dass Weiß Weiß ist. In Anknüpfung an Dostojewski weist Arendt darauf hin, „dass nur der kaltblütige Lügner sich noch des Unterschieds zwischen Wahrheit und Unwahrheit bewusst ist", und sie fügt die scheinbare Paradoxie hinzu, dass „der Wahrheit mit dem Lügner besser gedient ist als mit dem Verlogenen, der auf seine eigenen Lügen hereingefallen ist."[72]

Die systematische Aufhebung des Unterschieds zwischen Wahrheit und Lüge führt das Individuum wie das Gemeinwesen ins Bodenlose. In der Diktatur verlangt die herrschaftliche Lüge von den Menschen, sie öffentlich als Wahrheit zu wiederholen und damit fälschlicherweise anzuerkennen. Damit demoralisiert sie die Menschen und nimmt ihnen ihr Selbstwertgefühl. So werden sie eine leichtere Beute der herrschaftlichen Manipulation, flüchten sich in eine Trennung zwischen öffentlicher und privater Welt und entwickeln eine grundsätzliche Haltung des Misstrauens gegenüber anderen. Das stellt für die politische Kultur der Demokratie ein schweres Handicap dar, weil diese auf die offene Bereitschaft und Fähigkeit zur Kooperation angewiesen ist.

In der Demokratie dagegen mit einer nicht zentral manipulierten Öffentlichkeit ist die Täuschung ohne Selbsttäuschung nahezu unmöglich. Propagandafiktionen werden zu schnell aufgedeckt.[73] Und so lautet das entscheidende Fazit:

„Wo Tatsachen konsequent durch Lügen und Totalfiktionen ersetzt werden, stellt sich heraus, dass es einen Ersatz für die Wahrheit nicht gibt. Denn das Resultat ist keineswegs, dass die Lüge nun als wahr akzeptiert und die Wahrheit als Lüge diffamiert wird, sondern dass der menschliche Orientierungssinn im Bereich des Wirklichen, der ohne die Unterscheidung von Wahrheit und Unwahrheit nicht funktionieren kann, vernichtet wird. […] Konsequentes Lügen ist im wahrsten Sinne des Wortes bodenlos und stürzt Menschen ins Bodenlose, ohne je imstande zu sein, einen anderen Boden, auf dem Menschen stehen könnten, zu errichten."[74]

Hannah Arendt hat diese Worte fast fünfzig Jahre vor Donald Trump geschrieben!

Eine entscheidende Voraussetzung für den gesellschaftlichen Zusammenhalt liegt also im Bemühen um Wahrheit, jedenfalls um die Aufrechterhaltung der Unterscheidung zwischen Lüge und Wahrheit – bei aller Notwendigkeit, die grundsätzliche Perspektivität unserer Erkenntnis und unserer Weltinterpretation und ihre Interessengeleitetheit anzuerkennen. Ohne diese grundsätzliche Unterscheidung verlieren wir den gemeinsamen Boden. Die Aufdeckung der Lüge, der ständige Einbezug von Tatsachen, die in der Öffentlichkeit u. a. aus Gründen der Übermacht entgegenstehender Interessen unterzugehen drohen – sie sind ein Dienst am gesellschaftlichen Zusammenhalt, was allen Bürger*innen, aber insbesondere den Medien und insgesamt der Öffentlichkeitsarbeit eine große Bedeutung verleiht und Verantwortung auferlegt. Von ihnen – wie von allen, denen die Unterscheidung zwischen Wahrheit und Lüge am Herzen liegt – hängt es ab, ob für demokratische Politik genügend Macht entwickelt und eingesetzt werden kann. Damit sind wir beim letzten gedanklichen Stützpfeiler von Hannah Arendts Politikverständnis angekommen.

Gemeinhin verstehen wir unter Macht ein Potenzial, über das Menschen verfügen und mit dem sie anderen im Falle des Widerspruchs ihren Willen aufzwingen können. Macht als Gegenmacht – dieser Logik folgt auch die berühmte Definition von Max Weber, der zufolge Macht „jede Chance" bedeutet, „innerhalb einer sozialen Beziehung den eigenen Willen auch gegen Widerstreben durchzusetzen, gleichviel worauf diese Chance beruht".[75] Hannah Arendt würde solche „Macht" als Gewalt bezeichnen.

Macht, wie sie sie versteht, ist kein Potenzial, das Menschen gegen andere einsetzen. Vielmehr begreift sie Macht als eine Kraft, die entsteht, „wenn Menschen sich für ein bestimmtes Ziel zusammentun und organisieren, und verschwindet, wenn das Ziel erreicht oder verloren ist".[76] Auf Macht ist kein Verlass, sie muss immer erneut aufgebracht werden. Weder materieller Reichtum noch eine schlagkräftige Armee bezeichnen nach Arendt wirkliche Macht, die etwas Gemeinsames bewegen könnte. Natürlich kann man mit einer Armee etwas zerstören, aber aufbauen kann man nur, wenn Menschen zusammenkommen, wenn sie einander in Wahrheit begegnen, wenn sie Vertrauen zueinander entwickeln, weil sie ihre gegenseitigen Versprechen halten. Solche „Macht" ist „von der niemals ganz zuverlässigen und immer nur zeitweiligen Übereinkunft vieler Willensimpulse und Intentionen abhängig".[77]

Umgekehrt hat eine Gesellschaft als Ganze nur so viel Macht, wie sie im gemeinsamen Handeln praktiziert, und nur in dem Maße, in dem es ihr gelingt, ihren Zusammenhalt im gemeinsamen Handeln zu festigen. Eine gespaltene, eine zerrissene Gesellschaft, eine Gesellschaft, in der Ungerechtigkeit und Lüge herrschen, ist eine ohnmächtige Gesellschaft. Auch eine Nation, die ihre Einheit auf Fiktionen, auf Vorurteilen, auf Ressentiments gegenüber anderen, mit denen sie die Welt nicht teilen will, aufbaut, ist eine letztlich ohnmächtige, dem Untergang ausgesetzte Nation.

Es fällt nicht schwer, die historische Parallele zum nationalsozialistischen Deutschland zu entdecken. Aber man kann daraus auch ein heuristisches Prinzip entwickeln, wenn wir nach einer gelingenden demokratischen Politik in der Globalisierung suchen.

Denn Hannah Arendt hat hier Bedingungen vorformuliert, die wir in der Suche nach neuen demokratischen *Governance*-Strukturen und Akteuren beherzigen können, weil unsere globale Wirklichkeit uns den gedanklichen und den faktischen Ausweg, es mit Gewalt hinzubekommen, nicht mehr lässt. Wir sind angewiesen auf freiwillige Vereinbarung, auf eigene Einsicht, auf grundlegende Solidarität, auf Hannah Arendts gemeinsames Reden, auf die Fähigkeit zum Neuanfang dank unserer Natalität, auf das Verzeihen, das uns von der

Verkettung an die Vergangenheit löst, darauf, unsere Versprechen zu halten. Das alles brauchen wir, um gemeinsam handeln und mit der daraus erwachsenden Macht unsere Welt zu unserem Gedeihen gestalten zu können. Dadurch gewinnen wir Vertrauen zueinander und in die Welt, dadurch schöpfen wir Hoffnung.

Hannah Arendt ist politische Philosophin. Ihr Beitrag zu einer Klärung, wie demokratische Politik in der Gegenwart und in absehbarer Zukunft gelingen kann, liegt deshalb nicht im Bereich der institutionellen Gestaltung im Einzelnen, in der Verfassung. Vielmehr verdeutlicht sie deren kulturelle − philosophische, psychologische, motivationale − Voraussetzungen, deren Bedeutung oft unterschätzt wird. So etwa die Maxime Kants, sich an die Stelle der anderen zu setzen, um Gerechtigkeit üben zu können. Das gilt besonders in der Globalisierung, wo Gerechtigkeit in den letzten Jahrzehnten angesichts des globalen Wettbewerbs und des herrschenden Weltmarktes oft als illusorischer Maßstab abgewiesen worden ist. Der Markt verlange einfach bestimmte Gehälter für fähige Spitzenmanager, hieß es lange Zeit. Inzwischen haben sich viele von denen dramatisch diskreditiert.

Arendt zeigt einen Weg, den wir auch bei kultureller Vielfalt versuchen können, selbst wenn er zuweilen anstrengend sein mag. Natürlich ist Arendts methodischer Hinweis keine Leitlinie auf Heller und Pfennig, aber sie macht es doch schwer, Privilegien für sich zu behaupten, und sei es auch nur implizit, indem z. B. eine Haltung sich herausnimmt, auf die Position der anderen nicht zu achten. Und sie zeigt den Weg, für ein kontroverses Gespräch die gemeinsame Ebene der Gegenseitigkeit zu betreten und zu fragen: Wie macht sich meine Position in der Sicht einer anderen Person aus? Hat diese nicht das Recht, dass ihre Perspektive genauso berücksichtigt wird wie meine? Daraus abzuleiten ist dann die allgemeine Forderung nach Transparenz politischer wie ökonomischer Entscheidungen, die wie die Politik Auswirkungen auf das Gemeinwesen haben.

Wenn Politik heute im Übrigen immer im Umfeld pluraler Vorstellungen, Interessen, Perspektiven geschieht, dann kann auch auf der Grundlage eines sogar plausiblen Urteils keine Übereinstimmung erzwungen werden. Man kann nur an die Einsicht und an mögliche Gemeinsamkeiten appellieren. Das ist nicht viel. In modernen Zeiten, insbesondere in der angelsächsischen Tradition, appelliert man für diesen Fall an das wohlverstandene eigene Interesse, um zusammenzukommen. „Wohlverstanden" ist das Interesse, wenn wir bedenken, dass wir auf längere Sicht – potenziell – immer wieder aufeinander angewiesen sind und dass es sich deshalb empfiehlt, den eigenen Vorteil nicht bis zuletzt auszureizen.

Dieser Gesichtspunkt verdient es, gerade zu Zeiten einer immer unübersichtlicheren Politik unter Bedingungen der Globalisierung festgehalten zu werden. Er ist einer der Gründe, weshalb wir neben den traditionellen Institutionen der Demokratie mehr und mehr auf zivilgesellschaftliche Initiativen angewiesen sind. Jedenfalls wenn sie sich zu Anwälten von Interessen und politischen Aufgaben machen, die entweder durch ihre Kleinheit oder durch ihre Allgemeinheit – diese paradoxe Alternative ist wichtig – unterzugehen drohen. Solche zivilgesellschaftlichen Initiativen werden mithin immer wichtiger, um den gesellschaftlichen Zusammenhalt zu stärken.

Hat demokratische Politik Zukunft?

Was ergibt sich aus den dargestellten unterschiedlichen Politikverständnissen für die Beantwortung der Frage, ob Politik Sinn macht und in der Globalisierung möglich ist? Die Folgerungen und „Erträge", auf die ich jeweils bereits im Kontext der einzelnen behandelten Positionen hingewiesen habe, möchte ich hier verdichten. So kann man sie im anschließenden Gedankengang, in dem sie sich durchziehen, wiedererkennen. Das soll dadurch erleichtert werden, dass einige vorangegangene Formulierungen wieder aufgenommen werden.

Für die Griechen war Politik die gemeinsame Beratschlagung und verbindliche Entscheidung der Bürger über die allgemeinen Angelegenheiten und die Wahl des politischen Personals. Wir sehen darin heute den Ursprung und Kern demokratischer Politik. Grundlegend ist das gleiche Recht aller Bürger, sich an den politischen Entscheidungen zu beteiligen. Theoretisch und praktisch fortentwickelt worden ist demokratische Politik vor allem seit der Ära der Vertragstheorien, die im Wesentlichen im England des 17. Jahrhunderts beginnt. Sie formulieren Verfassungsprinzipien für einen Staat bzw. für ein politisches Gemeinwesen, die nicht mehr von Gottes Gnaden, sondern aus der Zustimmung der in ihrer Freiheit, d. h. ihrem Recht auf Selbstbestimmung, gleichen Bürger legitimiert sind.

Die hier vorgestellten vier vertragstheoretischen Positionen – Hobbes und Locke, Montesquieu und Rousseau –, nehmen allesamt die individuelle Freiheit zum Ausgangspunkt. Dabei bleibt jede für sich befriedigende Antworten auf zentrale Fragen schuldig. Thomas Hobbes' politische Philosophie mündet in einen absolutistischen Staat, der die individuelle politische Freiheit tilgt. John Locke kann diese Freiheit erhalten. Allerdings eröffnet er eine Dynamik erneuter Unfreiheit und Unterwerfung unter Verfügungen, die sich aus individuellem Sach- bzw. Privateigentum legitimieren. Damit entsteht eine Legitimationskonkurrenz: Der Legitimation liberaler Politik durch Erörterung und Vereinbarung zwischen gleich freien Bürgern über ihre gemeinsamen Angelegenheiten tritt ökonomische Macht gegenüber, die sich aus Privateigentum ableitet und die politische Legitimation zu verdrängen droht. In der heutigen Situation des globalen Kapitalismus fragen wir inzwischen: Wer hat die Oberhand – die demokratisch legitimierte Politik oder die durch Privateigentum legitimierten Unternehmen und der von ihnen regierte Markt?

Montesquieu kann mit seiner Zulassung partikularer Interessen die konkrete individuelle Freiheit bewahren. Aber er weist keinen Weg, wie man dem Ungleichgewicht privater Interessen begegnen könnte. Es gibt als „Bremse" gegen Übermacht nur die sehr umfassende Gewaltenteilung, die freilich nicht umverteilend in einzelne politische Prozesse eingreifen kann. Rousseaus radikale Herrschaft des Gemeinwillens schließlich verlangt einen übermenschlichen Verzicht auf die konkrete Individualität der Menschen. Für legitime Konflikte und eine pluralistische Gesellschaft lässt sie keinen Raum. Im Übrigen kann sie sogar seinen eigenen Worten nach nicht verwirklicht werden.

Auch die weiteren kurzen Überblicke über Niccoló Machiavelli, Karl Marx, die Anarchisten, den Feminismus, Niklas Luhmann, Fritz W. Scharpf, Carl Schmitt und Hannah Arendt, die z. T. Alternativen zum demokratischen Politikverständnis entwickeln, zeigen, wie viele theoretische und praktische Voraussetzungen erfüllt werden müssen, damit demokratische Politik gelingt.

Bei Machiavelli sehen wir: Seine praktisch-politischen Ratschläge im „Fürsten" verstören ein demokratisches Politikverständnis. Wer seine Konsequenzen vermeiden will, weil sie der Auffassung von politischer Moral widersprechen, weil sie mit ihrem Plädoyer für List und Ruchlosigkeit im Dienste von Staatsräson und Machterhalt einem demokratischen Gemeinwesen schaden, der muss sich die Prämissen seiner eigenen demokratischen Überzeugungen klarmachen. Dabei wird deutlich, wie wichtig das eigene – auch historisch oder kulturell geprägte und insofern nicht selbstverständliche – Menschenbild als Ausgangspunkt allen politischen Handelns ist. Zutage treten vor allem die anspruchsvollen Voraussetzungen, auf die eine auf Werten basierte demokratische Politik angewiesen ist.

Einen stimmigeren Zusammenhang von privater und politischer Moral – das lehrt uns Machiavelli – kann man (bei aller Notwendigkeit der Unterscheidung) – erfolgreich nur anstreben, wenn man die politischen, moralischen, sozialen und kulturellen Bedingungen dafür schafft, dass Bürger*innen Politik in der Praxis kennenlernen können und kompetent verstehen. Wenn das gelingt, wird es unnötig und unsinnig, sie dauernd hinters Licht zu führen. Dann können sie als urteilsfähige politische Subjekte handeln und reagieren, weil sie sich daran gewöhnt haben. Ein demokratisches politisches System muss sie dabei unterstützen, dass sie soziale und psychische Sicherheit gewinnen und ihre eigenen politischen Erfahrungen machen können. Denn Politik benötigt zur Einschätzung der verschiedenen Situationen und Faktoren vor allem praktische Erfahrung. Sie ist nicht einfach eine Sache der theoretischen Einsicht oder Intelligenz.

Karl Marx steht vor allem für die Analyse des Zusammenhangs zwischen der Möglichkeit sowie der Notwendigkeit von Politik und den ökonomischen und sozialen Verhältnissen. Das ist wichtig, denn dieser Zusammenhang gerät in der heutigen öffentlichen Debatte oft aus dem Blick. Konflikte resultieren nach Marx in der vorrevolutionären Klassengesellschaft allein aus den kapitalistisch organisierten Produktionsverhältnissen. Sie führen zu einer dichotomischen Klassensituation mit Überlegenheit einer Klasse. Daher können sie nicht politisch im Sinne eines gerechten Ausgleichs oder des Gemeinwohls ausgetragen werden. Weil es *nach* der proletarischen Revolution keine Konflikte mehr gibt, braucht man auch keine Politik mehr. Politik ist vor der Revolution nicht möglich und nach ihr nicht mehr nötig.

Daraus folgt: Politik ist also nur dann möglich – aber auch nötig –, wenn eine Chance auf Ausgleich der Machtpotenziale besteht, d. h., wenn nicht eine Macht einfach das Sagen hat. Deshalb kann sich Politik in modernen Demokratien mit einer pluralistischen Gesellschaft und einer kapitalistischen Wirtschaft nur dann halten und entwickeln, wenn die Kapitaleigner nicht von vornherein die Oberhand haben bzw. wenn die Entscheidungen nicht de facto durch Marktmacht oder durch ein unbeeinflussbares „kapitalistisches System" getroffen werden. Die entscheidende und brisanteste Frage an die Möglichkeit von demokratischer Politik ist daher heute, ob sie sich gegen Marktmacht und systemische kapitalistische Logik durchsetzen kann.

Der Grundgedanke der Anarchisten, politische Herrschaft durch Ebenbürtigkeit oder Partnerschaft und durch Konsensentscheidungen zu ersetzen, hat heute in der Form der Genossenschaften eine enorme Aktualität erfahren; allerdings nicht als Gesamtmodell für politische Gemeinwesen wie ganze Staaten. Stattdessen ist diese Kooperationsform ein wichtiges Experimentierfeld für Einzelsektoren der Gesellschaft geworden. Damit hat der Anarchismus seine utopischen ebenso wie seine gewaltorientierten Elemente abgelegt. Er entwickelt sich heute in einer Renaissance des Genossenschaftsgedankens weiter. Damit schlägt er eine Antwort auf die Erfahrung vor, dass die herkömmliche demokratische Politik in vielen Fällen nicht mehr in der Lage zu sein scheint, gegen die systemische Übermacht von wirtschaftlichen Lobbygruppen und gegen die Logik des Privateigentums z. B.

im Wohnbereich Lösungen für den Alltag der breiten Bevölkerung durchzusetzen.

Die feministische Herrschaftskritik zielt überwiegend auf die partnerschaftliche Regelung von Konflikten im Allgemeinen und von politischen im Besonderen. Ihr geht es also nicht um die generelle Abschaffung von Herrschaft. Bei Einebnung der Genderdifferenzen wären Aushandlungen über unterschiedliche Interessen und Vorlieben nach feministischem Verständnis durchaus möglich und auch nötig. Politik würde also nicht überflüssig.

Politik kann nie perfekt sein, kann Probleme nie umfassend lösen. Sie muss sich mit der Unzulänglichkeit menschlicher Entscheidungen, der Notwendigkeit, Ergebnisse immer erneut korrigieren zu müssen, abfinden und sich sogar strategisch darauf einstellen: Diese Einsicht für die Realitätstauglichkeit demokratischer Politik gewinnen wir aus der Kontroverse zwischen Luhmann und Scharpf. Demokratische Politik muss deshalb revidierbar sein.

Politik ist auch auf den Glauben angewiesen, dass Menschen sich miteinander verständigen können. Dazu gehört im wörtlichen wie im übertragenen Sinne Mehrsprachigkeit, d. h. das Verständnis für unterschiedliche, auch konträre Logiken, für eine Diversität von Gesichtspunkten, im weiteren Sinne der Umgang mit Perspektivenvielfalt. Perspektivenvielfalt zur Vorbereitung von Entscheidungen im nationalen wie im transnationalen Bereich systematisch zu organisieren und mit Partizipation zu verbinden, ist daher notwendig und bietet die Chance, das Übergewicht von Einzelmächten oder Partikularinteressen, auch von kapitalistischen, zu überwinden und zu einem zeitgemäßen Verständnis von Gemeinwohl vorzustoßen. Erforderlich ist dabei, zwischen den Perspektiven eine Deliberation zu organisieren, d. h. die unterschiedlichen Perspektiven dem Imperativ zu unterwerfen, sich mit Gründen zu rechtfertigen, die verallgemeinerbar sind oder zumindest gegnerische Gründe berücksichtigen.

Eine zentrale Folgerung daraus für die Zukunft demokratischer Politik lautet, institutionell und finanziell Mehrsprachigkeit zu unterstützen. So kann Perspektivenvielfalt in der Vorbereitung politischer Entscheidungen gegen die Übermacht von Einzelinteressen produktiv gemacht werden. Wenn uns demokratische Politik als Grundlage unseres friedlichen Zusammenlebens wichtig ist, müssen wir das konsequent organisieren und praktizieren und uns auch etwas kosten lassen. Die Institutionen der repräsentativen Demokratie – Parlament, Exekutive, Judikative – sind ja auch nicht kostenlos zu haben.

Im scharfen Gegensatz zu einem Politikverständnis, das Perspektivenvielfalt zugunsten einer Gemeinwohlorientierung organisieren will, steht Carl Schmitts These, dass Politik im Kern als Freund-Feind-Verhältnis zu begreifen und zu definieren ist. Zu Ende gedacht gibt es Politik bei ihm nur als „Vorspiel" zum Krieg. Denn ihre Erfüllung findet Politik im schärfsten Freund-Feind-Gegensatz, in dem der Feind ausgeschaltet und damit dann auch das Freund-Feind-Verhältnis zusammen mit der Politik beendet wird. Politik wird so zum Selbstwiderspruch. Damit scheidet Carl Schmitts Definition jedenfalls für Politik als anhaltende Methode der Konfliktlösung aus.

Trotzdem ist er für die Gestaltung und Beurteilung demokratischer Politik lehrreicher, denn wir finden sein Verständnis häufig auch unter demokratischen Bedingungen, nämlich überall dort, wo die Handhabung des politischen Konflikts auf eine (endgültige) Ausschaltung des Gegners, nicht auf eine nachhaltige Verständigung oder zumindest auf eine weitere Koexistenz mit ihm angelegt ist. Carl Schmitt zeigt uns, dass die „Ausschaltungslogik", die dieser Haltung zugrunde liegt, der vernichtende Krieg ist. Demokratien werden durch dieses Verständnis nur dann nicht zerstört, wenn ihm frühzeitig Einhalt geboten wird.

Hannah Arendts Beitrag zu einer Klärung, wie demokratische Politik in der Gegenwart und in der absehbaren Zukunft gelingen kann, liegt vornehmlich in der Entfaltung von deren kulturellen – philosophischen, psychologischen, motivationalen – Voraussetzungen. Sie hat mit ihrer Klärung von Verständigungsbedingungen, auch mit ihrem Begriff von Macht vorformuliert, was wir bei der Suche nach demokratischer Politik in der Globalisierung, d. h. nach umfassenderen demokratischen *Governance*-Strukturen und Akteuren, beherzigen sollten. Unsere globale Wirklichkeit lässt uns nicht mehr den gedanklichen und den faktischen Ausweg, in traditionellen „Gegenmacht"-Strategien zu verbleiben und Konflikte militärisch oder durch Erpressung und Hauruckverfahren zu lösen.

Überleben können wir nur gemeinsam. Wir sind angewiesen auf freiwillige Vereinbarung, auf eigene Einsicht, auf grundlegende Solidarität, auf Hannah Arendts gemeinsames Reden, auf die Fähigkeit zum Neuanfang, auf das Verzeihen, das uns von der Verkettung an die Vergangenheit löst, darauf, unsere Versprechen zu halten. Das alles brauchen wir, um gemeinsam handeln und mit der daraus erwachsenden Macht unsere Welt zu unserem Gedeihen gestalten zu können. Dadurch gewinnen wir Vertrauen zueinander und in die Welt, dadurch schöpfen wir Hoffnung.

In den bisherigen Überlegungen wurden sowohl vor- bzw. undemokratische als auch demokratische Politikverständnisse präsentiert. Eingeschätzt und ausgewertet wurden sie unter der Frage, welche Einsichten sie für die Gestaltung demokratischer Politik bieten. In ihr haben alle Bürger das gleiche Recht auf Mitbestimmung bei politischen Entscheidungen. Sie ist zugleich die einzige, die der normativen Orientierung, die diesem Essay zugrunde liegt: der Sicherung der gleichen Würde aller Menschen, zumindest in der Absicht Genüge tut, wenn auch oft nicht in der gegenwärtigen Praxis. Jenseits meiner eigenen Überzeugung scheint mir heute ein ausdrücklicher Rückfall hinter die theoretische Annahme von der gleichen Würde, d.h. der gleichen politischen Freiheit aller Menschen, die seit den UN-Menschenrechten von 1948 kodifiziert ist und aus der demokratische Politik folgt, nicht mehr vertretbar. Zwar wird diese Würde praktisch oft mit Füßen getreten, auch von demokratischer Politik. Aber sie theoretisch ausdrücklich abzulehnen, tritt heute keiner mehr an.

Demokratische Politik leitet sich bei uns inhaltlich von der Staatsform der repräsentativen Demokratie her. Gemeint ist in diesem Essay mit Demokratie ein freiheitliches und gewaltenteiliges politisches System, das sich auf die Volkssouveränität gründet, mit allgemeinem, gleichem und geheimem Wahlrecht und mit Medien, die frei sind von staatlicher Überwachung. Sie ist bisher ordnungspolitisch verbunden mit einer Marktwirtschaft, die allerdings inzwischen eingewoben ist in eine fortgeschrittene ökonomische Globalisierung. Ihretwegen kann rein nationalstaatliche Politik ihre Gestaltungsaufgaben nicht mehr erfüllen. Deshalb mache ich den Unterschied zwischen Demokratie, die im Nationalstaat verortet wird, und demokratischer Politik, die auch grenzüberschreitend gedacht werden muss.

Deren Legitimation versteht sich allerdings nicht von selbst, wenn ihre Repräsentant*innen nicht direkt gewählt worden sind. In der EU z. B. wird das Europäische Parlament zwar direkt gewählt, aber nach Landeslisten, die keine grenzüberschreitenden politischen Programme für die EU propagieren. Zudem hat das Parlament noch nicht die üblichen Rechte eines nationalstaatlichen Parlaments. Die Entscheidungen des Europäischen Rates sind de jure durch die Regierungschefs legitimiert. Das geschieht allerdings oft weit entfernt von den Bürger*innen, zumal die nationalen Regierungschefs in der Regel nicht für ihre EU-Politik gewählt worden sind, die in ihrem nationalen Wahlkampf kaum eine Rolle gespielt hat. Das führt de facto dazu, dass die EU in den Gesellschaften ihrer Mitglieder nicht so stark verankert, also subjektiv nicht so stark legitimiert ist wie nationale Regierungen. Zur Frage steht, welche Alternativen es zu dieser defizitären transnationalen Legitimation gibt, ob z. B. eine direkte Finanzierung von Städten durch die EU eine stärkere Verbindung zwischen den Bürger*innen und der EU herstellen würde. Freilich müssten die Nationalstaaten dem zustimmen. Danach sieht es zurzeit nicht aus. Ich komme darauf zurück.

Von dieser Legitimationsfrage abgesehen: Was im Vorangegangenen von demokratischer Politik vor allem politisch-kulturell verlangt wird, ist sehr viel und sehr schwer. Können wir das überhaupt schaffen? Ist das nicht zu voraussetzungsvoll? Ist demokratische Politik nicht zu anspruchsvoll? Wie man diese Frage beantwortet, hängt wesentlich davon ab, welche Alternativen uns zu Gebote stehen. Vielleicht gibt es leichtere und effizientere Alternativen zu demokratischer Politik, mit denen gesamtgesellschaftlich umstrittene Fragen beantwortet und verbindlich entschieden werden können. Was sind solche Alternativen? Dienen sie der Würde des Menschen?

KAPITEL 2

Alternativen zu demokratischer Politik

Effizienz durch Machtkonzentration: China

Selbstverständlich gibt es andere Systeme und Verfahren als demokratische Politik, mit denen Entscheidungen für die gesamte Gesellschaft getroffen werden. Vielen erscheinen sie auch bei uns durchaus vorteilhaft, vor allem, wenn sie auf den ersten Blick schneller und effizienter vonstattengehen. China z. B. wird oft als positives Beispiel angeführt, weil dort neue Unternehmen zügiger tätig werden, Hochbahnen in kürzester Zeit gebaut oder Stadtviertel rasant schnell abgerissen werden könnten, um Neubauten Platz zu machen. „Was mir vorschwebt", sagt der vom „Rat für Nachhaltige Entwicklung" auf seine Visionen hin befragte, in Shanghai arbeitende Architekt Johannes Dell, „ist eine Art Hongkong mit teutonisch-technischer Ressourceneffizienz".[1] Während die inkompetenten westlichen Politiker den Problemen nicht viel entgegensetzen könnten, so Dell, „regiert die chinesische Regierung pragmatisch, sach- und ergebnisorientiert ‚durch' und mit den bekannten Einschränkungen bei den bürgerlichen Freiheiten".[2] China betreibt Politik, aber keine demokratische. Dem bringt Dell durchaus Sympathie entgegen. Da sind individuelle und politische Freiheits- und Menschenrechte zweitrangig. Sie halten praktisch nur auf und kosten Zeit. Der generelle Eindruck ist: Weil nicht so viele Personen oder Institutionen mitreden, weil politisch Mächtige, mit denen man die Projekte vertraulich verabreden kann, ihre Prioritäten ohne nennenswerte Probleme durchsetzen können, weil an den Schaltstellen der Macht überdies kompetente Fachleute sitzen, geht alles schneller und effizienter voran. Im globalen Wettbewerb habe das Land deshalb einen großen Vorteil.

Der Preis für solch ein „Durchregieren" ohne politische oder rechtliche „Widerhaken" sind allerdings eine Konzentration der Macht sowie der Verzicht auf Transparenz und auf eine mediale Öffentlichkeit, die unabhängig recherchieren könnte, was wirklich geschieht. Wie viele chinesische Wanderarbeiter*innen umkommen, weiß man nicht. Wie viele Ressourcen des Landes die Korruption verschleudert, wegen der Bestechungsgelder, aber vor allem wegen des fehlgeleiteten Ressourceneinsatzes in unnötige Prestige-Staudämme, in gefährlichen

Waffenhandel, in Kohlekraftwerke, die das Klima verderben – man weiß es nicht. Was wirklich in der Entstehungszeit des Corona-Virus in Wuhan passiert ist, ob die Politik ihm am Anfang hätte effektiver entgegentreten können – wir wissen es nicht, werden es wohl auch nicht so schnell erfahren und aus Fehlern lernen können. Offensichtlich betreibt die chinesische Regierung eine Öffentlichkeitspolitik des Verschweigens. Kants Prinzip aus seiner Schrift „Zum ewigen Frieden", dass Publizität nötig ist, damit Gerechtigkeit gelingt, gilt eben auch hier. Es ist auch eine Frage der Gerechtigkeit, dass nicht um des Machterhalts der Parteiführung willen Menschen sterben.

Bei Lichte betrachtet ist die politische Alternative einer Diktatur oder auch nur eines autoritären Systems, mit konzentrierter Macht an der Spitze, das Gewaltenteilung und freie Medien ausschaltet, nur im kurzfristigen Partikularinteresse begünstigter Bürger*innen oder der jeweiligen Machthaber*innen effizient. Freiheit und Gerechtigkeit bleiben hier auf der Strecke. Die Diktatur ist jedenfalls dann keine gangbare Alternative zu demokratischer Politik, wenn wir die gleiche Chance aller Menschen auf ein Leben in Würde, d. h. in Freiheit und Gerechtigkeit, verwirklichen wollen. Den allwissenden, integer und gemeinwohlorientiert steuernden Schiffskapitän Platons sucht man in China vergebens. Aristoteles hatte schon damals zu Recht Zweifel daran, dass Machtanhäufung als Richtschnur dem Gemeinwohl dient.

Der Ruf nach Fachleuten und Technokraten

Den meisten Bürger*innen geht es aber in ihrer Kritik an unserer demokratischen Politik und bei der Suche nach Alternativen keineswegs gleich um die Errichtung einer Diktatur. Doch sie stören sich nicht nur am Zeitaufwand unserer Demokratien, sondern auch daran, dass Politiker*innen in Ämter gewählt werden, z. B. als Minister*innen, ohne „vom Fach" zu sein. Sie vermissen bei ihnen die professionelle Kompetenz. Die fehlt zunächst auch oft, und das wirkt immer wieder misslich. Aber zu bedenken ist, dass die eigentliche Aufgabe von Politikern nicht in fachspezifischen Beiträgen liegt, sondern darin, Vereinbarungs- und Aushandlungswege zur praktischen Umsetzung einer Politik zu finden, für die ihre Partei öffentlich geworben hat, für die Ministerien Fachkompetenz ansammeln müssen, die die Chef*innen allerdings auch kritisch durchschauen können müssen. Ausgearbeitet haben sie in der Regel Fachleute aus den politischen Parteien oder aus den Ministerien, begründen müssen sie aber die verantwortlichen Politiker*innen. Ein entscheidendes Problem in unseren Demokratien liegt allerdings darin, dass solche Begründungen öffentlich oft sehr dürftig ausfallen; dies zumal, wenn die Entscheidungen unter dem Einfluss von finanziell potenten Lobbyist*innen fallen, die hinter verschlossenen Türen wirken und die man nicht gern öffentlich aufdeckt.

Wichtig wäre hier, dass die Öffentlichkeit, auch die Medien von den Verantwortlichen immer stärker die Begründungen für ihr Handeln und das Denken in Alternativen einfordern müssten. Dies ist eine der ernstesten Herausforderungen unserer Demokratie, die nur mithilfe effektiver Transparenzvorschriften und fachlich kompetenter Initiativen der Zivilgesellschaft erfolgreich angegangen werden kann. Diese Initiativen müssen die Kontrolle und das „Monitoring" von Entscheidungen der Exekutive zusätzlich zum dazu ursprünglich in der repräsentativen Demokratie vorgesehenen Parlament übernehmen. Das kann seine Aufgabe oft nicht zureichend erfüllen, weil in der parlamentarischen Demokratie – und selbst in der präsidialen – allein die Opposition, nicht die unterstützende Regierungsmehrheit im Parlament sich prinzipiell kritisch engagiert. Allerdings erfüllt die Opposition ihre Aufgabe z. B. mit parlamentarischen Anfragen oft deutlich besser, als in der Öffentlichkeit wahrgenommen wird; zusätzlich zu den Medien, die Missstände aufdecken und verfolgen müssen, und zusätzlich zu Aufsichtsinstitutionen wie dem Bundesrechnungshof.

Die Frage ist aber trotzdem, ob der Wunsch vieler Zeitgenoss*innen, man solle doch grundsätzlich anstelle der nur nach Machtgewinn strebenden „fachlich inkompetenten" Politiker*innen lieber Fachleute an die Regierung lassen, als sinnvolle Alternative zu demokratischer Politik gelten kann. Verwaltungen verfolgen, so das Argument, nicht ihre Partikularinteressen, sondern das Gemeinwohl. Das knüpft an traditionelle Vorstellungen von der Neutralität der preußischen Ministerialbürokratie an.

Eine solche Forderung setzt freilich voraus, dass die anstehenden Fragen „rein sachlich" oder neutral beantwortet werden können, d. h. ohne eine politische Wertung, die sich aus der Einschätzung der antwortenden Menschen ergibt, nicht aus der Frage selbst. Allein aus dem Streit, den es erfahrungsgemäß immer zwischen Fachleuten – Jurist*innen, Ärzt*innen, Lehrer*innen, Architekt*innen, Ingenieur*innen etc. – über welches Thema auch immer gibt, lässt sich ersehen, dass eine solche neutrale Sachlichkeit eine Illusion darstellt.

Wir schauen auf ein Problem immer aus unserer Perspektive, Erfahrung, Weltanschauung, auch aus unserem konkreten Interesse und unseren politischen Präferenzen. Ministerialbeamt*innen sind keine seelenlosen Roboter, sondern lebendige Menschen, die durchaus ihre persönliche Sicht auf die Dinge haben. Nach dem Bilderbuch der Demokratie müssten sie die ganz zurückstellen und sich bei der Wertentscheidung nach ihrer politischen Ministeriumsspitze richten. In Wirklichkeit brüsten sich so manche Abteilungsleiter*innen, dass ihnen egal ist, wer unter ihnen gerade Minister*in ist, weil sie gegenüber oft kurzfristiger mit der Sache betrauten Minister*innen immer einen Informationsvorsprung haben.

Das ist das Alltagsgeschäft unserer Demokratie, das sicherlich mit zusätzlichen Kontrollverfahren angegangen werden sollte. Deutlich aber ist, dass der Ersatz von Politik durch die Alternative einer effektiven Fachbürokratie jedenfalls die unvermeidbaren politischen Implikationen jeder Entscheidung ignoriert, aber auch zuweilen kaschiert und nicht einfach zur Zufriedenheit *der* Gesellschaft führt, weil es die als einheitliche nicht gibt.

In der pluralen Gesellschaft bestehen vielmehr sehr unterschiedliche Ansichten und Interessen. Die anstehenden Fragen müssten, anstatt der Illusion „rein fachlicher" Antworten zu erliegen, in ihrer Komplexität und Perspektivenvielfalt viel mehr öffentlich diskutiert werden, um alle Vor- und Nachteile offenzulegen und um gerechte, nachhaltige Lösungen zu finden. Nur so können sich die Bürger*innen ein eigenes Urteil bilden und ihre Interessen in Abwägung mit denen der anderen verfolgen. Diese Abwägung ist heute dringlicher denn je, um unser Gemeinwesen – die Stadt, das Land, unseren Planeten – nicht einfach den jeweils mächtigsten Interessen anheimzugeben, sondern die Glaubwürdigkeit der Politik zurückzugewinnen. Fachleute können also auch keine Alternative zur Politik im Dienste der gleichen Würde aller Menschen, von Freiheit und Gerechtigkeit bieten.

Die Forderung nach Fachleuten erfolgt zuweilen auch als Ruf nach Technokraten. Im Unterschied zu reinen Fachleuten haben sie oft den „guten" Ruf, „Macher" zu sein, „die Dinge getan zu bekommen", was dem Wortsinn des Technokraten entspricht, der Probleme „technisch" handhabt. Das suggeriert, dass es jeweils einen technisch angemessenen Weg gibt, mit dem man die Dinge „regeln" kann. Zum kompetenten Fachmann kommt hier die Assoziation hinzu, dass dieser Mann mächtig und durchsetzungsstark ist – interessanterweise spricht man inzwischen zwar von der Fachfrau, aber nicht von „Technokratinnen". Solche Vorstellungen von neutralen und effizienten Technokraten standen z. B. bei den sogenannten Hilfsprogrammen der Europäischen Union für Griechenland, Spanien und Portugal seit 2010 im Blick der Öffentlichkeit. Mit diesem Anspruch traten die Mitglieder der „Troika", in der die Vertreter der Europäischen Kommission, der Europäischen Zentralbank (EZB) und des Weltwährungsfonds zusammengefasst wurden, auf den Plan. Zum Teil gegen den Willen der gewählten Regierungen (vor allem im Fall Griechenlands) setzten sie jahrelang ein rigides Sparprogramm als Bedingung für weitere Kredithilfen durch.

Ihre Legitimation für diese Politik gewannen sie zum einen aus dem Europäischen Rat, dessen Mitglieder ihrerseits ihre Legitimation aus ihren jeweiligen nationalen Wahlen beziehen. Originär europäische Fragen kommen aber, ich habe bereits darauf hingewiesen, in der Regel in den vorangehenden nationalen Wahlkämpfen nicht vor. Die EZB konnte für ihre wirtschaftspolitischen Entscheidungen keine demokratische Legitimation vorweisen, da sie explizit von den gewählten europäischen Regierungen unabhängig ist, und der Weltwährungsfonds hatte für Griechenland auch keine spezifische demokratische Legitimation.

Dennoch konnte die Troika ihre Politik in Griechenland gegen den Willen der griechischen Regierung und Bevölkerung durchsetzen, weil Griechenland hoch verschuldet war. Wie die Schulden genau zustande gekommen waren, wie sich dafür die Verantwortlichkeiten verteilten, all das wurde von den Entscheidern nicht thematisiert, geschweige denn öffentlich diskutiert.

Im Zusammenhang mit der Frage nach Alternativen zur Politik ist hier aber interessant, dass die Troika als Gruppe von Technokraten vorstellig wurde, die eine spezifische Wirtschaftstheorie und -politik verfolgten, die angebotsorientierte neoliberale Sparpolitik. Die vertraten sie aber nicht als ihre eigene politische Entscheidung bzw. Option, die man öffentlich diskutieren und begründen hätte müssen, sondern als rein „sachlich geboten". Verbal kam das zum Ausdruck, wenn die politischen Entscheidungen der Troika, die das griechische Parlament zur Durchführung des Troika-Oktroi verabschieden musste – man wollte wenigstens formal dem Gebot der Demokratie genügen –, als „Hausaufgaben" bezeichnet wurden. Die Sinnhaftigkeit von Hausaufgaben stellt man in der Regel nicht infrage. Die Sinnhaftigkeit der Sparpolitik hingegen konnte man volkswirtschaftlich mit guten Argumenten infrage stellen. Das wurde aber auch in der dominierenden Öffentlichkeit der Gläubigerländer mit dem „Argument", die Politik sei „sachlich geboten", abgewiesen.

Dies geschah im Kontext einer EU-Politik, die ihrerseits nicht nur als „sachlich geboten", sondern auch als „alternativlos" bezeichnet wurde, weshalb sie kurzerhand technokratisch durchgesetzt werden müsse. Die Behauptung der „Alternativlosigkeit", die von Margaret Thatcher in das politische Vokabular eingeführt worden war, verriet und verrät bis heute einen Widerspruch: Da Politik eben nie die Ausführung von rein sachlich Gebotenem bedeutet, sondern, auch wenn das oft verschleiert wird, stets auf einer Wahl und Entscheidung zwischen Alternativen beruht, legen Politiker*innen der Alternativlosigkeit offen, dass sie täuschen und sich von demokratischer Politik verabschiedet haben.

Im Fall Griechenlands lag ihre Unehrlichkeit darin, dass die Europäische Union (konkret: der Europäische Rat mit seiner konservativen Mehrheit) im Gewand der technokratischen Alternativlosigkeit ihre durchaus perspektivische und interessengeleitete Politik durchsetzte, weil sie die Macht dazu hatte und eine öffentliche Debatte über Alternativen und deren jeweilige Vor- und Nachteile auch verbal mit dem Begriff „Hausaufgaben" unterband. Daran haben sich sämtliche demokratisch gewählten Regierungen der EU beteiligt und damit ein unverzichtbares Element demokratischer Politik und Legitimation öffentlich verraten und desavouiert.

Wenn der Begriff der Alternativlosigkeit rechtfertigt und fordert, dass Entscheidungen ohne öffentliche Diskussion von Alternativen technokratisch durchgesetzt werden müssen, dann handelt Politik im Widerspruch zu sich selbst und unehrlich. Mit anderen Worten: Fachleute und Technokraten entscheiden faktisch immer wertend und politisch. Sie bieten also zur Politik, verstanden als Entscheidung über Alternativen, keine wirkliche Alternative.[3]

Mit rigiden Regeln gegen die Unsicherheit?

Die Skepsis gegenüber der Korrumpierbarkeit von Politik, weil sie opportunistisch „sachlich" falsche Lösungen konzediere oder propagiere, um ihre Macht zu erhalten, hat eine lange Tradition, mindestens seit dem 18. Jahrhundert. Sie sucht Alternativen in unumstößlichen Regeln, was sich in den letzten Jahren sowohl in der deutschen als auch in der EU-Politik beobachten lässt. Dazu gehört die Drei-Prozent-Grenze der Neuverschuldung in staatlichen Haushalten, für die es keine theoretische Begründung gibt, weil es für „Überschuldung" kein objektives Maß gibt. Die Schuldentragfähigkeit eines Landes richtet sich jeweils nach seiner konkreten Wirtschaftslage und muss auch mit seinem Wirtschaftspotenzial, seiner Infrastruktur, dem Ausbildungsgrad seiner Arbeitskräfte, seinen Bodenschätzen etc. abgewogen werden.

Wenn man aber demokratisch gewählten Politiker*innen nicht zutraut, solch eine Abwägung verantwortlich zu treffen, weil sie nach der nächsten Wahl schielen, setzt man sich oder anderen rigide unpersönliche Regeln. Sie können allerdings, so wie jetzt die Schuldenbremse im Grundgesetz, zu einer derartigen Fessel z. B. für eine vernünftige Investitionspolitik werden, dass sie Gesetzesumgehungen oder juristische „Tricks", bspw. Schattenhaushalte, provozieren, durch die Politik wieder möglich werden soll. Aktuell hat die Corona-Krise die Schuldenbremse von heute auf morgen außer Kraft gesetzt. Dabei berufen sich Politiker*innen darauf, dass für den Fall von „Naturkatastrophen" immer Ausnahmen vorgesehen waren. Aber es zeichnet sich ab, dass es schwierig sein wird, für die wirtschaftliche Erholung in Deutschland und in der EU enge Regelungen vorzusehen. Deren Nachteile und Kosten, z. B. aufgrund eines lang andauernden Rückgangs des Bruttosozialprodukts, wie dies in Griechenland nach 2015 wegen der oktroyierten Sparpolitik geschehen ist, können größer sein als der Gewinn, den mögliche Einsparungen für die Stabilität des Haushalts bringen. Hier muss also das politische Urteil doch wieder an die Stelle von automatischen Regeln treten.

Markt statt Politik

Schließlich hatte in den letzten vierzig Jahren eine Theorie mit dazugehöriger Praxis Hochkonjunktur, die politische Entscheidungen so weit wie irgend möglich durch private Entscheidungen der Bürger*innen als Kund*innen am Markt ersetzen will. Anstatt von häufig korrupten Politiker*innen regiert zu werden, die einzig und allein nach Macht streben, sollen demnach Bürger*innen in die Lage gebracht werden, selbst am Markt mit ihrem Geld zu entscheiden, an welchen Diensten und Waren ihnen liegt, um ihr Privatleben zu ihrer Zufriedenheit zu gestalten. Bildung, Gesundheit, Wohnen, Kultur, selbst Rechtsprechung sollen – insbesondere im internationalen Bereich – möglichst privat gewählt und finanziert werden können zugunsten der freien Entscheidung der mündigen Individuen. Die staatliche Bürokratie soll möglichst kleingehalten werden und wenig kosten.

Dass der Markt für ökonomische Effizienzentscheidungen und für die Erkundung der Wünsche der Menschen sehr hilfreich ist, lässt sich gar nicht bestreiten. Ohne Zweifel braucht eine lebendige demokratische Politik auch unternehmerisches Denken und Handeln, um erfindungsreich Gegenwart und Zukunft zu gestalten.

Allerdings plädieren selbst Vertreter eines rigorosen Marktdenkens in der Regel für eine Ordnung des Marktes, die Monopolbildungen entgegenwirkt. Sie muss in der Sicht vieler „Ordoliberaler" vom Staat ausgehen, der in diesem Kontext oft – ebenfalls in Anlehnung an die bereits genannte preußische Bürokratie – als neutral bzw. „objektiv" vorgestellt wird. Das ist er in einer modernen pluralistischen Gesellschaft, in der verschiedene Überzeugungen und Interessen mit sehr unterschiedlichen Machtpotenzialen miteinander streiten, natürlich nicht. Selbst wenn es nur um das „objektive" Ziel geht, Monopolbildung zu vermeiden, ist doch die Spanne der Gegebenheiten, die damit gemeint sein können und die in ihren jeweiligen Kontexten zu beurteilen sind, so breit, dass keine „politikfreien", eindeutigen Entscheidungen gegen Monopole möglich sind.

Die Teilnehmer*innen am Marktgeschehen, Käufer*innen wie Kund*innen, haben im Übrigen auf dem „unpolitischen" Markt keineswegs gleiche Chancen, wie dies der Slogan der Kunden als „Könige" suggeriert. Das wird u. a. daran deutlich, dass der Markt nicht einfach auf vorhandene Kundenwünsche reagiert, sondern nur auf die kaufkräftige Nachfrage. Und die ist sehr ungleich verteilt.

Das stört die Vertreter*innen des Marktes prinzipiell nicht. In deren Sicht rühren Unterschiede aus besseren Leistungen am Markt her, sind damit gerechtfertigt und bilden zugleich notwendige und wirksame Anreize, im Wettbewerb mehr zu leisten. Freilich würde die Norm, dass Politik der gleichen Würde aller Menschen dienen muss, im Falle der Ersetzung der Politik durch den Markt wegen der Dynamik immer größerer Unterschiede, die die Marktlogik nach sich zieht, von vornherein verfehlt. Denn entgegen der wirtschaftstheoretisch neoklassischen Annahme, dass der Wettbewerb immer erneut gegen Monopolbildung und damit gegen ungerechtfertigte Ungleichheiten wirke, weil Konkurrenten ständig gegen monopolistische Unternehmen antreten könnten, fördert der politisch nicht regulierte Markt massive Ungleichgewichte der Macht. Damit werden auch die Leistungschancen vieler Individuen schon bei ihrer Geburt reduziert.

Inzwischen haben private Machtanhäufungen am Markt, z. B. bei den großen Digitalfirmen, bedrohliche Ausmaße angenommen: Selbst die Funktionserfüllung der staatlichen Monopolverhinderung durch Regulierung wird z. T. unmöglich, weil es keine Instanz außerhalb des Marktes oder „über" ihm gibt, die starken Marktteilnehmern Paroli bieten könnte.

Hier sind wir bei der Frage angekommen, wie unter den Bedingungen der ökonomischen Globalisierung, eines weltweiten Wettbewerbs und kaum eingeschränkter grenzüberschreitender kapitalistischer Wirtschaftstätigkeit Politik auch als Wirtschaftspolitik ihrer Gestaltungsaufgabe noch gerecht werden kann. Nach Milton Friedman – dem Vater der Theorie, dass der Markt zugunsten der individuellen Freiheit den Staat möglichst weitgehend zu ersetzen habe – soll Politik allerdings auch gar nicht die Wirtschaft gestalten.

Aber selbst eine reine Anti-Monopolgesetzgebung ohne wirtschaftspolitische Präferenzen setzt eine Wirkmacht voraus, über die die Nationalstaaten jeder für sich und unter dem Eindruck ihrer jeweiligen starken nationalen Lobbys auch internationaler Konzerne nicht mehr verfügen. Das führt mich zu der später eingehend zu prüfenden Frage, ob und wie Politik in der Globalisierung so weiterentwickelt werden kann, dass sie wieder erfolgreich zu wirken und zu gestalten vermag.

Dass nach vierzig Jahren Dominanz des marktradikalen Denkens nach der Chicagoer Schule mit Friedrich Hayek und Milton Friedman weltweit die Gegensätze zwischen Arm und Reich drastisch zugenommen haben und dass Solidarität kulturell massiv unter die Räder gekommen ist – auch wenn viele sich nach Solidarität sehnen, aber vielleicht mehr danach, dass sie sie erfahren, als dass sie sie anderen gegenüber üben –, wird jedenfalls ernsthaft nicht mehr bezweifelt. Viele hoffen nun darauf, dass die Einsicht in die Notwendigkeit der Solidarität für unser gemeinsames Überleben nach der Corona-Krise weltweit deutlich steigen wird. Ohne unser energisches Dazutun wird das, glaube ich, nicht geschehen.

Die seit Jahren stetig wachsende Ungleichheit kann ohne großes theoretisches Risiko durch den – von den Marktradikalen ausdrücklich gewollten – Mangel an ausgleichender bzw. gegensteuernder Politik, gerade auch an Gewerkschaftspolitik, erklärt werden. In ihren verschiedenen Dimensionen, etwa was die erst seit einiger Zeit öffentlich aufmerksamer registrierte Abgehängtheit vieler ländlicher Regionen zugunsten der Metropolen überall in Europa angeht, die nicht zuletzt durch die Privatisierung von Verkehrsmitteln zustande gekommen ist, hat die dramatisch gestiegene Ungleichheit inzwischen zur Unterminierung nationaler Demokratien geführt. Zusammen mit den Krisen des Weltmarktes hat sie die Anfälligkeit breiter Gesellschaftsschichten für Verlustängste, Ressentiments und egomanische Ideolog*innen und Politiker*innen mit sich gebracht, die die westlichen liberalen Demokratien allenthalben unterminieren.

Zugleich hat die Propagierung eines global möglichst deregulierten, also von politischer Gestaltung freien Marktes die Schädigung unserer Umwelt und des Klimas massiv vorangetrieben. Der Markt kann zwar besser als jedes zentrale Planungs- oder Verteilungssystem aktuelle finanzkräftige Bedürfnisse oder solche der nahen Zukunft aufdecken und befriedigen. Aber er sieht nicht weit in die Zukunft und deshalb keine Schäden voraus. Denn das globale Wettbewerbssystem, in dem viele Unternehmen auf raschen Erfolg gedrillt sind, lässt ihnen wenig Raum dafür, weitsichtig zu handeln und Entscheidungen auf eine längere Zeit, also auf Nachhaltigkeit auszurichten. Sie scheuen vor dem Risiko des kurzfristigen betriebswirtschaftlichen Scheiterns zurück. Somit werden z. B. Aktionen, die dem Klima schaden, fortgesetzt, wenn nicht politische Weichenstellungen ein Umlenken auf die Zukunft hin bewirken. Für Nachhaltigkeit zu sorgen, wird deshalb eine der essenziellen Aufgaben der Weiterentwicklung demokratischer Politik sein.

Die Vorherrschaft des Marktes ist also keine „neutrale" Alternative zur Politik, sondern eine aggressive, die in konsequenter Logik die Demokratie unterminiert. Wer „Verantwortungslosigkeit von Politik" durch die Delegation politischer Entscheidungen an den Markt vermeiden will, trägt daher wesentlich zur Zerstörung verantwortlicher demokratischer Politik bei. Zentral sind hier zwei Einsichten. Zum einen reagiert der Markt ohne politische Regulierung nur auf kurzfristige Perspektiven von Partikularinteressen. Gesamtgesellschaftliche langfristige Interessen, selbst dasjenige, dass unser Planet und wir selbst überleben wollen, werden von den Kaufinteressen der einzelnen Kund*innen tendenziell nicht honoriert.

Zum anderen ebnen sich soziale und ökonomische Ungleichheiten eben nicht durch den Marktmechanismus von selbst ein, im Gegenteil. Es braucht Politik – nicht zuletzt die Tarifpolitik der Gewerkschaften, aber auch Bildungs- und Sozialpolitik –, um sie immer wieder auszugleichen. Dieser Ausgleich aber ist erforderlich, wenn die gleiche Würde aller Menschen, ihr gleiches Recht auf politische Freiheit, nicht zur Phrase verkommen soll.

Implizit stellt die Forderung danach, den Markt anstelle von Politik ungestört wirken zu lassen, damit in Wahrheit eine politische Wertentscheidung zugunsten der Starken und zuungunsten der gleichen Würde aller Menschen dar. Wenn wir an dieser gleichen Würde festhalten wollen, müssen wir gegen Marktradikalität politisch angehen.

It's politics, stupid!

Das Ergebnis unserer Prüfung von Alternativen zur Politik zeigt, dass weder Effizienz durch Machtkonzentration noch die Entscheidung durch Fachleute oder Technokraten noch die Ersetzung von Politik durch „objektive" Regeln oder durch den globalen Markt eine Alternative zur Politik sein kann. Alle angeblich „effizienten" oder „rein sachlichen" Entscheidungen enthalten Wertungen, die sich auf die gesamte Gesellschaft auswirken. Sie sind deshalb immer, obgleich manchmal versteckt, politisch und müssen dann auch politisch ausgehandelt und legitimiert werden. Jedenfalls, wenn wir daran festhalten wollen, dass Menschen das Recht haben, in gleicher Würde miteinander zu leben.

KAPITEL 3

Die aktuelle Krise
der liberalen Demokratie
und des Liberalismus

Der liberale Westen auf dem Prüfstand

Die unauflösliche Verbindung von menschlicher Würde und demokratischer Politik, zu der wir damit gelangt sind, wird aber neuerdings von anderer Seite in Zweifel gezogen. Die Attraktivität der liberalen Demokratie, die sich durch das Würdeversprechen legitimiert, scheint bei den Bürger*innen in den letzten Jahren drastisch abzunehmen. Das Paradoxe an der gegenwärtigen Lage ist: Während sich die liberale Demokratie öffentlich-rhetorisch als normatives politisches System weltweit durchgesetzt hat, wird ihre ideengeschichtliche Wurzel, der Liberalismus, zunehmend grundsätzlich angefochten – in der Nord-Süd-Auseinandersetzung, aber auch innerhalb des Nordens. In der Europäischen Union proklamiert der ungarische Premier Viktor Orbán offensiv die „illiberale" Demokratie, und die Regierungen – nicht die Gesellschaften! – seiner Nachbarn in Mittelosteuropa, insbesondere in Polen, folgen ihm de facto, ansatzweise jetzt gar der österreichische Bundeskanzler Sebastian Kurz. Rechtspopulistische, vielfach auch schlichtweg rechtsradikale politische Parteien unterstützen diesen Kurs und finden immer mehr Zulauf. Ihr gemeinsamer Nenner ist neben der Infragestellung von Rechtsstaat und Gewaltenteilung die Ablehnung der gleichen Würde aller Menschen und in der Folge die Abwehr von Flüchtlingen, Migrant*innen, Einwanderung vor allem aus dem globalen Süden. Das bekundet sich auch in einem Rassismus, der weiter verbreitet ist als bisher öffentlich angenommen, der aber jetzt auch zum öffentlichen Skandalon geworden ist.

Hier liegt mir daran, gleich zu Beginn der folgenden Überlegungen den grundsätzlichen Unterschied zwischen „konservativ" und „rechts" festzuhalten. Während „konservativ" nicht prinzipiell im Gegensatz zur Demokratie steht, gibt es zwischen ihr und „rechts" eine unüberbrückbare Kluft. Denn „Rechte" erkennen die demokratisch unverzichtbare gleiche Würde aller Menschen und deren daraus folgendes gleiches Recht auf politische Freiheit und Mitbestimmung nicht an. Sie stellen kollektive Zugehörigkeiten (prototypisch die nationalsozialistische deutsche Volksgemeinschaft) über die gleiche Freiheit jedes Individuums (z. B. der jüdischen oder heute der muslimischen

Mitbürger*innen). Der Kampf der politischen „Rechten" gegen die „Fremden" geht gegenwärtig einher mit scharfer Kritik an der Globalisierung, ihrer ökonomischen, aber auch ihrer kulturellen Seite, zugunsten neuer Nationalismen. Was passiert hier? Handelt es sich einfach um eine geopolitische oder kulturelle Abkehr vom Westen, also insbesondere von den USA? Wird damit auch der gesamte Liberalismus, der im Westen seinen Ursprungsort hat, verabschiedet? Verliert damit zugleich die universale Anerkennung der Menschenrechte und der liberalen gewaltenteiligen Demokratie ihre Überzeugungskraft, die ihren Ursprung im europäischen und amerikanischen Westen hat? Wofür stand oder steht der liberale Westen?

Die Rückkehr von Antiliberalismus und Nationalismus

In der „guten alten Zeit" des Kalten Krieges bestand der Ost-West-Konflikt für die meisten US-Amerikaner*innen aus dem Gegensatz zwischen Kapitalismus und Kommunismus, für die meisten Europäer*innen zwischen politisch-liberaler Demokratie und kommunistischer Diktatur. In der Tat beginnt der Liberalismus, auch in seinem ideengeschichtlichen Ursprung, mit beidem: der politischen (demokratischen) wie der ökonomischen (marktwirtschaftlich-kapitalistischen) Freiheit. Beides schien in der Auseinandersetzung mit dem Kommunismus zusammenzugehören: ohne liberale Demokratie keine kapitalistische Markwirtschaft, ohne kapitalistische Marktwirtschaft keine liberale Demokratie.

Das stimmt heute nicht mehr: Die Wirtschaft des von der kommunistischen Einheitspartei regierten diktatorischen China funktioniert stark nach (staats-)kapitalistischen Regeln, und im Westen ist gerade die globalisierte kapitalistische Marktwirtschaft dabei, die Glaubwürdigkeit der Demokratie deutlich zu unterminieren.

Das Ergebnis dieser Unterminierung ist eine bedrohliche Stärkung von Rechtsextremismus und Nationalismus in unseren Gesellschaften und eine massive Diskreditierung des Liberalismus – auch als einer ideellen Grundlage von individueller Freiheit, universellen

Menschenrechten und offenen Gesellschaften. Der liberale Westen droht seine globale politische Bedeutung für die Legitimation demokratischer Systeme und für den Glauben an Fortschritt zu verlieren. Stattdessen gibt es eine neue Wertschätzung von möglichst dichten (nationalen) Grenzen, kulturell exklusiven Eigenheiten, „sinnstiftenden" autoritären Gesellschaftsordnungen und mythischen Vergangenheitsbezügen. Sie stehen gegen eine als leer empfundene pluralistische Beliebigkeit liberaler Lebensformen. Vieles davon ist historisch nicht neu, wurde z. b. bereits 1961 von dem vor dem Nationalsozialismus aus Deutschland in die USA geflohenen Fritz Stern in seinem berühmten Werk „The Politics of Cultural Despair"[1] analysiert. Es führt die gedanklichen Vorläufer der antiliberalen nationalsozialistischen Bewegung und ihrer Eliten, insbesondere ihren Kulturpessimismus und ihre Fortschrittskritik, differenziert vor Augen.

Kommt das alles einfach wieder? Und warum gerade jetzt mit neuer Wucht?

Politischer vs. ökonomischer Liberalismus

Zur Erklärung der aktuellen Wiederkehr nationalistischer, antiliberaler Einstellungen möchte ich den Blick auf den grundsätzlichen inneren Widerspruch zwischen dem politischen und dem ökonomischen Liberalismus lenken. Dabei knüpfe ich an seine ideengeschichtlichen Wurzeln und an meine Erörterung des Eigentumsbegriffs von John Locke an. Eigentum begründet bei Locke, wie gezeigt, das allen Menschen eigene Recht auf ihre Person und ihre Freiheit. Aber in der Folge legitimiert es als angehäuftes Sach- und Kapitaleigentum auch eine ökonomische Herrschaft über Menschen, die ihre individuelle Freiheit bedroht.

Worin besteht heute der Widerspruch? Der politische Liberalismus propagiert als Leitwert die Freiheit und Würde aller Menschen, ohne Unterschied. Freiheit und Gleichheit gehören zusammen. Und er verbietet, Menschen zu instrumentalisieren, gemäß dem Grundsatz des Philosophen Immanuel Kant, der verlangt hat, Menschen niemals nur als Mittel, sondern immer auch als Zweck an sich selbst zu betrachten. Es ist zutiefst unmoralisch, Menschen nur als Mittel zu bestimmten Zwecken zu gebrauchen. Kant weist lebensnah darauf hin, dass wir unglücklich sind, wenn wir nur den Zwecken anderer dienen.[2]

Eine solche Instrumentalisierung liegt aber dem ökonomischen Liberalismus, konkret: der kapitalistischen Wirtschaftsordnung in der rein ökonomischen Logik systematisch und in der betriebswirtschaftlichen Rechnung unvermeidbar zugrunde. In ihr werden Menschen theoretisch-funktional allein als Produktionsfaktoren (Kapital und Arbeit) und als Konsument*innen begriffen. Der ökonomische Liberalismus rechtfertigt theoretisch und bewirkt vor allem mit vehementer Dynamik praktisch, dass Produzent*innen wie Konsument*innen für die Effizienz des einzelwirtschaftlichen Gewinns instrumentalisiert werden, weil Markt und Wettbewerb – nicht ein willkürlicher Betriebschef! – es verlangen. Der angestrebte Gewinn gilt als unverzichtbarer Motor und Indikator von effizienter kapitalistischer Produktion sowie von notwendigem und gewünschtem Wachstum.

Spätestens seit dem 19. Jahrhundert haben sich die inhumanen Auswirkungen dieser ökonomischen Instrumentalisierung, die dem politisch-liberalen Versprechen der gleichen Würde und Freiheit für alle Menschen widerspricht, gezeigt. Sie haben zu unzähligen Versuchen geführt, der kapitalistisch-ökonomischen Logik politische Grenzen zu setzen, zwischen liberaler Politik und Ökonomie eine Balance herzustellen. Im Wesentlichen ging es darum, durch nationalstaatliche Politik, durch Arbeiterparteien, aber auch durch Basisinitiativen wie Genossenschaften und nicht zuletzt durch gewerkschaftliche Gegenaktionen die instrumentalisierende Dynamik des Kapitalismus zu zähmen. Dafür war z. B. in der zweiten Hälfte des 19. Jahrhunderts das Recht auf Zusammenschluss gegen einen individualistischen Liberalismus politisch zentral. Denn nur im Zusammenschluss konnten die Arbeiter ihre Freiheitsrechte gegen kapitalistische Unternehmer schützen.

Diese Balance ist nach den katastrophalen Erfahrungen des Nationalsozialismus und des Zweiten Weltkriegs nach 1945 zumindest in

Europa ganz gut gelungen, nicht zuletzt dank des neu entstandenen Zusammenschlusses der europäischen Staaten. Auch dank ökonomisch günstiger Bedingungen.

Deregulierung, Desorientierung, Despair

Seit fast vierzig Jahren ist jedoch die nationalstaatliche Zähmung und Gestaltung des ökonomischen Liberalismus zunächst unmerklich, dann immer offenkundiger zurückgedrängt worden. Die zuvor skizzierte, in den USA und Großbritannien von der genannten Chicagoer Schule politisch initiierte, aber im Laufe der Jahre auch von europäisch-kontinentalen Regierungen übernommene Politik der marktradikalen Deregulierung hat die Gestaltungsmacht der Nationalstaaten und in ihnen insbesondere der Gewerkschaften erheblich eingeschränkt. Im Namen der neoliberalen sogenannten Angebotstheorie zielten (gerade auch sozialdemokratische) Regierungen vor dem Hintergrund hoher Arbeitslosigkeit darauf, viele politische „Hemmnisse" einer zu „entfesselnden" Wirtschaft aufzuheben und die Kosten von Kapitalinvestition und Produktion (Steuern, Sozialversicherungen, Löhne, Kündigungsschutz, bindende Flächentarifverträge und damit die Tätigkeit der Gewerkschaften) dramatisch zu reduzieren. Das sollte Investoren anlocken, die im globalen Preiswettbewerb möglichst günstig Waren und Dienstleistungen anbieten wollten. Sie würden, so die Rechtfertigung der Angebotstheorie, dann ihre eigene Nachfrage in Gang setzen und dadurch letztendlich zur Überwindung der Arbeitslosigkeit beitragen.

Das Ergebnis war keine allgemeine Überwindung der Arbeitslosigkeit, sondern vielfach (vor allem dann im Gefolge der neoliberal beantworteten Finanzkrise 2008) deren Steigerung, und bis heute vor allem eine krasse Zunahme von Ungleichheit. Wurde sie zu Beginn der Deregulierung noch als unverzichtbarer Preis und Anreiz für Leistungs-, Produktions- und Wachstumssteigerungen gerechtfertigt, zeigen jetzt viele empirische Untersuchungen, dass Ungleichheit im Gegenteil alle drei hemmt.[3]

Vor allem erfuhren viele Menschen, zunächst im globalen Süden, aber nun ebenso im Norden, dass sie zu Spielbällen von politisch nicht kontrollierten Wirtschaftsdynamiken geworden waren – auch als Leidtragende von Wirtschaftskrisen, von Umweltschäden und Ressourcenverschwendung –, was dem Versprechen der gleichen Freiheit und Würde, also dem politischen Liberalismus, Hohn spricht. Das hat bei vielen Bürger*innen ein tiefes Misstrauen gegenüber der Politik liberaler Demokratien und eine beißende Verunsicherung und Verletzung des Selbstwertgefühls ausgelöst, mit den psychologisch naheliegenden Folgen von Hass, Ressentiments und heftigen Aggressionen.[4] Die Möglichkeiten intensiver weltweiter Kommunikation in den *Social Media* wirken dabei wie Brandbeschleuniger.

Da die ursächlichen Zusammenhänge dieses Syndroms höchst komplex sind (und natürlich besonders von den sozialen Gewinnern bestritten werden), und da mögliche Gegenstrategien nur langsam wirken, ist die Desorientierung deutlich gewachsen, und die Hoffnung auf Besserung, erst recht auf Fortschritt, hat in den letzten Jahren drastisch abgenommen. An die Stelle von Fortschrittsglauben ist Zukunftspessimismus (*Cultural Despair*) getreten. Das verführt (als „Abreaktion") zur Verfolgung von Sündenböcken, bei denen es sich in der Regel um die Schwachen im gesellschaftlichen Umfeld handelt, deren Stigmatisierung die Kränkung des Selbstwertgefühls kurzzeitig zu betäuben verspricht, aber ohne echten heilenden Erfolg.

In dieser Niederlage des politischen gegenüber dem ökonomischen Liberalismus, der liberalen Politik gegenüber dem deregulierten globalen Kapitalismus liegt die zentrale Wurzel der grassierenden aktuellen Gegnerschaft gegen den Liberalismus im Allgemeinen und damit gegen die liberale Demokratie des Westens im Besonderen. Sie hat ihr Versprechen, das beste und erfolgreichste politische System für die Verwirklichung der gleichen Würde aller Menschen zu bieten, in den letzten vier Jahrzehnten immer weniger gehalten. Das stellt uns vor die gegenwärtig entscheidende Frage: Wollen wir zulassen, dass konfliktsteigernde Aggressionsstrategien weiter ihren Lauf nehmen, sodass das grundlegende liberale Ziel der gleichen Würde aller Menschen vollends verloren geht?

Wollen wir die durch die deregulierte Globalisierung provozierten Ressentiments der Verlierer*innen, Verunsicherten und Geängstigten verbal übernehmen und dadurch verstärken, um Wähler*innen zu gewinnen? Wollen wir den Lockungen autoritärer Führer*innen nachgeben, die auf dem Rücken von Geflüchteten, allgemein von Schwachen, gegenwärtig ihre Macht steigern? Wollen wir zulassen, dass diese zu Sündenböcken erklärt werden, anstatt die zum Teil in der Tat entstehenden Konkurrenzsituationen mit den hiesigen „Abgehängten" zu überwinden? Diese Rivalitäten haben wir ebenso wie die zunehmenden Unterschiede zwischen Arm und Reich lange nicht zur Kenntnis genommen, könnten sie aber jetzt durch eine gerechte Politik ausgleichen.

Auch gegenüber linken Infragestellungen des politischen Liberalismus müssen wir unsere Position klären: Wollen wir einer de facto neonationalistischen Politik folgen, die unsere Benachteiligten, um sie zu schützen, gegen die Geflüchteten und allgemeiner gegen Migrant*innen ausspielt? Dabei schüren diese nationalistischen Linken ihrerseits Ressentiments gegen „Linksliberale", die den Liberalismus, also: Pluralismus, Toleranz, Menschenrechte und Universalismus, angeblich nur hochhalten, weil es ihnen besser geht und sie in den „guten" Wohngegenden der Städte von den Geflüchteten nichts merken.

Oder wollen wir den Widerspruch zwischen politischem und ökonomischem Liberalismus durchschauen? Wollen wir selbstbewusst und offensiv für universale Liberalität und Solidarität einstehen und kreativ neue Wege der Bändigung des ökonomisch-kapitalistischen Liberalismus zugunsten des politischen beschreiten? Wollen wir den hiesigen Ausgegrenzten handfeste und spürbare Verbesserungen ihrer Sicherheit, ihrer demokratischen Freiheits- und Lebenschancen und ihrer Möglichkeit, sich politisch einzubringen und dabei erneut ihre Selbstwirksamkeit zu erfahren, bieten? Das könnte ihnen helfen, den politisch leeren Versprechen der Rechten zu widerstehen, weil sie dann zur Stärkung ihres Selbstwertgefühls auf ihre Ressentiments gegen Schwächere verzichten könnten. Wie kann das gelingen?

Keine politische Freiheit ohne soziale Sicherheit

Ich erinnere daran: Schon einer der wichtigsten Ahnherren des politischen Liberalismus, Charles de Montesquieu, hat um die Mitte des 18. Jahrhunderts unterstrichen, wie eng politische Freiheit, also die Teilhabe der Bürgerschaft an den politischen Entscheidungen, von psychischer und materieller Sicherheit abhängt.

„Politische Freiheit für jeden Bürger ist jene geistige Beruhigung, die aus der Überzeugung hervorgeht, die jedermann von seiner Sicherheit hat. Damit man diese Freiheit genieße, muss die Regierung so beschaffen sein, dass kein Bürger einen anderen zu fürchten braucht."[5] Montesquieu hat damit die Notwendigkeit der Gewaltenteilung begründet und zusätzlich, warum nur Adlige und selbstständige Bürger mit eigenen Einkünften politisch mitentscheiden können, nicht aber abhängige Arbeiter oder Frauen.

Wenn man den Spieß umdreht, heißt das aber: Um die gleiche Würde, also das gleiche Recht auf politische Freiheit zu verwirklichen – was in der Logik des Gedankens der gleichen Würde aller Menschen und der politischen Freiheit liegt –, müssen alle Bürger*innen sozial, aber auch durch Bildung und andere öffentliche Güter so abgesichert sein, dass sie eine realistische Chance haben, sich politisch zu beteiligen. Soziale Sicherheit dient also nicht nur humanitären Zielen, sondern – im Sinne letztlich der Stärkung und Stabilisierung von politischer Freiheit – der Ermöglichung von demokratischer Politik für alle Menschen. Das Ziel sind nicht lauter betreute Bürger*innen, sondern ihre systematische Stärkung zur Wahrnehmung ihrer politischen Freiheit und Verantwortung.

Soziale Sicherheit war bisher im Wesentlichen Sache der einzelnen Staaten als Wohlfahrts- oder Sozialstaaten. Sie bleibt auch weiterhin, z. B. in der EU, grundsätzlich in der Kompetenz der Nationalstaaten und betrifft die Absicherung gegen unverschuldete Lebensrisiken wie Krankheit, Pflegebedürftigkeit, Tod, Arbeitslosigkeit, Obdachlosigkeit. Zunehmend hat sich diese sozialstaatliche Aufgabe von der Nachsorge im Falle von eingetretenen Risiken zur Vorsorge gegenüber diesen Risiken weiterentwickelt: durch Bildungs-, Arbeitsmarkt-, Gesundheits-Wohnungspolitik; allgemeiner: durch die Sicherung öffentlicher Güter als Fundament für die gleichen Chancen aller Bürger*innen, ihr Leben in Würde und mit der für die Selbstbestimmung erforderlichen psychischen Stärke und materiellen Unabhängigkeit zu gestalten. Das Konzept des Wohlfahrts- oder Sozialstaats ist im Laufe des 20. Jahrhunderts zu einem wesentlichen Baustein der Bändigung des ökonomischen Liberalismus – sprich des Kapitalismus – geworden. Das ursprüngliche Ziel, diesen abzuschaffen oder als System ganz zu überwinden, hat sich in eine Strategie schrittweiser Reformen zu seiner politischen Gestaltung gewandelt. Das lag vor allem darin begründet, dass die historisch bekannte Alternative für die völlige Abschaffung des Kapitalismus aus dem 20. Jahrhundert – eine führende Partei, Verstaatlichung der Wirtschaft, Planwirtschaft statt Marktwirtschaft – sich spätestens seit dem Stalinismus und dem sogenannten realen Sozialismus als Irrweg mit fatalen, z. T. mörderischen Folgen erwiesen hatte. Die antikapitalistische „große Erzählung" des Kommunismus hat dadurch definitiv ihre Glaubwürdigkeit verloren.

Nach dieser Erfahrung kann die Bändigung des Kapitalismus nicht mehr mit einem entscheidenden Wurf, etwa durch Machtkonzentration in den Händen einer als links vorgestellten „Avantgarde" eines als homogen fantasierten Volkes, gedacht werden. Um die gleiche Würde und politische Freiheit aller Menschen in einer unvermeidlich vielfältigen Gesellschaft zu sichern, ist sie vielmehr auf viele einzelne Schritte und verschiedene Formen politischer Gestaltung und Mitbestimmung angewiesen, ohne die Aussicht auf ein endgültig gelungenes politisches System, das alles definitiv regeln würde. Die gleiche Würde aller Menschen braucht dauerhaft Politik.

Das macht diese Strategie der politischen Einzelschritte für viele, die deren Logik nicht verstehen, unübersichtlich und erschwert es gegenwärtig, die Bürger*innen dafür zu gewinnen und sie zur Teilhabe zu motivieren. Das verführt auch Politiker*innen dazu, sich in kleinen Kompromissen, die unumgänglich sind, schließlich zu verlieren und den langfristigen Kompass – die gleiche Würde und Freiheit aller Menschen – aus den Augen zu verlieren.

Die neue politische Bändigung und Gestaltung des Kapitalismus, die uns nun gelingen muss, kann allerdings dessen grenzüberschreitenden Charakter hin zur ökonomischen Globalisierung bzw. zum globalen Kapitalismus nicht einfach zurückdrehen. Der Kapitalismus hat die nationalstaatlichen Grenzen definitiv überschritten und fordert damit auch die einzelstaatliche Gestaltung des Sozialstaats heraus. Soziale Sicherheit baucht jetzt ebenfalls grenzüberschreitende Instrumente und Prozeduren.

Daraus folgen u. a. die Forderungen, in der Europäischen Union ebenfalls soziale Absicherungen gegen individuelle Risiken, auch gegen die Krisen des Kapitalismus – hervorgerufen etwa durch Aktivitäten der globalen Finanzmärkte –, sowie Mindestlöhne und faire Tariflöhne zu verankern, obwohl Sozialpolitik rechtlich Angelegenheit der Nationalstaaten ist. Aber die grenzüberschreitende Herausforderung für die sozialstaatliche Sicherung reicht über die europäischen Grenzen hinaus. Hier muss die International Labour Organization (ILO) eine immer wichtigere Rolle spielen.

Als Teil der Stärkung der sozialen Sicherheit gehört der konsequente und grenzüberschreitende (Wieder-)Aufbau von öffentlichen Gütern (Gesundheit, Bildung, Wohnen, Kultur, Recht) zu den Bausteinen für einen neuen Anlauf zur politischen Gestaltung der ökonomischen Globalisierung und zur Erfüllung des Versprechens der gleichen Würde aller Menschen. Wenn es für alle Menschen eine ausreichende Ausstattung mit öffentlichen Gütern gibt, wenn die zerstörerische Privatisierung dieser Güter, die in den letzten vierzig Jahren viel Unheil angerichtet hat und politisch ein gravierender Fehler war, überwunden und zugunsten grenzüberschreitender öffentlicher Güter weiterentwickelt wird, ist ein großer Schritt zugunsten des politischen Liberalismus getan. Denn dann haben alle Bürger*innen eine realistische Aussicht auf Freiheit und Würde.

Die Chance liegt dabei auch unter dem Aspekt der Nachhaltigkeit darin, dass Wachstum bei den öffentlichen Gütern vor allem bei der Ausweitung der sozialen Dienste stattfinden sollte: von den Lehr- bis zu den Pflegekräften, von der Kultur bis zu den Künsten und zum gemeinschaftsbildenden Sport. Damit wäre kein Abbau von Rohstoffen verbunden, keine Gefährdung der Ressourcen unseres Planeten.

Mehr politische Teilhabe vor Ort

Damit die Menschen nach Jahren der Enttäuschung wieder Vertrauen in demokratische Politik und das Versprechen der gleichen Würde und politischen Freiheit gewinnen können, müssen sie eigene verlässliche Erfahrungen von deren Gelingen, d. h. von ihrer eigenen politischen Wirkmächtigkeit machen können. Nur so können sie auch ihre psychische und kulturelle Sicherheit und ihr Selbstwertgefühl zurückgewinnen. Dazu müssen sie vor allem ihre persönliche sowie ihre politische – individuelle und gemeinschaftliche – Freiheit praktizieren können, und zwar durch mehr Teilhabe an den Entscheidungen, die sie direkt in ihrem Alltag, bei der Arbeit und im kommunalen Leben betreffen. Dieser politische Schritt steht jetzt dringend an.

Mehr demokratische Teilhabe, mehr Erfahrung aus erster Hand mit der Regelung der gemeinsamen, aber strittigen politischen Angelegenheiten, mehr Mitbestimmung bei der Kontrolle ihres Alltags – das muss die Devise sein. „Take back control", forderten die Brit*innen, die beim Brexit-Plebiszit den Brexit wollten, und meinten, sie müssten dafür die Ausländer*innen des Landes verweisen. Aber eigentlich war ihnen die Kontrolle nicht durch die Ausländer*innen, sondern durch den globalen und den eigenen nationalen Kapitalismus entglitten, der z. B. mehr und mehr Arbeitsmigration hervorruft. Die Lett*innen, Pol*innen und Litauer*innen, die nach 1989 zusätzlich nach Großbritannien gekommen sind, wären lieber zu Hause geblieben, wenn sie dort eine auskömmliche Arbeit gefunden hätten. Dasselbe gilt für die Arbeitsmigration aus dem globalen Süden.

Zwar kann der globale Kapitalismus nicht nur lokal gestaltet werden. Darauf komme ich zurück. Aber mehr Bürgerteilhabe in den kommunalen Lebenswelten kann die vermisste Kontrolle teilweise auch wieder zurückholen. Und diese Teilhabe muss zugleich in einem schlüssigen und nachvollziehbaren Zusammenspiel mit der repräsentativen Demokratie zur Gestaltung des Kapitalismus beitragen.

Im Gegensatz zu konkurrierenden Regimes eines autoritären Kapitalismus auf der einen Seite (z. B. China, Saudi-Arabien), die Unterwerfung und kulturelle Gefolgschaft verlangen, oder zu einem regellosen und rabiaten Privatkapitalismus (USA) auf der anderen setzt die Balance zwischen ökonomischem und politischem Liberalismus also auf die gezielte Stärkung der Bürger*innen, nicht auf ihre normierende Nivellierung, auch nicht auf ihre Verzwergung zu Konsument*innen oder ihre Reduzierung auf Sozialunterstützungsempfänger*innen. Sie setzt auf die Stärkung der Menschen, auf die Entwicklung ihrer Potenziale und ihres Verantwortungssinns, damit sie ihre Würde als verantwortliche Bürger*innen praktizieren und erfahren können, was sie wiederum stärkt. Es geht hier darum, den Negativzirkel des Kontrollverlusts in einen positiven Zirkel der Selbstwirksamkeit umzukehren. Nur so können wir die westlich-liberale Demokratie mit ihrem weiter gültigen Leitwert der individuellen Freiheit und Würde retten.

Dabei müssen wir uns aber daran erinnern: Neue Verfahren der Beteiligung allein reichen nicht aus. Die liberale Demokratie ist nicht einfach ein Abstimmungsprozedere, bei dem die Mehrheit die Wahrheit für sich in Anspruch nehmen kann. Dann würden wir die Abschaffung der rechtsstaatlichen Demokratie durch eine Parlamentsmehrheit wie in Ungarn und Polen akzeptieren. Demokratische Politik im Sinne der liberalen Demokratie folgt der Respektierung und Erfüllung unserer zentralen Werte, die sich politisch in den Menschen- und Bürgerrechten konkretisieren. Daher die Notwendigkeit von Rechtsstaat, Gewaltenteilung, aber eben auch von absicherndem Sozialstaat als Voraussetzung der individuellen Würde und der politischen Beteiligung; insgesamt von Freiheit, Gerechtigkeit und Solidarität als unverzichtbaren Prinzipien unseres politischen Handelns sowie unserer Institutionen. Werte und Mehrheiten müssen politisch zusammengebracht werden.

Konkret heißt dies z. B., die Verfügungsmacht des Eigentums politisch so zu gestalten, dass es nicht nur dem privaten Interesse, sondern auch dem Gemeinwohl, dem Wert der gleichen Freiheit dient, wie unser Grundgesetz es verlangt. Das Eigentum an Grund und Boden etwa, die nicht vermehrbar sind, muss rechtlich dem Anspruch eines jeden Menschen auf angemessenen Wohnraum ebenso wie auf gesunde Ernährung, auf die Produkte der Bodenschätze etc. genügen. Es darf kein *land-grabbing* geben, weder bei uns noch im globalen Süden.

Das erfordert weiter, dass die Arbeitsverhältnisse würdige Lebensbedingungen für alle bieten, nicht nur durch einen Lohn, von dem man leben kann, also vor allem durch Tarifbindung (die wichtig ist), sondern auch durch Mitbestimmung am Arbeitsplatz, im Betrieb und auf der unternehmerischen Ebene. Weltweit bewirken können das die Gewerkschaften, ohne die die individuellen Arbeitnehmer*innen zu schwach sind, um ihre Rechte auf Freiheit und Menschenwürde zu verteidigen. Im digitalen Zeitalter mit ganz neuen Arbeitsstrukturen erfordert dies neue politische Wege, auf die ich in Kapitel 6 zurückkommen werde.

Der reaktionäre Irrweg zurück in den Nationalstaat

Bis in die achtziger Jahre hinein haben wir in Europa positive Erfahrungen mit der nationalstaatlich organisierten sozialen Absicherung der Bürger*innen gemacht. Aber die politisch initiierte Deregulierung und Entgrenzung der Wirtschaft im Zuge der ökonomischen Globalisierung und der vorherrschenden angebotsorientierten marktradikalen Wirtschaftspolitik hat diese Absicherungen unterminiert und weite Teile der Gesellschaft tief verunsichert. In Erinnerung an frühere Zeiten lag und liegt deshalb die Versuchung nahe, Sicherheit durch eine Rückkehr in den Schutzraum des Nationalstaats zurückzugewinnen. Deshalb sehen viele auf der rechten, aber auch auf der linken Seite des politischen Spektrums die Chance der sozialpolitischen Bändigung des Kapitalismus nur in der Rückkehr zum Nationalstaat mit souverän gehandhabten nationalen Grenzen. Das hat oft nationalistische Implikationen. Hier ist die aktuelle grundlegende Gabelung, an der sich in Europa die politischen Geister scheiden.

Der Wunsch nach dem erneuten Rückzug in den Nationalstaat ist eine verständliche Reaktion, aber angesichts der transnationalen politischen Herausforderungen, der fortgeschrittenen kulturellen, medialen, ökonomischen, technologischen und nicht zuletzt politischen globalen Verflechtungen illusorisch. Dieser Weg birgt überdies die Gefahr eines regressiven feindseligen Nationalismus und unterbindet mit seiner grundlegenden Haltung der Ab- und Ausschließung (erneute Grenzschließungen) die für unsere Zukunft unverzichtbare Fähigkeit, zu lernen. Die ist nämlich auf Offenheit angewiesen, von der Psyche der Individuen bis zu den nationalen politischen, ökonomischen oder kulturellen Grenzen. Stattdessen muss die Globalisierung demokratisch politisch gestaltet werden, sie lässt sich nicht auf eine Ansammlung von grenzbefestigten Nationalstaaten zurückdrehen.

Auch die Monomanien und Handelskriegsinitiativen der Regierung der mächtigen Vereinigten Staaten unter Präsident Trump sind eine Version von reaktionärem Rückzug in den Nationalstaat. Sie bauen darauf, dass sie der übrigen Welt ihren Willen auferlegen können. Die ökonomischen, sozialen und politischen Kosten solcher Alleingänge sind unübersehbar. Wie wir am Verlauf der Corona-Pandemie in den USA gegenwärtig sehen, haben die rücksichtslosen Alleingänge auch selbstzerstörerische Konsequenzen. Mit der prinzipiellen Absage an Offenheit und verbindliche transnationale Vereinbarungen – im Handel wie in der Friedens-, der Flüchtlings- oder der Migrationsfrage – verraten sie das liberale Prinzip der gleichen Freiheit, des Multilateralismus und der vertraglichen Verständigung nicht nur nach außen, sondern auch nach innen.

Dagegen wehren sich aber immer stärker die inneramerikanischen Bundesstaaten, Städte und Gemeinden, sei es in der Klima- oder in der Flüchtlingspolitik. Mit erheblichem Erfolg. Eine Koalition von Bundesstaaten, Städten, Unternehmen und Universitäten – insgesamt 3800 Akteure –, die für 65 Prozent der amerikanischen Bevölkerung und fast siebzig Prozent des US-amerikanischen Bruttoinlandprodukts und für die Hälfte der US-Emissionen stehen, hat sich z. B. zusammengetan, um klimapolitisch die Wende zu schaffen. Natürlich würden sie mit der Administration in Washington zusammen weiterkommen, aber die Gesellschaften sind gegenüber den nationalen Regierungen nicht mehr hilflos.[6] Ohne solch liberale und aufgeschlossene inneramerikanische Gegenwehr würde die Tendenz der Bundesregierung der Vereinigten Staaten unter Donald Trump das Ende der rechtsstaatlichen Demokratie bedeuten, würden mutwillige Vertragsbrüche nach außen auch den Rechtsstaat nach innen unterminieren.

Allerdings zeigt sich bei der pauschalen Forderung nach Freihandel gegen den Protektionismus der aktuellen US-Administration erneut die Spannung zwischen politischem und ökonomischem Liberalismus. Denn der politische Liberalismus tritt für möglichst offene Grenzen ein. In der öffentlichen Debatte um das Transatlantische Freihandelsabkommen (TTIP) aber ging es den Verfechter*innen des ökonomischen Liberalismus nicht nur um offene Grenzen und die Senkung von Zöllen. Vielmehr kam eine allgemeine Gegnerschaft gegen politische Regulierung des Welthandels zum Ausdruck und damit der Vorrang der Privatwirtschaft vor der öffentlichen Verantwortung. Durch eine generelle Strategie der Deregulierung, den Abbau von „nicht-tarifären" Handelsschranken, entsteht nämlich die Gefahr, dass die politische Gestaltung des Handels und dessen gemeinwohlorientierte gesetzliche Regulierungen abgewickelt werden. Diese hatten die Nationalstaaten für ihre Gesellschaften z. B. zur Sicherung der Versorgung mit qualitativ hochwertigen Nahrungsmitteln oder mitbestimmter Arbeitsverhältnisse eingeführt. Wenn sie durch das Handelsabkommen zugunsten von transnationalen privaten Entscheidungen, Unternehmen und dereguliertem Markt zurückgenommen würden, würde damit wieder ein ungezügelter ökonomischer Liberalismus die Oberhand gewinnen. Dafür steht prototypisch die Frage der zunächst vom Privatsektor geforderten sogenannten privaten Schiedsgerichte, in denen global agierende Unternehmen einen Rechtsstreit nach privat bestimmten Regeln unter sich ausmachen können − trotz der öffentlichen Konsequenzen, die ein Schiedsspruch für die Bürger*innen z. B. in Sachen Nahrungsmittelproduktion haben kann.

Offene Grenzen verlangen deshalb, wenn sie nicht zum entwürdigenden Sieg einer entfesselten privatkapitalistischen Dynamik führen sollen, die nationalstaatliche Bändigung und Gestaltung der Wirtschaft zu einer transnationalen weiterzuentwickeln: zu einer globalen *Governance*.

Transnationaler politischer Liberalismus in der ökonomischen Globalisierung: *Good Global Governance*

Was heißt Governance?

In dauernder Anstrengung muss uns die (nicht einfache!) Kunst gelingen, den politischen Liberalismus, d. h. demokratische Politik, von der einzelstaatlichen Demokratie hin zu einer transnationalen *Good Global Governance* weiterzuentwickeln. Auf den verschiedenen Ebenen politischer Entscheidungen – der kommunalen, der nationalen, der europäischen und der globalen – müssen wir es schaffen, den ökonomischen Liberalismus, also den heute globalisierten Kapitalismus, der sich einzelstaatlicher Regulierung entzogen hat, so zu bändigen und zu gestalten, dass die Würde jedes Menschen wieder eine reale Chance bekommt. Dazu brauchen wir transnationale politische Regulierungen der globalen Wirtschaft durch formelle und informelle Kooperationen, Vereinbarungen, Entscheidungen und Verträge.

Wenn wir damit das breite Feld der *Global Governance* betreten, entsteht bei vielen Leser*innen vielleicht ein Unbehagen. Nicht nur handelt es sich mitten im deutschen Text um einen englischen Begriff, und das stört. Darüber hinaus ist das Wort *Governance* zwar heute in aller Munde, sowohl in der Politik als auch im Bereich der Unternehmen. Aber meistens bleibt unklar, was damit eigentlich gemeint ist. Oft wird es mit „Regierung" oder „Regierungsführung" übersetzt und legt so den Gedanken an die Exekutive im gewohnten System der Gewaltenteilung nahe. Aber darum geht es beim Wort *Governance* gerade nicht.

Weiter kommen wir beim Verständnis des Begriffs, wenn wir vom Wortsinn ausgehen, der „Steuerung" meint und uns an Platons Steuermann erinnert. Aber *Governance* zielt eben nicht auf eine zentrale (exekutive) Steuerung, gar ein Steuerrad auf der Kapitänsbrücke, sondern auf das Zusammenspiel von Institutionen, Akteuren und Verfahren, aus dem die „Steuerung" hervorgeht: aus Entscheidungen für das Ganze und innerhalb des Ganzen, z. B. einer Stadt oder eines Unternehmens.

Dabei umfasst *Governance* mehr als die uns bekannte Dreiteilung politischer Institutionen oder Gewalten in Exekutive, Legislative und Judikative. Die Welt, in der und für die Entscheidungen getroffen werden (müssen), ist heute nämlich viel komplizierter und unübersichtlicher als zur Zeit der Entstehung der Nationalstaaten und der Gewaltenteilung im 17. Jahrhundert. Deshalb können die Bestandteile der Steuerung (Institutionen, Akteure und Verfahren) nicht mehr einfach übersichtlich voneinander getrennt und in Kategorien eingeteilt werden – was bei der bisherigen Gewaltenteilung übrigens auch nicht so eindeutig der Fall war, wie manche denken. Denn die Gewaltenteilung ist de facto oft in eine Gewaltenverschränkung gemündet, z. B. im deutschen föderalen System. Dabei gibt es auch gegenseitige Beeinflussungen. Gewalten*teilung* heißt zumeist nicht Gewalten*trennung*, sondern gegenseitige Einschränkung.

Die faktische *Global Governance* enthält noch keine Bewertung. Die markiert sich erst im Begriff *Good Gobal Governance*. Ich verbinde sie im Folgenden mit dem Begriff „Nachhaltigkeit". Denn die komplizierte Verschränkung und Verflechtung der neuen globalen Herausforderungen, vor denen wir stehen – Klimaschutz, Ressourcenschonung, überhaupt Pflege unseres fragilen Planeten, aber auch Regelungen der Migration, Frieden, soziale, polizeiliche, militärische und Cyber-Sicherheit –, haben nicht nur zum Begriff der *Governance* geführt, sondern schlüssig und parallel auch einem anderen Begriff zu einer inzwischen globalen Karriere verholfen: der „Nachhaltigkeit".

Insbesondere die von den Vereinten Nationen 2015 verabschiedeten Nachhaltigkeitsziele für 2030 bringen deren Prominenz zum Ausdruck. Das genauere Verständnis von Nachhaltigkeit bietet die Chance, den normativen Maßstab für die in diesem Kapitel zu definierende *Good Global Governance* (im Unterschied zur nicht bewertenden *Global Governance*) zu bestimmen und dabei an traditionelle philosophische Erörterungen über das Gemeinwohl anzuknüpfen. Deshalb führt es weiter, den Begriff zunächst genauer zu bestimmen.

Nachhaltigkeit und Gemeinwohl: Orientierung für eine Good Global Governance

Die Geschichte dieses Begriffs ist vielfach beschrieben und diskutiert worden. Prominent ist die Definition aus dem „Brundtland-Bericht" von 1987, die zunächst auf die Wahrung der Ressourcen für die kommenden Generationen zielt. In den Worten Günther Bachmanns, des langjährigen Generalsekretärs des Nachhaltigkeitsrats: „Was kommt, soll so sein, dass es bleiben kann; nachfolgenden Generationen sollen Chancen und Entwicklungsmöglichkeiten offenstehen und nicht durch Altlasten vordefiniert sein."[1]

Freilich enthält schon der „Brundtland-Bericht", dem es nicht nur um Nachhaltigkeit, sondern auch um nachhaltige *Entwicklung* geht, sehr viel mehr Aspekte. Und es ist nicht verwunderlich, dass mit der Erweiterung der Gesichtspunkte, die einbezogen werden müssen, der Begriff immer weniger eindeutig wurde. Dabei war es ein wichtiger, durchaus konsequenter Schritt, das historische Spannungsverhältnis zwischen Ökonomie und Ökologie durch die Integration des sozialen Aspekts, also der „sozialen Nachhaltigkeit", noch zu erweitern. Dieser Schritt hat allerdings viel Gegenrede ausgelöst, weil er den Begriff „Nachhaltigkeit" eben immer ungenauer werden ließ. Zur Diskussion steht, ob das vermeidbar war und ob es sinnvoll ist, nach einer eindeutigen, quasi „objektiv-wissenschaftlichen" Definition von Nachhaltigkeit zu suchen und danach zu streben, deren Vieldeutigkeit zu überwinden.

Einerseits wissen wir, dass umfassende Begriffe immer umstritten sind und man deshalb für eine wissenschaftliche Verständigung möglichst präzise Definitionen einführt, um Missverständnisse zu vermeiden und zu greifbaren Ergebnissen zu kommen. Aber was für die Wissenschaft als Hypothese, die nicht für alle verbindlich sein will oder muss, angebracht und tauglich sein mag, ist für die Politik, die viele Menschen für ihre verbindlichen Entscheidungen gewinnen muss, untauglich. Denn Politik hat es, jedenfalls heute, mit Menschen zu tun, die legitimerweise ihren eigenen Kopf und ihre Interessen haben und die man nicht auf ein bestimmtes Weltbild oder auf Hypothesen darüber festlegen kann. Nicht einmal die totalitären Systeme des Nationalsozialismus und des Stalinismus haben das geschafft.

Deshalb hilft es, breit anerkannte Zielbegriffe zu finden, auf die man sich für politische Einigungen gemeinsam berufen kann, auch wenn sie dann vergleichsweise unbestimmt und offen bleiben müssen.

So macht denn auch die Logik der erweiterten Definition von „nachhaltiger Entwicklung" im „Brundtland-Report", in der der Begriff der Bedürfnisse eine zentrale Rolle spielt, verständlich, dass „Nachhaltigkeit" sich einer „objektiven" Definition entzieht:

> „Dauerhafte (nachhaltige) Entwicklung ist Entwicklung, die die Bedürfnisse der Gegenwart befriedigt, ohne zu riskieren, dass künftige Generationen ihre eigenen Bedürfnisse nicht befriedigen können. Zwei Schlüsselbegriffe sind wichtig:
> – der Begriff *Bedürfnisse*, insbesondere die Grundbedürfnisse der Ärmsten der Welt sollen Priorität haben;
> – der Gedanke von Beschränkungen, die der Stand der Technologie und der sozialen Organisation auf die Fähigkeit der Umwelt ausübt, gegenwärtige und zukünftige Bedürfnisse zu befriedigen.
>
> Dementsprechend müssen die Ziele wirtschaftlicher und sozialer Entwicklung im Hinblick auf die Dauerhaftigkeit definiert werden, in allen Ländern – Industrie- und Entwicklungsländern, marktorientierten oder zentral gelenkten."[2]

Bedürfnisse aber sind subjektiv, verschieden und unterschiedlich kurz- oder langfristig angelegt. Der Markt kümmert sich nicht um ihre nachhaltige Erfüllung. Die ganz unterschiedlichen Chancen ihrer Realisierung hängen hier von der Kauf- und Marktmacht der Anbieter*innen, der Kund*innen und ihrer oft kurzlebigen Wünsche ab. Die Erfüllung der Bedürfnisse soll aber diesem Machtspiel nicht einfach ausgesetzt, sondern im Sinne einer Generationengerechtigkeit gegenwärtigen wie zukünftigen Generationen möglich sein. Deshalb kann über sie der aktuelle Markt ebenso wenig entscheiden wie gegenwärtige „Fachleute", die deren Priorisierung für die Zukunft vorwegnehmen würden. Zwar gibt es wissenschaftliche, genauer gesagt: philosophisch-anthropologische Entwürfe von grundlegenden menschlichen Bedürfnissen und Bedürfnishierarchien bzw. -prioritäten. Aber sie sind notwendig perspektivisch und daher umstritten. Aus ihnen lassen sich keine konkreten verbindlichen Folgerungen ziehen.

Im Grunde wirft deshalb der Aufruf zur Nachhaltigkeit die klassische politische Frage nach dem Gemeinwohl auf, das aber nun, anders als in vergangenen Jahrhunderten, angesichts der drastisch in den Blick gerückten Endlichkeit der globalen Ressourcen nicht nur die unterschiedlichen Bedürfnisse und Interessen der Gegenwart, sondern auch die noch offenen der Zukunft einbeziehen muss. Es geht um die systematische Überprüfung der zeitgenössischen „Nebenwirkungen" und der Folgen für die Zukunft.

Die inhaltliche Bestimmung von Nachhaltigkeit als Gemeinwohl liegt nicht auf der Hand, sondern muss aus der Vielfalt möglicher Perspektiven erstritten werden. Dies mag manche Anhänger des Begriffs enttäuschen. Denn wenn ich das recht sehe, erscheint er vielen akzeptabler als etwa der traditionelle, nach Metaphysik „riechende" Begriff des „Gemeinwohls". Er klingt handfester, weniger philosophisch und besser in der Wirklichkeit nachprüfbar.

Aber bei Lichte betrachtet ist das eine Illusion. Die Schwierigkeiten zeigen sich, sobald Streit darüber entsteht, was im Zweifel oder im Konfliktfall noch zum Thema Nachhaltigkeit zählt: z. B. die Entsorgung der Brennstäbe in der Nuklearenergie? Oder nur das kurzfristig erkennbare Ende der nicht erneuerbaren Energieressourcen? Oder das Verbot, gefährliche Bohrungen nach Öl in der Tiefe der Ozeane vorzunehmen, die die Umwelt langfristig verpesten könnten? Oder bereits die Entwicklung von Technologien, medizinischen Verfahren, Medikamenten oder chemischen Produkten, deren Anwendung zukünftig schädliche Folgen haben kann? Allgemeiner: Wie viele Risiken darf ein Nachhaltigkeitskalkül eingehen?

Um die Grundtatsache der Interessen-, Macht- und Deutungspluralität in unseren Gesellschaften sowie der Konflikte, die daraus für die Bestimmung von Gemeinwohl entstehen, kommen wir also auch mit dem Begriff der Nachhaltigkeit nicht herum. Oder können uns zukünftiges Wachstum, vielleicht gar Überfluss davon befreien?

Karl Marx hatte 1875 in seiner „Kritik des Gothaer Programms" der Sozialdemokratie geglaubt, dass die dort aufgeworfene Frage nach Gerechtigkeit in Zukunft überflüssig werde, weil dann „alle Springquellen des Reichtums" fließen und die Menschen eher kreative Tätigkeits- als Konsumbedürfnisse entwickeln würden: Konfliktüberwindung durch Überfluss und durch eine radikale Änderung unserer Bedürfnisprioritäten. Eine solche Veränderung wollte Marx nicht durch Zwang erreichen. Er sah sie im Menschen angelegt. Seine kommunistischen Nachfolger haben sie de facto mit der Einführung der Planwirtschaft, die zu einer Mangelwirtschaft geführt hat, nicht erreicht, sondern im Gegenteil Verzicht erzwungen. Das heißt aber nicht, dass Menschen notwendig nur auf die Erfüllung unendlicher Konsumbedürfnisse aus sind. Auch im Zusammenhang mit der Rettung des Klimas und der globalen Ressourcen stellt sich ja heute die Frage nach der erforderlichen Suffizienz unserer Konsumbefriedigungen. Wieviel (Luxus-) Güter können wir uns auf unserem gemeinsamen Globus leisten, ohne ihn zu zerstören? Und wie viele brauchen wir überhaupt?

Daher ist ein freiwilliger Wandel der Bedürfnisprioritäten vom unendlichen Konsum zu kreativer (immaterieller, kultureller, im weitesten Sinne künstlerischer) Produktivität durchaus eine aktuelle Frage, die sich nicht von vornherein negativ beantwortet. Im Gegenteil: Unter der Bedingung der Freiheit bietet ein solcher Wandel durchaus eine hilfreiche Perspektive, die sich auch mit politischer Partizipation verbinden und aus ihr folgen kann.

Auf Kosten der Freiheit würde eine derartige Strategie aber in die Irre führen. Auf jeden Fall ist es auf absehbare Zeit sowohl illusorisch als auch gefährlich, sich mit dem Verweis auf mögliche neue Bedürfnisprioritäten von der politischen Auseinandersetzung um die inhaltliche Bestimmung von nachhaltiger Entwicklung befreien zu wollen. Dazu berechtigt weder die Hoffnung auf Überfluss noch auf einen eindeutigen, quasi objektiven Begriff von Nachhaltigkeit, der zwingend von allen Menschen angenommen werden müsste und auf Dauer, wenn er umgesetzt würde, Politik überflüssig machen würde. Nicht nur die unvermeidbaren Unsicherheiten und Abhängigkeiten wissenschaftlicher Forschung sprechen dagegen, sondern auch die notwendige, jeweils praktisch-politische Konkretisierung des Begriffs Nachhaltigkeit in der Pluralität unserer Gesellschaften, die wir um unserer Freiheit willen nicht nur zähneknirschend akzeptieren müssen, sondern die wir auch wollen.

Deshalb bleibt uns nichts anderes übrig, als die erkannte Unsicherheit zu akzeptieren und uns praktisch-politisch über den jeweiligen Inhalt von „Nachhaltigkeit" zu verständigen, je nachdem, was im Einzelnen infrage steht: in der Energie- oder Mobilitätspolitik, bei der Verteilung der Ressourcen, der Gestaltung der Arbeits- und Wirtschaftsverhältnisse, in der Gesundheits- und Bildungspolitik oder in der Sozialversicherung, um nur einige Felder zu nennen. Nachhaltigkeit kann nicht wissenschaftlich dekretiert oder technokratisch exekutiert, sie muss politisch ausgehandelt werden. Deshalb ist sie dauerhaft auf unsere grundlegende Bereitschaft zur Verständigung, eben auf Politik, angewiesen. Der in der Aufklärung anhebende alternative Traum von einer Wissenschaft, die die Wirklichkeit nach einem gut durchdachten Konzept einfach „vernünftig" gestalten könnte, birgt bis heute, oft unbewusst, die Sehnsucht nach einem aufgeklärten Herrscher, moderner: einem „aufgeklärten" öffentlichen Akteur, der die wissenschaftlichen Einsichten „durchregierend" kurzerhand verbindlich umsetzen könnte.

Dieser Traum ist in jüngster Zeit mit der Klimapolitik wieder aktuell geworden. Hier hat die Protestbewegung „Fridays for Future", die sich große Verdienste erworben hat, weil sie die Klimapolitik parteiübergreifend auf die dringende Agenda gesetzt hat, häufig gefordert, die Erkenntnisse „der" Wissenschaft in Sachen Klima strikt umzusetzen. Die Wissenschaft (im Singular) solle praktisch die politischen Entscheidungen vorgeben. Das führt aber in die Irre.

Deshalb kommt es nun, um Nachhaltigkeit zu erreichen, darauf an, nicht einfach einen theoretischen Masterplan zu entwerfen. Vielmehr müssen wir eine Politik oder auch Einzelpolitiken mit tauglichen politischen Institutionen, Akteuren und Verfahren entwickeln und praktizieren, durch die vor dem Hintergrund der Vielfalt von Interessen, Machtverhältnissen und Deutungen der Wirklichkeit und durchaus mithilfe wissenschaftlicher Erkenntnisse über nationale Grenzen hinweg nachhaltige politische Entscheidungen getroffen werden können. Dazu möchte ich zunächst sowohl die mögliche positive Rolle von Konflikten als auch die Grenzen des Wettbewerbs für die Nachhaltigkeit beleuchten.

Warum wir streiten müssen, um uns zu verstehen

Der große liberale Soziologe Ralf Dahrendorf hat in den letzten Jahren seines Lebens besondere Sorge darüber geäußert, dass die Dynamik des Kapitalismus den sozialen Zusammenhalt zerstören und zu autoritären Lösungen einladen könnte. Die damit verbundene Unterdrückung von Konflikten berge eine große Gefahr für die Freiheit. Darüber hinaus – so hatte er schon in seinen jungen Jahren unterstrichen – sind Konflikte Motoren für Fortschritt.[3] Ohne Konflikte, so Dahrendorf, gäbe es keine Entwicklung, würden Gesellschaften in ihren Traditionen erstarren.

In der Demokratietheorie verweist das damit angesprochene liberale theoretische Erbe auf den Gewinn, den der Streit sowohl für eine möglichst umfassende Erkenntnis als auch für den Zusammenhalt der Gesellschaft erbringt. Nur wenn wir ein Problem aus sehr verschiedenen Gesichtspunkten und Interessenblickwinkeln betrachten, haben wir die Chance, mögliche Vor- und Nachteile von Antworten zu erkennen und uns gemeinwohlorientierten Lösungen zu nähern. Allerdings gelingt das nicht, wenn wir in eine persönliche Polemik oder in puren Schlagabtausch entgleisen, anstatt mit Argumenten und mit dem Blick auf Lösungen zu streiten. Immerhin: Nachhaltigkeit bzw. Gemeinwohl sind in Gesellschaft und Politik auf Konflikt und Streit in der Sache angewiesen.

Wenn er lösungsorientiert praktiziert wird, führt der Disput am Ende sogar die Streitenden zusammen, weil sie im Streit Gemeinsames entdecken, sich mit dem Ergebnis ihres Streits identifizieren können und so ein neuer tragfähiger Grundkonsens entsteht. Moderne Gesellschaften sind angesichts der zunehmenden Veränderungsdynamiken auf eine solche immer erneute Grundkonsensbildung angewiesen, um flexibel umstrittene, aber dann konstruktive Lösungen für die stets neuerlichen Herausforderungen zustande zu bringen. Bleibt der Konflikt hingegen unter der Decke und schwelt weiter, dann unterminiert er den sozialen Zusammenhalt. Konflikt und Konsens brauchen einander und dienen gemeinsam dem Zusammenhalt der Gesellschaft.

Eine besondere Form des Konflikts ist der Wettbewerb. Er hat im Sport eine selbstverständlich akzeptierte Tradition, auch wenn man heute Zweifel daran hegen kann, ob noch Menschen oder nicht vornehmlich Maschinen, Chemieprodukte oder Geld miteinander konkurrieren. Wettbewerb hat auch in der Wirtschaft am Markt eine unverzichtbare Funktion, um freie Initiative und eine effiziente Allokation von Ressourcen zu ermöglichen. Dies ist gerade im Gegensatz zur historischen Illusion weltweiter Planwirtschaften ausdrücklich festzuhalten.

Aber von Wettbewerb können auch erhebliche destruktive Wirkungen ausgehen. Zum Beispiel, wenn er in der Wirtschaft ohne verbindliche und damit auch verbindende Regeln ausgeübt wird. Dann führt er zu Machtverklumpungen, zu Mono- und Oligopolen und zerstört gerade das, wozu er eingeführt worden ist: immer erneut freiheitliche und fantasievolle Initiativen zu ermöglichen und unsere globalen Ressourcen im Sinne des Gemeinwohls, also der Gesamtgesellschaft wirksam anzulegen; nicht nur zugunsten von ein bis zehn Prozent der Gesellschaft, wie sich dies in den letzten vierzig Jahren herausgebildet hat. Ein ungeregelter Wettbewerb zerstört sich selbst.

Allerdings ist in den letzten Jahrzehnten der Wettbewerb viel umfassender zur Grundfolie gesellschaftlichen Zusammenlebens geworden. Hans-Olaf Henkel hat, kurz nachdem er Präsident des Bundesverbands der Deutschen Industrie (BDI) geworden war, in einer Grundsatzrede Mitte der 1990er-Jahre in Berlin gefordert, wir müssten von der Wettbewerbswirtschaft zur Wettbewerbsgesellschaft fortschreiten. Diese Forderung hat den damaligen neoliberalen bzw. marktradikalen Zeitgeist prägnant zum Ausdruck gebracht – mit verheerenden Folgen.

Denn der Wettbewerb wirkt zerstörerisch, wenn er über Sport, Wirtschaft und Politik hinaus zum Motor und Gestaltungsprinzip der gesamten Gesellschaft gemacht wird, wenn er in der Bildung, im Gesundheitswesen, in der Kunst, in der Pflege jeden gegen jeden rennen lässt; wenn das Prinzip der ökonomischen Effizienz alle zwischenmenschlichen und institutionellen Beziehungen durch Kommerzialisierung prägt. Das macht die große Mehrheit zu Verlierer*innen, raubt ihnen ihr Selbstvertrauen und frisst insgesamt das für eine demokratische Gesellschaft notwendige Potenzial an gegenseitigem Vertrauen und Kooperationsbereitschaft für die Gegenwart wie für die Zukunft auf. So kommen wir über die Radikalisierung des Markt- und Wettbewerbsprinzips wieder im Naturzustand des Thomas Hobbes an, bei dem jeder gegen jeden Krieg führt und die Menschen einander deshalb mit Misstrauen begegnen, anstatt zu kooperieren. Vertrauen sowie Kooperationsbereitschaft wie -fähigkeit aber sind grundlegende Voraussetzungen für eine *Good Global Governance*.

Nach dem Ausbruch der Finanzkrise 2008 lautete die tiefergehende Diagnose dieser Erschütterung, dass es sich um eine Vertrauenskrise handele. Anschließend sind vor allem europäische Staaten – die USA haben beherzter mit (vorübergehender) Verstaatlichung insolventer Unternehmen reagiert – in eine gefährliche Abwärtsspirale geraten. Darin misstrauten die Banken einander, liehen sich gegenseitig kein Geld mehr und erwarteten von den auch wegen der vorangegangenen Bankenkrise hoch verschuldeten Staaten immer neue Polster für den eigenen Geschäftsbetrieb. Über Jahre hinweg haben vor allem Unternehmer*innen in der Europäischen Union über ein riesiges Investitionskapital verfügt, aber nicht investiert, weil sie kein Vertrauen in die Zukunft eines stabilen Marktes hatten.

Deshalb hat der damalige EZB-Präsident Mario Draghi jahrelang eine Politik des billigen Geldes praktiziert, um die Wirtschaft doch zu Investitionen anzuregen. Mit wenig Erfolg hinsichtlich privatwirtschaftlicher Investitionen. Einen globalen Leviathan, der die Menschen trotz ihres gegenseitigen Misstrauens zusammenzwingen könnte, gibt es zum Glück nicht. Aber das andauernde Misstrauen hat in vielen Ländern der EU die Wirtschaft schrumpfen oder stagnieren lassen mit andauernden sozialen Schäden. In Deutschland hielt die Vertrauensbasis der sogenannten Sozialpartnerschaft zwischen Gewerkschaften und Unternehmerverbänden in Kooperation mit dem Staat (Kurzarbeitergeld, Abwrackprämie) der Wirtschaftskrise zwar stand. Aber das Misstrauen der deutschen Eliten gegenüber den europäischen Nachbarn hat verhindert, dass sie ihnen aus dem Wirtschaftstief halfen, und im Gegenteil – in einem Negativzirkel – die deutsche ökonomische Überlegenheit gefestigt, mit langfristig negativen Folgen für die Wirtschaften unserer Nachbarn und für den Zusammenhalt in der Europäischen Union.

Was wir deshalb brauchen, ist eine neue Balance von Konflikt und Konsens, von Wettbewerb und Zusammenarbeit, damit wir – zugegeben unter erheblich erschwerten, weil global ausgeweiteten Bedingungen – zu einem notwendigen Grundvertrauen der Menschen untereinander finden. Dann können wir demokratisch-politisch und kooperativ die Herausforderungen mit Erfolg angehen.

Selbst im originär politischen Bereich, in dem der Wettbewerb von Ideen wie von Personen unverzichtbar ist, um der Pluralität der Interessen Rechnung zu tragen, brauchen wir ein neues Gleichgewicht von Wettbewerb und Kooperation. Denn es kann kein Zweifel daran bestehen, dass sogar der für unsere Verfassungen konstitutive Wettbewerb zwischen demokratischen Parteien praktisch häufig in Gegensatz zu durchdachten nachhaltigen Lösungen tritt. Das wird vor allem dann deutlich, wenn die Kürze der Legislaturperioden auf den verschiedenen Ebenen zu faktischen Dauerwahlkämpfen führt und der Machterwerb oder -erhalt mit allem, was an Bedienung der eigenen Wählerklientel daran hängt, wichtiger wird als eine erkennbare nachhaltige, eher gemeinwohlorientierte Lösung.

Dabei können wir weder auf den Wettbewerb zwischen den Parteien verzichten noch auf regelmäßige Wahlen und damit die Begrenztheit der Legislaturperioden. Wir wollen ja keine Demokratie im dauerhaften Ausnahmezustand werden. Wir können und wollen auch nicht die legitime Organisation von Partikularinteressen in den diversen Verbänden unterbinden, die freilich häufig die jeweiligen Regierungsmehrheiten unter Druck setzen, und zwar umso mehr, je mehr Macht sie durch Geld, Organisation oder öffentliche Präsenz in den Medien ausüben können. Aber wir brauchen Akteure und Verfahren, die den politischen Wettbewerb in eine verlässliche und kontinuierliche Balance mit der Nachhaltigkeit bringen, und das über die Grenzen der Nationalstaaten hinaus.

Nach der Katastrophe des Zweiten Weltkriegs sind internationale Organisationen entstanden, die die globale Regierungsarchitektur ergänzen und erneuern sollten, um Wiederholungen der Katastrophe zu vermeiden. Dazu gehören die Vereinten Nationen, die Weltbank, der Weltwährungsfonds und später die Welthandelsorganisation. Hinzu kamen internationale Pakte für Menschenrechte, die Weiterentwicklung des Völkerrechts und globale Konferenzen über transnationale Herausforderungen, die Vereinbarungen über den Klimaschutz, über Frauenrechte, über knappe Güter wie Rohstoffe und Wasser schaffen sollten. Dahinter stand die Idee, durch multilaterale Vereinbarungen zwischen den Staaten den Weltfrieden in gerechteren sozialen Verhältnissen zu gründen sowie die weltweite Förderung von Freiheit, Wohlstand, Demokratie und ökonomischer wie sozialer Entwicklung zu unterstützen. Auch bei informellen Zusammenkünften von Regierungen – in den Formaten G7, später G8 (dann wieder reduziert auf G7) und G20 – mehrten sich die Versuche, in der zunehmenden Interdependenz der Globalisierung politische Verständigungen und Absprachen zu finden und zu institutionalisieren.

Die legitimierenden Akteure waren und sind dabei die Nationalstaaten, die zugrundeliegende Philosophie war und ist in der Tradition des politischen Liberalismus von John Locke der Multilateralismus. Umfassende Vereinbarungen sollten Verträge ersetzen, die traditionell aus historischen Mächtepakten zwischen souveränen Nationalstaaten hervorgegangen sind, und das in einer internationalen Welt souveräner Einzelstaaten, die zueinander faktisch oft wie wölfische Gegner standen im Sinne von Thomas Hobbes, nicht von John Locke. Diese Welt hatte sich in zwei Weltkriegen als dramatisch instabil erwiesen und wurde deshalb durch einen Multilateralismus abgelöst, in dem die Staaten, jetzt durch umfassende Verträge verbunden, verlässlich miteinander kooperieren sollten. Inzwischen sind wir nach einer längeren Phase des Multilateralismus vielfach zu Hobbes' wölfischer Welt zurückgekehrt.

In der so institutionell geregelten internationalen Welt hat nämlich seit den achtziger Jahren, befeuert durch die politischen Deregulierungen vor allem unter Ronald Reagan, Bill Clinton und Margaret Thatcher sowie durch rasante technologische Entwicklungen, ein grenzüberschreitender Kapitalismus mit einem globalen Finanzmarkt seine Dynamik mit neuer Intensität entfaltet. Er stellt uns heute vor unsere Ausgangsfrage, ob der ökonomische Liberalismus, für den die Freiheit ökonomischen Handelns, aber nicht die Würde des Menschen im Mittelpunkt steht, doch wieder zugunsten dieser Würde gestaltet werden kann.

Der Kooperation von nationalen Regierungen, die wir in den genannten internationalen Organisationen finden, gelingt die Bändigung des globalen Kapitalismus, wie die Erfahrung inzwischen zeigt, allein nicht. Denn die internationalen Organisationen beziehen ihre Legitimation und ihre Finanzierung (!) aus den einzelnen Nationalstaaten, die ihre Macht, wenn sie demokratisch verfasst sind, aus nationalen Wahlen gewinnen. Gerade deshalb tun die nationalen Regierungen sich schwer, Entscheidungen zu treffen, die internationale, grenzüberschreitende Belange verantwortlich regeln. Die sind nämlich auf eine solidarische Berücksichtigung von Interessen anderer Nationalstaaten oder von deren Gesellschaften angewiesen, die für den Erwerb von Macht bei den eigenen nationalen Wahlen nicht oder wenig zählen.

Darin besteht das täglich zu besichtigende Versagen des Europäischen Rates, der in den letzten 15 Jahren auch durch unsolidarische Politik der nationalen Regierungen, nicht zuletzt der deutschen, die EU an den Rand des Zerreißens geführt hat.

So vermutet Philipp Hildebrand, Vizechef des weltgrößten Vermögensverwalters Blackrock, der für einen „grünen Kapitalismus" plädiert, dass die Nationalstaaten sich international nicht auf Regeln verständigen werden, die den Unternehmen für einen „grünen Kapitalismus" global vorgegeben werden müssten. Der Markt allein werde nämlich „den Wandel hin zu einer klimaneutralen Wirtschaftsweise" nicht in Gang setzen. Deshalb erwartet er nationale Zölle, mit denen avantgardistische Staaten ihre grüne Industrie gegen konventionelle Unternehmen schützen würden.[4] Klimaschutz durch nationalstaatliche Zollpolitik? Nach den Erfahrungen mit der Welthandelsorganisation verspricht das keinen großen Erfolg. Allenfalls eine transnationale Zollpolitik, wie sie jetzt in der Europäischen Union zugunsten von Nachhaltigkeit vorgeschlagen worden ist, könnte hier ein realistischer erster Schritt sein. Aber dazu brauchen wir eben auch in der Europäischen Union eine grenzüberschreitende *Good Governance*, die nicht nur auf die nationalen Regierungen im Europäischen Rat bauen kann.

Wir müssen deshalb Institutionen, Akteure und Prozesse einführen, die transnationale, globale Interessen im Sinne von Nachhaltigkeit, Gemeinwohl und Transparenz zusammenbringen können und es zugleich vermögen, den intransparenten Einfluss von machtvollen national wie transnational agierenden Wirtschaftslobbys auszubalancieren. Sie müssen der Gemeinsamkeit und der Vertrauensbildung dienen, politische Kooperationen und Koalitionen befördern und auch in der Meinungsbildung im öffentlichen Raum den Partikularinteressen widersprechen zugunsten nachhaltiger Politik.

Dazu reichen die traditionellen politischen Institutionen und ihre internationalen Zusammenschlüsse und Konferenzen nicht aus, weil sie alle auf der Grundeinheit der Nationalstaaten beruhen. Sie müssen um Akteure und Verfahren erweitert werden, die anderen Logiken als der nationalen Repräsentation folgen, um Nachhaltigkeit und Gemeinwohl im Dienste der gleichen Würde *aller* Menschen, nicht nur der jeweiligen Staatsbürger*innen zu verwirklichen.

So hat die Thematisierung von Nachhaltigkeit, Konflikt und Wettbewerb zu zusätzlichen Einsichten über eine zukunftsfähige *Good Global Governance* verholfen. Dabei betrifft Nachhaltigkeit nicht nur − ich erinnere daran − die materiellen Ressourcen oder Umweltbedingungen auf unserem Planeten. Sie dient auch als Maßstab dafür, was eine (wenigstens ungefähr) gerechte Erfüllung der sozialen Bedürfnisse der heutigen und zukünftigen Generationen ermöglicht. Um sie zu konkretisieren, hat sich die Organisation und Institutionalisierung von Perspektivenvielfalt als entscheidende Bedingung ergeben. Sie muss um das Verfahren der Deliberation ergänzt werden. Dabei geht es darum, die unterschiedlichen Perspektiven, Interessen und Positionen argumentativ, d. h. mit ihren jeweiligen Begründungen, aufeinander zu beziehen, um zu einem Basiskonsens zu gelangen, der auf verallgemeinerbare Begründungen bauen kann.

„Antagonistische Kooperation" von Politik, organisierter Zivilgesellschaft und Unternehmen

Die politische Mitverantwortung
von Zivilgesellschaft und Unternehmen

Die gesuchten neuen Institutionen, Akteure und Verfahren fallen nicht vom Himmel. Sie werden auch nicht unversehens ein Paradies auf Erden schaffen. Anstrengung und Risiken der Verständigung werden uns allen auch in Zukunft nicht erspart bleiben. Ich betone: uns allen! Aber sie können gelingen, wenn wir uns den Initiativen öffnen, die bereits weltweit entstehen und in allen Kontinenten Ausdruck der Einsicht von immer mehr und immer besser gebildeten Menschen sind, dass wir, ohne die Konflikte unter den Teppich zu kehren, zusammenarbeiten müssen, um unsere hochkomplexen Erkenntnisse zu teilen und fruchtbar zu machen, weil wir Zukunft nur gemeinsam haben.

Deshalb neigen z. B. immer mehr junge Menschen im Internet eher zu einem Open-Source-System als zu Patenten und Geschäftsgeheimnissen. Im Netz gemeinsam an zukunftsträchtigen Energielösungen zu arbeiten, bedeutet ihnen mehr als individuell und isoliert im globalen Wettbewerb jährliche Gewinne einzustreichen, die von heute auf morgen auch wieder verloren gehen können.

Zu den neuen Akteuren neben den weiterhin unverzichtbaren Nationalstaaten mit ihren (nicht immer) demokratisch gewählten Parlamenten und Regierungen und den sie traditionell stützenden bzw. kritisierenden Parteien und Verbänden gehören die Nichtregierungsorganisationen (NGOs). Sie werden begrifflich oft als organisierte Zivilgesellschaft zusammengefasst.

Sie verhalten sich keineswegs immer gemeinwohlorientiert. Sie sind auch nicht einfach gut oder demokratisch gesonnen, sondern genauso kritisch zu beobachten wie alle anderen politischen Akteure. Auch der Ku-Klux-Klan oder rechtsextreme militante Gruppen sind Organisationen der Zivilgesellschaft! Denn was heißt Zivilgesellschaft? Sie definiert sich nicht im Gegensatz zum Militär, sondern umfasst alle Bürger*innen eines Gemeinwesens; aber nicht in ihrer Funktion als staatliche bzw. politische Funktionsträger*innen und auch nicht in der Funktion als Unternehmer*innen, die sich am Markt bewähren müssen. Unternehmer*innen können sich allerdings als private Bürger

z. B. in der Freiwilligen Feuerwehr zusammenschließen. Als solche gehören sie dann zur Zivilgesellschaft. Die organisierte Zivilgesellschaft verfügt damit nicht über die, wie wir in der Politikwissenschaft sagen, Input-Legitimation gesamtgesellschaftlicher demokratischer Wahlen, aber vielfach über die Output-Legitimation des Vertrauens, wenn die Gesellschaft es in sie setzt.

Wenn die organisierte Zivilgesellschaft nämlich ohne Partikularinteressen aufs Gemeinwohl zielt, wenn etwa Greenpeace einer Umweltentscheidung zustimmt, dann hat die Gesellschaft mehr Vertrauen in sie, als wenn dies eine politische Partei tut, die unter dem Druck von Interessenverbänden stehen mag und der man deshalb unterstellt, dass sie vor allem politische Macht erwerben will. Wenn Amnesty International politische Strafrechtsregelungen akzeptiert, gilt dasselbe. Umgekehrt muss sich die organisierte Zivilgesellschaft keinen gesamtgesellschaftlichen Wahlen stellen, ist nicht an kurze Legislaturperioden gebunden und ist im Unterschied zur Regierungspolitik auch nicht verpflichtet, die verschiedenen gesellschaftlichen Interessen zu integrieren.

Diese Nichtregierungsorganisationen sind zwar nicht demokratisch-repräsentativ legitimiert, aber durchaus demokratisch legitim und in Demokratien in der Regel auch legal. Sie können mit erheblicher Schubkraft zu politischen Bündnissen mobilisieren und trotz Parteienwettbewerb langfristige Politiken vorbereiten, die Legislaturperioden überdauern. Wenn sie überparteiliche Zustimmung erhalten, können sich auch Regierungen auf sie einlassen und ihre Vorschläge praktisch umsetzen, um ihnen z. B. die notwendige gesetzliche Nachhaltigkeit zu verleihen.

Ebenso kann die organisierte Zivilgesellschaft zur öffentlichen Kontrolle sowohl politischer als auch wirtschaftlicher Entscheidungen beitragen, die für Nachhaltigkeit relevant sind. Dies umso mehr, als die Medien vor allem aus ökonomischen Gründen ihrer Aufgabe, für eine demokratisch informierte Öffentlichkeit zu sorgen, oft nicht mehr ausreichend nachkommen können und deshalb korrigierende Hilfe brauchen. Dafür bieten neue Internetentwicklungen trotz mancher Schattenseiten erhebliche Chancen. Der Chaos Computer Club zeigt, wie das geht.

Zu den neuen Akteuren gehört neben den Nichtregierungsorganisationen auch der Unternehmenssektor. Er ist unverzichtbar, weil der gesuchten transnationalen *Good Governance* ja die politische Gestaltung des globalen Kapitalismus gelingen soll. Sie muss es also schaffen, kapitalistischen Unternehmen Erfolge am Markt und Innovationen zu ermöglichen und ihnen zugleich Grenzen gegen zerstörerische Nebenwirkungen („externe Effekte") zu setzen und Anreize für nachhaltiges Verhalten zu bieten; und zwar transnational − z. B. steuerpolitisch − koordiniert.

Der Unternehmenssektor ist ebenso wenig input-legitimiert wie die organisierte Zivilgesellschaft und genießt in der Regel weniger öffentliches Vertrauen als sie. Aber er verfügt, zumal wenn er global agiert und sich nationalstaatlichen Regelungen entziehen kann, über viel Macht. Mehr als vor dem letzten Schub der Globalisierung um die Wende zum 20. Jahrhundert trägt er daher Verantwortung für die Voraussetzungen und Folgen seines Handelns: für die Infrastruktur, von der sein unternehmerischer Erfolg abhängt − z. B. Bildung und Ausbildung der Arbeitskräfte, Verkehr, Rechtssystem −, ebenso wie für die externen Effekte seiner Produktion: die Belastung der Umwelt, den Verbrauch von Ressourcen. Schließlich tragen Unternehmen auch Verantwortung für die Unterminierung des sozialen Friedens, etwa durch unseriöses Geschäftsgebaren oder unsoziale massenhafte Entlassungen.

Unternehmen können sich deshalb heute nicht mehr auf die begrenzte Verantwortung für ihre wirtschaftliche Tätigkeit innerhalb von Regeln zurückziehen, die der Staat zu setzen habe, zumal sie den häufig durch kostspieliges Lobbying an Regeln hindern, die ihnen nicht gefallen.

Umgekehrt braucht die Gesellschaft fantasievolle, mutige, weitsichtige und energische Unternehmer*innen und Unternehmen, die risikobereit Wohlstand und Innovationen hervorbringen, auf die sozialer Frieden ebenfalls angewiesen ist. Dass der Staat oder die öffentliche Hand sie einfach flächendeckend ersetzen oder gar die Marktwirtschaft durch eine Planwirtschaft ablösen könnten, war eine Illusion mancher sozialistischer Bewegungen im 19. Jahrhundert und insbesondere dann des Kommunismus sowjetischer Prägung, mit z. T. desaströsen Folgen.

Trotzdem: Anders als früher ist das *business* von *business* heute nicht mehr einfach *business*, wie dies Milton Friedman angeblich behauptet hat. Auch Unternehmen müssen eine neue Balance zwischen ihren Partikular- und Gewinninteressen und ihrer Bürgerverantwortung für die gemeinsame Aufgabe der Nachhaltigkeit finden. *Corporate Citizenship* muss als *Citoyen*-Verantwortung von den Unternehmen ernst genommen werden, indem die gängige *Corporate Social Responsibility* ihre Nachbarschafts- und Public-Relations-Pflege zur Verantwortung für das eigene Geschäftsmodell unter Nachhaltigkeitskriterien erweitert.

Das gilt z. B. in den Zuliefer- und Abnehmerketten des eigenen Unternehmens. Sie sind in der globalisierten Ökonomie inzwischen freilich so verzweigt, dass das Unternehmen, das schließlich auf dem Markt das Endprodukt anbietet, sie kaum noch übersehen, geschweige denn kontrollieren kann; so z. B. in der Bekleidungsindustrie, die Zuarbeiten aus Bangladesch, Vietnam, Myanmar etc. integriert. Deshalb wird Verantwortung für die Zulieferketten erst realistisch, wenn in den Ursprungsländern der Teilproduktionen ebenfalls Politik, organisierte Zivilgesellschaft (einschließlich Gewerkschaften) und der Unternehmenssektor sich zu einer „antagonistischen Kooperation" zwischen den „Stakeholdern" Politik, Unternehmen und organisierte Zivilgesellschaft zusammentun. Dabei ist die International Labour Organization (ILO) von zentraler Bedeutung, wenn sich die transnationale „antagonistische Kooperation" zur effektiven Zähmung und Gestaltung des globalen Kapitalismus in den Nationalstaaten fortsetzen soll!

Verantwortung für das eigene Geschäftsmodell gilt auch in den Bereichen bürgerlicher Freiheitsrechte, gesicherter Arbeitsrechtsnormen, der Umwelt und des Kampfes gegen die Korruption, wie sie in Kofi Annans „Global Compact" festgehalten sind. Annan hatte diesen Pakt im Jahr 2000 eingeführt, weil er als UN-Generalsekretär erkennen musste, dass er zusätzlich zu den nationalen Regierungen die Mitarbeit der Unternehmen und der organisierten Zivilgesellschaft brauchte, um zu nachhaltigen politischen Regulierungen zu kommen. Die im Global Compact zur Kontrolle der freiwilligen Verpflichtungen des Privatsektors vorgesehenen Berichtspflichten werden übrigens oft erst dann zu wirksamen Sanktionen, wenn unabhängige und konfliktbereite Nichtregierungsorganisationen über deren Solidität wachen und im Fall des Bruchs öffentlich Krach schlagen. Das schafft Reputationsverluste, vor denen Unternehmen sich fürchten – nicht nur wegen ihrer Wirkungen auf mögliche Konsumenten, sondern auch, weil intelligente und engagierte Nachwuchskräfte immer weniger in Unternehmen arbeiten wollen, die gegen das Nachhaltigkeitsgebot verstoßen.

Chancen der „antagonistischen Kooperation"

Der fruchtbare Beitrag der neuen Akteure zu einer *Good Global Governance* entsteht allerdings erst durch ihre „antagonistische Kooperation". Mit diesem Begriff bezeichnete die „Industriegewerkschaft Metall" in den 1960er-Jahren ihre Verhandlungen mit den Arbeitgebern, weil sie den Konflikt zwischen Kapital und Arbeit, der in marxistischer Tradition als Antagonismus nur revolutionär durch Abschaffung des Kapitalismus überwindbar schien, nun – im Rahmen einzelstaatlicher Wirtschaftspolitik – reformistisch kooperativ zähmte, ohne ihn grundsätzlich zu überwinden. Das Bewusstsein für die andauernde Wirksamkeit dieses Konflikts sollte dabei nicht verloren gehen.

Daran anzuknüpfen, ergibt Sinn, wenn man die „Multi-Stakeholder-Kooperation" als reformistische Strategie zur politischen Gestaltung des globalen Kapitalismus begreift, mit Orientierung am Gemeinwohl. Denn die brauchen wir ja, wenn der politische Liberalismus gegenüber dem ökonomischen wieder die Oberhand gewinnen soll. Nicht der Markt mit Krisen und Machtmonopolen, sondern – auch dezentrale – demokratische Politik als gemeinsame Aushandlung und Vereinbarung über unsere konträren Interessen muss unser Zusammenleben regeln und gestalten, wenn wir Politik in den Dienst der gleichen Würde aller Menschen stellen wollen.

Dazu gehört auch, dass die Stakeholder aufeinander hören und mit begründeten Argumenten auf die Gegenpositionen eingehen.

Dieser Begründungsmodus ist das zweite unverzichtbare Element einer „antagonistischen Kooperation". Dabei besteht die – auch geistige – Herausforderung darin, einen gemeinsamen Bezugsboden für die Begründungen der jeweils unterschiedlichen Positionen und Logiken zu finden. Theoretisch bedeutet das, deliberativ im Sinne der begründeten Argumentation nach Jürgen Habermas zu verfahren.

Das wiederum verlangt, sich gerade auch im Konflikt für die Verständigung auf Gründe zu berufen, die für alle gelten, von allen angenommen werden können. Man kann sie „verallgemeinerbare Gründe" nennen. Darin steckt schon wörtlich das Element „gemein", das wir im „Gemeinwohl" wiederfinden. Philosophisch geht dieses Verfahren u. a. auf Immanuel Kants Maxime des Kategorischen Imperativs zurück: „Handle so, daß die Maxime deines Willens jederzeit zugleich als Prinzip einer allgemeinen Gesetzgebung gelten könne."[1] Dieses Einigungsverfahren verlangt von allen Teilnehmer*innen einige Disziplin und intellektuelle Fähigkeiten. Sie können nicht einfach vorausgesetzt werden. Aber sie bilden letztlich die entscheidende normativ-theoretische Grundlage unserer repräsentativen Demokratie, die sich nicht allein formal aus Verfahren legitimiert, sondern aus der Norm der gleichen Würde aller Menschen und damit aus der Berufung auf Gründe, die für alle gelten können.

Wenn die drei Akteursgruppen Politik, organisierte Zivilgesellschaft und Unternehmen in einer antagonistischen Multi-Stakeholder-Kooperation zusammenkommen und ihre Ziele, Interessen und deren Begründungen – durchaus im Konflikt! – einander gegenüberstellen, wächst die Chance, gemeinwohlorientierte Lösungen zu finden. Denn zum einen können die Aushandelnden damit die jeweiligen Logiken der verschiedenen Akteursgruppen überhaupt erst verstehen, so wie dies in Deutschland in der Vertrauen stiftenden Tarifpartnerschaft zwischen Gewerkschaften und Arbeitgebern schon seit Jahren geschieht.

Zum anderen sorgt der Konflikt zwischen den drei Akteursgruppen dafür, dass die Kehrseiten der jeweiligen Positionen auf den Tisch kommen. Hier erkennt man die positive Rolle von Konflikten für Transparenz und umgekehrt: der Transparenz für die Lösung von Konflikten.

Mit dieser Öffentlichkeit des Konfliktpotenzials entsteht ein heilsamer Druck, andere zu verstehen, auf sie Rücksicht zu nehmen und nach gerechten Lösungen zu suchen. Das geschieht inzwischen empirisch innerhalb von „trialogischen" Konferenzen der drei Akteure. Schließlich erneuert diese „antagonistische Kooperation" mit jedem ausgetragenen Konflikt die Vergegenwärtigung der gemeinsamen Werte des demokratischen Zusammenlebens, was für eine lebendige Demokratie unverzichtbar ist.

In diesen drei Erfordernissen – dem Verständnis der unterschiedlichen Handlungslogiken, der Förderung von Transparenz durch und für Konflikte und der immer erneuten deliberativen Erarbeitung und Stärkung der gemeinsamen Wertebasis – liegt der Vorteil einer solchen „antagonistischen Kooperation" im Vergleich zu den traditionellen Anhörungen von Lobbygruppen im Parlament oder in den Ministerien. Denn die schaffen viel weniger Transparenz. Mit der „antagonistischen Kooperation" können wir deshalb die Bändigung der kapitalistischen Dynamik zu einer politischen Gestaltung weiterentwickeln, die sich über Konflikt und Kooperation an Nachhaltigkeit und Gemeinwohl orientiert.

Im Regelungsbereich transnationaler Wirtschaft, wie in der Rohstoffwirtschaft mit ihren transnationalen Konzernen, ist Multi-Stakeholder-Räten auf transnationaler wie auf nationaler Ebene eine solche „antagonistische Kooperation" mit der „Extractive Industries Transparency Initiative" gelungen. Gegründet 2002 von der organisierten Zivilgesellschaft als „Publish What You Pay"-Initiative mit Unterstützung durch den damaligen britischen Premierminister Tony Blair sowie den nigerianischen Staatspräsidenten Olusegun Obasanjo, den US-amerikanischen Philanthropen und Investor George Soros und viele andere hat sie sich zum Ziel gesetzt, für Transparenz der Zahlungen der transnationalen Konzerne und – im Vergleich – der diesbezüglichen Einkünfte der Gastländer zu sorgen, in denen der Rohstoff ausgebeutet wird. Wenn man über diese Zahlungen einvernehmlich Klarheit schafft, wird eine wichtige Korruptionsversuchung blockiert. Zugleich wird der Weg dafür geöffnet, die staatlichen Einnahmen nicht nur der jeweiligen Exekutive oder gar den Amtsinhaber*innen persönlich, sondern auch der Öffentlichkeit, den Medien und vor allem den nationalen Parlamenten transparent zu machen, so dass diese hernach demokratisch über deren Verwendung bestimmen können. Das ist ein wichtiger Weg zur Ermöglichung und Stärkung demokratischer Politik im Kontext transnationaler kapitalistischer Unternehmen, d. h. im globalen Kapitalismus.

Dabei zeigt sich, dass demokratische Politik als transnationale Kooperation immer auch auf den nationalen Ebenen verankert sein muss. Ihre Ziele können nicht einfach von „oben" bzw. von der transnationalen Ebene aus nach „unten" durchgesetzt werden. Das gilt auch für die vielversprechende Kontrolle von transnationalen Lieferketten durch Endproduzent*innen und Konsument*innen der Produkte, wenn sie effektiv sein und nicht zur „Schummelei" einladen soll. In der hochdifferenzierten globalen Arbeitsteilung ist es von zentraler Bedeutung, auf den einzelnen Stationen der Wertschöpfung für Bedingungen zu sorgen, die den Menschenrechten und der demokratischen Mitbestimmung im jeweiligen Arbeitsbereich angemessen sind. Dabei ist es sicher notwendig und hilfreich, die Verantwortung der Konsument*innen in den Importländern und der Endproduzent*innen anzumahnen. Doch ebenso wichtig ist die Bemühung, in den Produktionsländern selbst für eine Verbesserung der Produktionsbedingungen zu sorgen. Normen im Arbeitsprozess lassen sich nur wirksam durchsetzen, wenn in den verschiedenen Ländern der Produktion nach und nach ebenfalls eine transparente Einigung zwischen Politik, Unternehmen und organisierter Zivilgesellschaft über die Produktionsstandards zustande kommt. Hier liegt bisher ein Defizit der ansonsten verdienstvollen Initiative für ein „Lieferkettengesetz" der deutschen Bundesregierung. Zwar drücken sich viele Unternehmen hier noch vor ihrer Verantwortung. Aber es genügt nicht, sich vor allem auf die Endprodukte einer häufig multinationalen Lieferkette zu konzentrieren. Es führt zu einer verschleiernden Symbolpolitik, die das richtige Anliegen diskreditiert, wenn man von Unternehmen etwas verlangt, was sie auch bei gutem Willen nicht leisten können. Sie können nicht ernsthaft die globale Vielzahl von Vorstationen in zahlreichen Ländern kontrollieren.

Demokratische Politik in der Globalisierung ist ein mühsamer Prozess, der nicht durch Hauruckverfahren aus dem Norden abgekürzt werden kann, sondern den anstrengenden Weg der Produktionsglobalisierung von Land zu Land mitgehen muss. Das ist auch jenseits der Frage nach der Kontrollierbarkeit der vielfältigen Produktionsglieder der Lieferketten in den einzelnen Ländern dringend erforderlich. Denn zur Stärkung demokratischer Politik – auch auf anderen Feldern – in den Nationalstaaten, in denen oft (noch) keine verfassten Demokratien existieren, kann die „antagonistische Kooperation" zwischen Politik, Unternehmenssektor und organisierter Zivilgesellschaft eine chancenreiche Brücke bauen, um demokratische Politik einzuführen und zu stärken. Und dort, wo es verfassungsmäßig Demokratien gibt, bietet diese Kooperation eben eine vorzügliche Möglichkeit, durch die Intervention von NGOs und Unternehmen politische Blockaden aufzulösen und im vorstaatlichen Raum durchdachte nachhaltige Lösungen vorzubereiten.

Für viele werfen das Lieferkettengesetz und die Erfahrung der Corona-Krise die Frage auf, ob die Globalisierung nicht einfach rückgängig gemacht werden sollte. Aber die Globalisierung einfach rückabzuwickeln ist weder möglich noch vorteilhaft. Die Textilfabriken in Bangladesch oder Vietnam z. B. bieten Millionen von Frauen eine neue Unabhängigkeit und Emanzipation, auf die sie sicher nicht verzichten wollen. Sie tragen auch zum Auskommen der Ärmsten im globalen Süden bei. Aber, wie wir bei der Rana-Plaza-Katastrophe 2015 schrecklich erlebt haben, bisher auf unerträgliche Sicherheits- und Gesundheitskosten der meisten Arbeiter*innen des Südens. Die können nur durch eine *Good Governance* auch im Süden behoben werden, die die dortigen Bürger*innen sich zu eigen machen. Das ist mit demokratischer politischer Gestaltung des globalen Kapitalismus gemeint. So muss man – zumal aus der Erfahrung mit Corona heraus – die jetzige Globalisierung, die bisher praktisch weitgehend der Logik betriebswirtschaftlicher Effizienz- und Profitmaximierung transnationaler Unternehmen folgt, anhand der weiteren Kriterien demokratischer Politik unter dem obersten Gebot der Würde aller Menschen organisieren.

Die beschriebene transnationale „antagonistische Kooperation" könnte auch auf die von Blackrock-Vizechef Philipp Hildebrand beschriebene Herausforderung eine Antwort bieten, wie für einen „grünen Kapitalismus" internationale politische Regelungen formuliert werden können, damit sich alle an „grüne" Vorgaben halten. Wenn sich relevante Unternehmen mit ebenso relevanten NGOs bzw. CSOs (Civil Society Organizations) und dazu bereiten Regierungen zusammentäten, um gemeinsam Standards zu erarbeiten, an die sie sich freiwillig und – z. B. von den CSOs – überprüfbar halten, könnten damit internationale Regulierungen vorbereitet werden, die schließlich – z. B. über internationale Organisationen wie die OECD – flächendeckend de facto bindend werden. Auf diese Weise hat die Antikorruptionsinitiative „Transparency International", die als Initiative der Zivilgesellschaft entstanden ist und sich mit Vertretern des Unternehmenssektors (z. B. dem BDI) zusammengetan hat, die deutsche Bundesregierung dazu veranlasst, sich an der OECD-Konvention von 1997 gegen Bestechung im Ausland zu beteiligen. Entscheidend ist, dass die „antagonistische Kooperation" zwischen organisierter Zivilgesellschaft, Unternehmen und Politik eine internationale Regulierung zustande gebracht hat, die vorher blockiert war, weil die nationalen Regierungen sich – auch unter Lobbyeinfluss – nicht festlegen wollten.

Eine solche transnationale Kooperation zwischen Politik (Nationalstaaten), Unternehmenssektor (internationalen Konzernen) und organisierter Zivilgesellschaft ermöglicht überdies Unternehmen, individuelle Vorteile, die sich für sie betriebswirtschaftlich aus der Intransparenz ihrer jeweiligen Beziehungen zu staatlichen Exekutiven ergeben können, zugunsten einer „kollektiven Aktion" aufzugeben. Denn weil alle auf ihre individuellen Vorteile – kontrolliert von der Zivilgesellschaft – zugleich und gemeinsam verzichten, entsteht ein sogenanntes *level playing field*, also eine faire Handlungs- und Marktsituation für alle, die es gestattet, in Zukunft nur auf die Vorzüge der eigenen Produkte zu setzen, nicht auf illegale oder halblegale Tricks auf Kosten anderer.

Schließlich lohnt es sich erfahrungsgemäß langfristig für Unternehmen, sich den unbequemen Fragen und Kritiken der organisierten

Zivilgesellschaft auszusetzen. Auch wenn sie das zunächst nicht mögen. Denn sie werden auf diese Weise mit Herausforderungen konfrontiert, die zwar aktuell lästig oder sogar abwegig wirken mögen, die ihnen aber in Bezug auf breitere gesellschaftliche Prozesse Hinweise für die Entwicklung zukünftiger Märkte bieten, auf die sie sich dann früh genug im wohlverstandenen eigenen Interesse einstellen können. Wir haben das in Trialogen der HUMBOLDT-VIADRINA School of Governance beobachten können. Starke Unternehmen unterliegen der Versuchung, sich auf ihrer Marktmacht auszuruhen. Sie merken dann nicht, dass sie langsam träge werden und in eine Sackgasse geraten. Ein gutes Beispiel dafür ist die deutsche Automobilindustrie. Aufgrund ihrer Stärke auf den Weltmärkten hat sie erst spät erkannt, dass sie sich technologisch erheblich modernisieren und überhaupt auf neue Mobilitätssysteme einstellen muss.

Karl W. Deutsch, der aus Prag stammende böhmische Jude, wurde von den Nationalsozialisten zur Emigration gezwungen und ist schließlich Professor für Politikwissenschaft in Harvard geworden. In seinem Buch „Politische Kybernetik"[2], in dem er Politik als einen „Rückkopplungsprozess" interpretiert, der auf immer erneutes Lernen angewiesen ist, definiert er Macht als die Möglichkeit, der Außenwelt die eigene Position aufzuerlegen: „Macht hat in gewissem Sinne derjenige, der es sich leisten kann, nichts lernen zu müssen."[3] Diese einfache und zugleich sehr fruchtbare Definition finden wir in der Wirklichkeit immer wieder bestätigt. Gerade auch bei mächtigen Unternehmen. Gegen diese Versuchung ist die „antagonistische Kooperation" zwischen Politik, Unternehmenssektor und organisierter Zivilgesellschaft ein heilsames Mittel. Und zwar für alle Beteiligten.

So kann die Institutionalisierung von transnationalen „antagonistischen Kooperationen" einen Beitrag dazu leisten, die Globalisierung des Kapitalismus im Sinne von Nachhaltigkeit und Gemeinwohl zu gestalten. Sie kann und soll die Nationalstaaten nicht ersetzen, aber sie bietet die Chance, Blockaden zwischen nationalen Regierungen und gegenüber einer transnationalen Kooperation zu bewältigen. Sie kann helfen, für grenzüberschreitende politische Herausforderungen – wie z. B. den Klimawandel, die Knappheit der Rohstoffe, eine transnationale Finanz- und Steuerkontrolle, Arbeitsnormen und Regulierungen zugunsten „guter Arbeit" – Lösungen vorzubereiten. Denn sie vermag einen unfairen Wettbewerb zwischen den Nationalstaaten oder zwischen Unternehmen zu überwinden, die für sich Vorteile nicht durch ihre Fähigkeiten oder Qualitäten, sondern durch Tricks oder Korruption erlangen.

Warum man die Konzerne zu ihrem Glück zwingen sollte

Freilich ist es nicht leicht, die mächtigen transnationalen Konzerne, insbesondere transnationale Investor*innen und Finanzkonzerne, die – wie Karl Marx vorhersah –, „kein Vaterland haben", also von sich aus keine politische Loyalität aufbringen, von ihrer Verantwortung in dieser globalen *Governance* zu überzeugen. Viele reagieren bisher im Wesentlichen auf kurzfristige ökonomische Anreize. Deshalb ist neben der weltweiten Stärkung von Gewerkschaften und ihrer Zusammenarbeit ein andauernder öffentlicher und politischer Druck erforderlich. Der muss sowohl auf die nationalen Regierungen einwirken, damit sie für die „Zähmung" (z. B. in Sachen Steuern) und Gestaltung des Kapitalismus zusammenarbeiten, als auch auf die Unternehmen, die auf Reputationsverlust ebenso wie auf Reputationschancen, also auch auf positive Anreize, sensibel reagieren, nicht zuletzt in ihrer Personalakquise.

Ohne solche „antagonistischen" Verständigungsverfahren, die durch das Zusammenbringen gerade auch konträrer Perspektiven tendenziell auf das Gemeinwohl zielen, die den machtvollen Unternehmens- und Dienstleistungssektor ebenfalls in die Verantwortung ziehen und damit regulieren und die auf den Gebrauch liberaler Verhaltensmaximen wie Vernunft und Mäßigung, also auf eine entsprechende politische Kultur angewiesen sind, wird der politische Liberalismus, wird demokratische Politik scheitern.

Solche *Good Global Governance* fügt sich nicht zu einem übersichtlichen transnationalen Staat zusammen. Der würde unkontrollierbar. Die globale *Good Governance* umfasst vielmehr unterschiedliche geografische und politische Einheiten: Staaten, Regionen/Länder, Kommunen, internationale Organisationen und Rechtsinstitutionen, Regierungskonferenzen mit Input-Legitimation durch gesamtgesellschaftliche Wahlen ebenso wie grenzüberschreitende Multi-Stakeholder-Netzwerke, deren Legitimation von ihrer transparenten Organisation und ihrer Gemeinwohlorientierung, d. h. ihrer Output-Legitimation, abhängt.

Kein anderes politisches Regime bietet für die Entwicklung hin zu einer solchen „antagonistischen Kooperation" eine annähernd so gute Handlungsarena wie die repräsentative liberale Demokratie. Die organisierte Zivilgesellschaft müsste dazu allerdings nicht zuletzt durch finanziell transparente Regelungen erheblich unterstützt werden. Hier müssen wir global kreativ werden, denn der – wegen autoritärer Regime und wegen der mangelnden finanziellen Möglichkeiten – zunehmend eingeschränkte Raum, *the shrinking space*, für eine aktive organisierte Zivilgesellschaft droht einer solchen *Good Global Governance* immer mehr den Boden zu entziehen. Man könnte an Formen analog zur Parteienfinanzierung oder an globale Fonds denken, bei denen sich die organisierte Zivilgesellschaft zur Finanzierung ihrer Aktivitäten bewerben könnte.

An diesen Überlegungen wird auch deutlich, dass die Weiterentwicklung demokratischer Politik nicht nur auf der globalen Ebene transnationaler *Good Global Governance* erforderlich und aussichtsreich ist oder sich darauf beschränken kann. Wir brauchen sie auch innerhalb der ja ausdrücklich nicht überflüssigen Nationalstaaten, weil die Ebenen miteinander verbunden sind und weil demokratische Politik gerade in den Nationalstaaten massiv an Vertrauen verloren hat. Deshalb will ich nun wieder auf diese Ebene zurückgehen und die Möglichkeiten ermitteln, die sich innerhalb der Staaten insbesondere durch Kommunen und Städte ergeben. Dabei wird sich herausstellen, dass sie inzwischen zunehmend unverzichtbare Chancen auch für transnationale demokratische Politik bieten.

KAPITEL 6

Wie entwickeln wir demokratisch-repräsentative Politik weiter?

Die Grundlagen der repräsentativen Demokratie

Jetzt ist es spätestens an der Zeit, die Merkmale des auf der staatlichen Ebene angenommenen Demokratieverständnisses, das ich am Ende des ersten Kapitels kurz skizziert habe, weiter zu klären. Dabei knüpfe ich positiv an die Politikvorstellungen der Athener Demokratie, der liberalen Vertragstheorien und von Hannah Arendt an. Ich gehe davon aus, dass die Menschen von Natur aus weder einfach „gut" (sozial, vertrauensbereit, kooperativ) noch „böse" (antisozial, misstrauisch, egozentrisch) sind, dass sie immer Potenziale für beides haben und dass die politischen Institutionen ebenso wie die Kultur, in der sie leben, auf die Entwicklung ihrer „guten" und „bösen" Potenziale Einfluss nehmen.

Menschen haben überdies die Fähigkeit und die Verpflichtung, für sich selbst und für ihre Mitmenschen verantwortlich zu handeln. Das ermöglicht, dass alle – theoretisch-philosophisch – eine gleiche Chance haben, in Würde zu leben. Ein Leben in Würde orientiert sich an der persönlichen und politischen Freiheit der Individuen, an Gerechtigkeit als gleichen individuellen Lebenschancen sowie als Fairness der Bürger*innen, Institutionen und der Verfahren und schließlich an Solidarität. Diese bettet als grundlegende Verbundenheit der Menschen untereinander und, daraus folgend, als Bereitschaft, für andere einzustehen und ihnen zu helfen, wenn sie in Not geraten, die Freiheits- und Gerechtigkeitsansprüche der Individuen ein. Solidarität bietet die Basis für eine existenzielle Gemeinsamkeit. Auch eine liberale demokratische Politik zielt gesellschaftspolitisch nicht auf eine Ansammlung atomisierter Individuen, sondern auf Personen, die freiwillig zusammenleben und eine solidarische Gesellschaft bilden.

Institutionell muss die „Herrschaft des Volkes" (wörtlich: Demokratie) in der Gegenwart so gestaltet werden, dass sie die Pluralität der Interessen, Lebensentwürfe und Machtpotenziale innerhalb des Volkes, besser: der Gesellschaften – weil der Singular „Volk" immer eine homogene Einheit suggeriert – in Rechnung stellt. Das gilt auch für ihre „guten" und „bösen" Potenziale. Grundlegend für den Schutz der individuellen Freiheit ist daher der Schutz vor Machtmissbrauch und

Willkür, mögen sie von staatlichen Institutionen oder von Mitgliedern und Vereinigungen der Gesellschaft ausgehen. Die größte Versuchung für Willkür entsteht, wenn sich Macht anhäuft. Deshalb kann eine Demokratie ihrem Ziel, die gleiche Würde aller Menschen zu unterstützen und zu fördern, ohne Rechtsstaat und ohne Gewaltenteilung gegen Machtkonzentration nicht gerecht werden. Damit ist klar: Die repräsentative Demokratie, die diesem Essay begrifflich zugrunde liegt, ist kein rein „neutrales" Verfahren, sondern steht im Dienste der Verwirklichung von Werten, die den Menschen ein „gutes" Leben im Sinne der griechischen Philosophie ermöglichen. Sie ist wertegebunden. Aus diesem Grund plädiere ich für die liberale Demokratie. Eine „illiberale" Demokratie, die das Volk tendenziell als homogenes Kollektiv begreift und institutionell und kulturell immer zur Machtanhäufung neigt, steht dem entgegen.

Die Legitimation demokratischer Politik kommt nicht von Gott oder einer vorgegebenen Instanz, sondern – wie auch immer vermittelt und institutionell abgestuft – aus der freien Zustimmung der Bürger*innen. Daher hier die positive Anknüpfung an die neuzeitlichen Vertragstheorien. Deshalb muss es in der Demokratie nicht nur Freiheit als persönlich-private Entscheidungsfreiheit, sondern auch als politische Mitentscheidung und Mitbestimmung geben: über die Verfassung, die Gesetze und Anordnungen, über die politischen Akteure und über die konkrete Politik auf den verschiedenen Ebenen des Gemeinwesens.

In der repräsentativen Demokratie gilt die Grundregel, dass die Entscheidenden zwar im Rahmen der Gesetze, aber nicht, wie beim imperativen Mandat, nach inhaltlichen Vorgaben abstimmen. Vielmehr sind sie theoretisch – trotz vielfacher empirischer Beeinflussungen – nur ihrem Gewissen verantwortlich. Dieses hat sich nach der eigenen persönlichen und gewissenhaften Vergegenwärtigung (Repräsentation) des Gemeinwohls im jeweiligen konkreten Fall zu richten. Deshalb muss das Mandat frei sein. Edmund Burke hat dafür im 18. Jahrhundert in seiner „Rede an die Bürger von Bristol", um deren Stimme er sich beworben hat, die klassische Begründung festgehalten:

„Euer Vertreter schuldet euch nicht nur seine Tatkraft, sondern auch seine Urteilskraft; und er verrät euch, anstatt euch zu dienen, wenn er seine Urteilkraft eurer Meinung opfert […]. Regierung und Gesetzgebung sind Angelegenheiten der Vernunft und der Urteilskraft, und nicht der Neigung, und welche Art von Vernunft ist es, in der die Festlegung der Diskussion vorausgeht, in der eine Gruppe von Menschen berät, und eine andere entscheidet, und wo diejenigen, die die Schlussfolgerungen ziehen, vielleicht dreihundert Meilen entfernt sind von jenen, die die Argumente hören. Eine Meinung zu äußern ist das Recht aller Menschen; die Meinung eines Wählers ist eine gewichtige und respektable Meinung, die ein Vertreter immer mit Freuden hören sollte und die er immer ernsthaft bedenken sollte. Aber maßgebliche Instruktionen, feste Mandate, denen das Parlamentsmitglied blind gehorchen muss, obwohl es der klaren Überzeugung seiner Urteilskraft und seines Gewissens widerspricht; so etwas ist den Gesetzen unseres Landes völlig unbekannt."[1]

Dies ist eine der theoretischen Grundlagen nicht nur der repräsentativen Demokratie, sondern auch der sogenannten Deliberation, auf die ich schon mehrfach verwiesen habe. Sie spielt im Folgenden auch bei den Reformvorschlägen für unsere aktuelle repräsentative Demokratie immer wieder eine wichtige Rolle. Dabei denkt die angelsächsische Tradition eher an Argumente des *Common Sense* aus der Erfahrung, während die deutsche und kontinentale Politische Philosophie etwa mit Kant und Habermas an die Verallgemeinerungsfähigkeit von Interessen und Gründen sowie an philosophische Gemeinwohlvorstellungen anknüpft. Was Edmund Burke unterstreicht, entspricht im Übrigen der Regelung in unserem Grundgesetz, Artikel 38 Abs. 1: „[Die Abgeordneten] sind Vertreter des ganzen Volkes, an Aufträge und Weisungen nicht gebunden und nur ihrem Gewissen unterworfen." Zugleich sollen die gewählten Entscheider*innen die empirischen und also auch partikularen Bedingungen und Interessen ihrer Wähler*innen kennen, im Blick haben und vertreten.

Zwischen der Vergegenwärtigung des Gemeinwohls und dem Eintreten für die partikularen Interessen der eigenen Wähler*innen, die in der repräsentativen Demokratie durchaus vorgesehen und legitim sind, besteht prinzipiell ein Spannungsverhältnis. Darüber, wie es aufgelöst werden soll, gibt die Theorie der repräsentativen Demokratie keine klare Auskunft. Wir haben das im ersten Kapitel in der Erinnerung an Charles de Montesquieu gesehen.[2] In der Praxis schieben sich zwischen das freie Gewissen der Gewählten und ihre Entscheidungen u. a. Lobbygruppen, Fraktionszwänge, Karriereüberlegungen oder öffentlicher Druck auf die Person durch ihre Zusammenhalt fordernde Partei. Gleichwohl ist das verfassungsmäßig festgeschriebene freie Mandat wichtig, weil sonst die Manipulierbarkeit der Mandatsträger*innen keine Grenzen hätte.

Gerade die Freiheit der Mandatsträger*innen in der repräsentativen Demokratie schafft aber umgekehrt gegenwärtig viel Misstrauen gegenüber der demokratischen Politik, da die verschiedenen und komplexen Gründe für Abstimmungen der Legislative und für Entscheidungen der Exekutive oft nicht öffentlich ersichtlich sind. Überdies verrät der Lobbyeinfluss auch den Druck mächtiger Lobbys mit ihren Partikularinteressen. So entsteht der nicht immer falsche Verdacht, dass die Gewählten anderen Zielen folgen, als den Interessen ihrer Wähler*innen und dem damit abzugleichenden Gemeinwohl oder Gewissen zu dienen. Dieser für die repräsentative Demokratie unverzichtbare Abgleich mit dem „vergegenwärtigten" Gemeinwohl, der legitimerweise oft von konkreten Wählerwünschen abweichen mag, kann dringlich erforderlich oder auch als solcher vorgeschoben sein. Das bleibt unklar, wenn die Entscheidungsgründe nicht transparent sind. Deshalb ist Transparenz so wichtig, um das Vertrauen in demokratische Politik zu sichern. Die prinzipielle Differenz zwischen Einzelwillen und Gemeinwohl immer im Blick zu haben, ist aber notwendig, weil man sonst die Legitimation der repräsentativen Demokratie und der in ihr getroffenen Entscheidungen nicht versteht. Sie hat ihren Namen nicht daher, dass Abgeordnete auf repräsentativen Empfängen mit dem Sektglas in der Hand herumstehen.

Deshalb ist die seit Jahrzehnten übliche Praxis, über einzelne politische Fragen nicht nur sofort demoskopische Umfragen zu veranstalten, sondern zugleich zu fordern, dass die Repräsentant*innen jeweils mit den ermittelten Antworten übereinstimmen müssen, nicht nur falsch, sondern gefährlich. Die befragten Bürger*innen antworten nämlich spontan ohne genauere Informationen in der Sache und verständlicher- wie legitimerweise aus dem Blickwinkel ihres jeweiligen partikularen Interesses. Eben dies dürfen die gewählten Repräsentant*innen nicht. Deshalb sind Unterschiede zwischen dem Befragungs- und dem Abstimmungsergebnis legitim und sogar wahrscheinlich. Sie sprechen in der repräsentativen Demokratie nicht gegen die demokratische Qualität der Entscheidung der Repräsentanten.

Vielmehr soll die Gesellschaft, um ihre Kontrolle auszuüben, am Ende der Legislaturperiode Bilanz ziehen und entscheiden, ob sie den Gewählten ihr Vertrauen erneut geben will. Hier gibt es in der Öffentlichkeit, auch in den Medien wegen Unkenntnis der Legitimationsgrundlagen unserer repräsentativen Demokratie viel diskreditierende Irreführung und unberechtigte Unterminierung der Glaubwürdigkeit demokratischer Politik.

Allerdings enthält der Begriff der Repräsentation auch das Bedeutungselement der sozial angemessenen Repräsentation. Nur männliche Lehrer, Pfarrer und Rechtsanwälte im Parlament geben die soziale Realität unserer sich überdies ständig wandelnden Gesellschaft sicher nicht wieder. Andererseits ist auch die Erwartung einer Eins-zu-eins-Repräsentation von achtzig Millionen Deutschen mit ihren ganz unterschiedlichen sozialen Merkmalen illusorisch. Worin müsste es denn Übereinstimmung geben? Im Alter, im Einkommen, in der Bildung, der Konfession, dem Beruf, dem Familienstatus, dem Geschlecht, der Herkunft, dem Unterschied zwischen Stadt und Land? Es gäbe noch deutlich mehr Kriterien sozialer Zugehörigkeit.

Die repräsentative Demokratie geht von der Fähigkeit der Bürger*innen aus, sich auch dann an die Stelle von anderen zu versetzen (das ist die zweite Maxime von Kants „Gemeinwillen"[3]), wenn man sozial oder empirisch nicht mit ihnen übereinstimmt. Andernfalls könnte eine Gesellschaft von achtzig Millionen Deutschen gar nicht in einem Parlament vertreten sein. Zugleich wird das fast unmöglich, wenn eine Gesellschaft in sich so zerrissen und in einzelne Gruppen, *gated communities* oder Echokammern abgeschottet ist, dass man die soziale Wirklichkeit anderer gar nicht mehr kennt. Andersherum: Je mehr soziale Durchlässigkeit, Offenheit und Gleichheitserfahrungen (z. B. in gemeinsamen Schulen) es gibt, desto leichter gelingt soziale Repräsentation im Parlament.

Das wirft in der Gegenwart ein Licht auf die vielfach kritisierten Defizite unserer Demokratien, da die inneren Diskrepanzen in den Gesellschaften, insbesondere zwischen Arm und Reich, immer größer geworden sind. Wenn dann bei vielen ärmeren Bürger*innen der Eindruck entsteht, dass politische Entscheidungen sie nicht mehr berücksichtigen – wenn man vom Prozentsatz der Nichtwähler*innen ausgeht, die das womöglich denken, sind das gegenwärtig in Deutschland ca. zwanzig Prozent –, dann beeinträchtigt diese Wahrnehmung erheblich die Repräsentativität als Gemeinwohlorientiertheit demokratischer Politik und damit die Legitimation der repräsentativen Demokratie als Ganzes. Das Problem liegt darin, dass das politische System oder seine Handhabung durch die Entscheidenden nicht zureichend für den Zusammenhalt der Gesellschaft bzw. für die Überwindung von markanten Ungleichheiten sorgt.[4] Ob das einfach an einer schlechten faktischen Politik liegt oder aus einer grundlegenden Tendenz im politischen System rührt, kann hier nicht entschieden werden. Aber das zu prüfen, ist wichtig, weil sonst die repräsentative Demokratie schon in ihrer Theorie ein fundamentales demokratisches Defizit hätte.

Immerhin liegt im Mangel an Fähigkeit oder Bereitschaft demokratischer Politik zur Inklusion eines der größten Defizite der gegenwärtigen auch innerstaatlichen Demokratie. Das gefährdet ihre Glaubwürdigkeit. Eine spontane Reaktion darauf ist bei den Volksparteien – den Sozial- wie den Christdemokrat*innen, die einen erhöhten sozialen Integrations- bzw. Inklusionsanspruch an sich stellen – ein Ausbau der Sozialpolitik. Das liegt nahe, weil deren Rückbau in den letzten Jahrzehnten erheblich zur Zerklüftung der fortgeschrittenen Industriegesellschaften beigetragen hat.

Aber einiges spricht auch dafür, dass Bürger*innen in modernen Gesellschaften vor allem an Ohnmachtserfahrungen leiden, die zwar nicht im Widerspruch zur Ungleichheit stehen, aber durch sozialen

Ausgleich noch nicht automatisch überwunden werden. Überdies liegt ja der Grundgedanke der Demokratie darin, dass die gleiche Würde, damit auch die gleiche Chance, das eigene Leben selbstbestimmt zu führen, durch politische Freiheit als Teilhabe oder Partizipation verwirklicht werden kann und soll. Diese Teilhabe dient damit der Wahrnehmung sowohl der eigenen partikularen Interessen als auch der gesamtgesellschaftlichen Verantwortung als Bürger*in. Dabei hilft ihre Einübung, sich an die Stelle der anderen zu setzen, um Gerechtigkeit zu praktizieren. Ohne solche praktische politische Teilhabe bzw. Partizipation schwebt das Ziel des Gemeinwohls in der Luft.

Gelingende demokratische Politik folgt allerdings nicht nur aus theoretischen Ableitungen oder Analysen, sie braucht ebenso dringend die Erfahrung vielfältiger möglicher Konflikte, aber auch fantasievoll (!) erdachter Win-win-Situationen. Und das möglichst hautnah, im eigenen Lebensumfeld in der Kommune. Dort kann man die Ergebnisse des eigenen politischen Handelns sehr viel besser erkennen und überprüfen als auf der nationalen Ebene, wo die eigene Wirksamkeit in der Regel nur mittelbar über die Teilnahme an Wahlen erfahren wird, deren Konsequenzen sich nicht mehr im Einzelnen nachverfolgen lassen.

Schließlich wächst die Chance, dass Menschen sich als Bürger*innen mit ihrem Gemeinwesen, ihrer Kommune, ihrer Stadt identifizieren, sich verantwortlich, zugehörig, ja beheimatet fühlen, wenn sie an deren Gestaltung mitwirken können. Durch aktive politische Teilhabe machen sie sich zu einem Teil des Ganzen, ohne damit ihre Eigenständigkeit zu verlieren bzw. in der „Masse" unterzugehen. Teilhabe fördert daher ganz wesentlich die Identifikation mit dem eigenen Gemeinwesen.

Losen oder wählen?

Bevor ich meinen Vorschlag für eine Weiterentwicklung demokratischer Politik durch mehr Teilhabe auf der Ebene der Gemeinde genauer vorstelle, sollen zur leichteren Einordnung Alternativen präsentiert und erörtert werden, die aktuell zur Revitalisierung demokratischer Politik auf dem Tisch liegen. Sie gehen ebenfalls davon aus, dass Bürger*innen mehr Teilhabe an demokratischer Politik ermöglicht werden muss.

In den letzten Jahren hat es verschiedene Überlegungen und praktische Ansätze gegeben, sich vom Athener Losverfahren anstelle der politischen Wahl inspirieren zu lassen. Dabei richtet sich die Logik darauf, partikulare Interessen, insbesondere Lobbyeinflüsse, zu überwinden und – ähnlich dem Gedanken der begründenden Deliberation – politische Entscheidungen aus verallgemeinerbaren Gründen herzuleiten, gleichsam als eine Quintessenz des Gemeinwohls. Zugleich steht die politische Gleichheit der Bürger*innen, d. h. die gleiche Chance, auf Politik Einfluss zu nehmen, im Vordergrund. Sie soll nicht durch Wahlen, hinter denen Machtblöcke stehen können, verzerrt werden. In der Regel sollen solche Vorschläge die bisherigen Wahlen und die daraus hervorgegangenen repräsentativen Parlamente und Regierungen nicht ersetzen, wie das in Athen der Fall war, sondern durch besonders gut vorbereitete und dadurch legitimierte Vorschläge ergänzen.

Das Spannungsverhältnis zwischen Partikularinteressen und Gemeinwohl soll so durch Ausschaltung der Partikularinteressen bei der Wahl zugunsten des Gemeinwohls überwunden werden. Was bei Jean-Jacques Rousseau von der *Volonté Générale* als Begründungsprinzip der Demokratie und demokratischer Entscheidungen erwartet wird, findet hier eine pragmatische Anwendung, die die repräsentative Demokratie ergänzen soll. Rousseaus *Volonté Générale* ist das logische Ergebnis eines Abstraktionsprozesses, bei dem von jeder Entscheidung und von jedem Entscheider abstrahiert – also abgezogen – wird, was als Partikularinteresse eine Rolle spielen könnte. Dem wäre das Losverfahren angemessen, weil es im Ergebnis auf die konkrete Person in der politischen Entscheidung gerade nicht ankommt. Sie wird im Gegenteil „neutralisiert".

Bei den heute angestrebten Losverfahren bleibt allerdings unklar bzw. wird unterschiedlich gehandhabt, ob man von ihnen eine bessere Repräsentativität der Gewählten erwartet oder ob man generell – wie bei Rousseau – partikulare bzw. empirische Interessen ausschalten will.

Bei der zweiten Möglichkeit stellt sich allerdings die Frage, worum es bei politischen Entscheidungen dann eigentlich noch gehen soll, wenn die konkrete Welt der Erfahrungen ausgeblendet bleibt oder in die Entscheidungen gar keinen Eingang finden soll. Dann kann es eigentlich nur noch um verfassungs- oder Verfahrensprinzipien gehen.

Losverfahren plus Volksentscheid: Das „Bürgergutachten"

In Deutschland hat Ende 2019 ein „Bürgergutachten Demokratie"[5], initiiert vom Verein „Mehr Demokratie e. V.", erhebliche Aufmerksamkeit erregt. In Anwesenheit von Bundestagspräsident Wolfgang Schäuble wurde es im November 2019 öffentlich vorgestellt. Es zielt darauf, „die Kluft zwischen Politik und Bevölkerung"[6], die als Hauptgrund der aktuellen Distanz der Bürger*innen gegenüber demokratischer Politik und der Kritik an der sogenannten Elitendemokratie angesehen wird, zu überwinden.

Dabei besteht in dem „Bürgergutachten" die Tendenz, die Bevölkerung (Singular!) gegen die Interessengruppen (die ja aus der Bevölkerung heraus entstehen) auszuspielen. Das Gutachten argumentiert, durch das Losverfahren eine bessere Repräsentativität der Ausgewählten in Bezug auf die Gesellschaft herzustellen, als sie bisher in unseren Parlamenten besteht:

> „Alle Menschen mit deutscher Staatsangehörigkeit ab einem Alter von 16 Jahren sollten eine Chance haben, am Bürgerrat teilzunehmen. Außerdem sollte die Zusammensetzung des Bürgerrats Deutschland im Kleinen abbilden […], was die Kriterien Geschlecht, Alter, Bildungsabschluss, Ortsgröße und Migrationshintergrund betrifft. Insgesamt ist dieses Ziel gut erreicht worden."[7]

Das Ziel ist, ein „Minipopulus" zu finden. Dazu wird das Ergebnis des Losverfahrens nicht einfach akzeptiert, sondern bewusst zugunsten der von den Autor*innen eigens definierten Repräsentativität korrigiert. Insofern wendet es die Methode des Losverfahrens nicht konsequent an. Mit der Korrektur stellt sich zugleich die Frage, wann denn eine repräsentative Versammlung die Gesellschaft, die sich noch dazu dauernd wandelt, wirklich repräsentiert bzw. „abbildet". Sie wird im „Bürgergutachten" leider weder thematisiert noch beantwortet.

Das Bürgergutachten konzentriert sich zur Verbesserung der repräsentativen Demokratie auf Elemente der direkten Demokratie, also auf Volksentscheide und ein Vetorecht der Bevölkerung gegen Gesetze des repräsentativ gewählten Parlaments. Basis der Initiative ist ein grundsätzliches Misstrauen gegenüber den gewählten Parlamentarier*innen. Korrigierende Volksentscheide und Vetos sollen von Bürgerräten vorbereitet werden, die nach dem beschriebenen korrigierten Losverfahren zustande gekommen sind. Obwohl das Bürgergutachten wiederholt von „unserer bewährten repräsentativen Demokratie" spricht, geht es ihm um eine explizite Korrektur der repräsentativen durch Elemente der direkten/plebiszitären Demokratie. Damit stehen diese beiden Demokratievarianten einander entgegen. Zwar sollen Elemente der direkten die repräsentative verbessern. Aber deren Entgegensetzung hat nur Sinn, wenn direkt-demokratische Entscheidungen besser legitimiert sind als repräsentative, wenn also das Plebiszit der Parlamentsentscheidung überlegen ist. Die Verbesserung besteht darin, die repräsentative Demokratie zu korrigieren und damit zu delegitimieren bzw. in die Schranken zu weisen.

Die dahinterstehende Logik besagt, dass Missstände der gegenwärtigen Demokratie im Wesentlichen aus dem Abweichen der Repräsentant*innen vom Willen der Bevölkerung herrühren. Dieses Abweichen kann freilich nur dann als entscheidendes und systematisches Problem der Demokratie angesehen werden, wenn man einen jenseits des Parlaments ermittelbaren legitimen Willen der Bevölkerung und deren generelle Homogenität annimmt, von der die Repräsentant*innen nicht abweichen dürfen. Das ist gerade nicht die theoretische Grundlage der repräsentativen Demokratie.

Zugleich will das Gutachten Volksabstimmungen, die wohl als Ausdruck des Gemeinwohls betrachtet werden, vor dem Einfluss von Interessengruppen sichern. Diese werden damit zwar immerhin als Elemente des Volkes bzw. der Bevölkerung erkannt. Aber sie werden generell negativ bewertet. Hier folgen die Verfasser*innen der Theorie von Rousseau, der keine Vereinigungen von Bürgern dulden wollte, weil sie die Gleichheit der individuellen Bürger verzerrten. Die Pluralität der Gesellschaft und ihre Organisation in Interessengruppen wird somit – unausgesprochen, aber eindeutig – abgelehnt.

Mittels der nicht gewählten und gerade dadurch „repräsentativen" Bürgerräte und durch eine „neutrale Stabsstelle" sollen die Interessengruppen aus dem Prozess des Volksentscheids möglichst ausgeschaltet werden.

„Durch die staatliche Finanzierung kann sich eine solche Stelle die Unabhängigkeit gegenüber Interessengruppen bewahren [...]. Denn durch die kontinuierliche Tätigkeit einer Stabsstelle soll die Bereitschaft zum politischen Engagement gesteigert werden. Die Stabsstelle soll Beteiligungsmöglichkeiten bekannt machen, Informationen vermitteln und so die Voraussetzungen zur Partizipation verbessern."[8]

Die Stabsstelle liefert die Informationen zur Sache: „Um den Einfluss von Interessengruppen auf die Abstimmung einzudämmen, soll es auf verschiedenen Kanälen Zugang zu neutralen, verständlich formulierten Informationen geben."[9]

Was eine „neutrale Information" ist, wird nicht hinterfragt. Das ist aber notwendig, weil in umstrittenen Fragen Informationen nie neutral sind. Sie bestehen nämlich nicht aus einzelnen Fakten, sondern vor allem aus dem Zusammenhang, in den diese Fakten gestellt werden. Und solche Kontexte können nicht „neutral" definiert werden. Geht es bei den oft besonders umstrittenen Diäten nur um Zahlen? Oder werden sie mit früheren Zahlen, anderen Ländern oder anderen Berufen verglichen? Wie werden sie begründet? Die Volksabstimmungen sollen, so das Gutachten, möglichst aus der Bevölkerung heraus initiiert werden. Wie das genau geschehen soll und wer schließlich die Frage formuliert, wird nicht geklärt. Aber das ist für das Ergebnis eines Volksentscheids erfahrungsgemäß von großer Bedeutung und deshalb immer hoch umstritten.

Der Demokratisierungsvorschlag des „Bürgergutachtens" zielt zentral auf den in der Tat wichtigen Missstand von intransparenten Einflüssen mächtiger Lobbys auf die gegenwärtige demokratische Politik. Das angestrebte Lobbyregister ist deshalb ein vernünftiger Vorschlag, für den es einige parlamentarische Vorläufer gibt. Viele Absichten des Bürgergutachtens richten sich auch erkennbar darauf, vereinfachende Lösungen zu vermeiden und Bedenken zu beachten. Die Autor*innen wollen z. B., dass alle Entscheidungen revidierbar bleiben, auch Plebiszite. Das ist in manchen überschaubaren Kontexten in der Schweiz möglich, in den meisten größeren Ländern ohne die Praxis häufiger Plebiszite aber nicht, was immer die Absicht gewesen sein mag. Der Volksentscheid über die Schulpolitik in Hamburg und erst recht der Brexit zeigen, dass Volksentscheide eine Eigendynamik entwickeln und nicht einfach durch „guten Willen" gesteuert werden können, weil sie bei vielen Bürger*innen (implizit auch in dem Gutachten) in einem unreflektierten Vorverständnis wegen ihrer „Direktheit" für legitimer gehalten werden als Parlamentsentscheide. Das Volk (im Singular!) hat dann selbst gesprochen – Volkes Stimme ist Gottes Stimme, heißt das Sprichwort.

Die Legitimität einer repräsentativ-parlamentarischen Entscheidung, die sich aus der Gemeinwohlabwägung und der deliberativen Begründung im Parlament herleitet, ist vielen nicht bewusst. Parlamentsentscheide, deren Begründungen prinzipiell vorläufig sind, können erheblich leichter revidiert werden als Volksentscheide. Das jedenfalls zeigt die politische Erfahrung.

Insgesamt verfolgt das Gutachten bei aller berechtigten Kritik an den Missständen und Defiziten der gegenwärtigen repräsentativen Demokratie einen Weg, der aus der langen und immer noch wirkmächtigen Tradition der konservativen deutschen Staatsvorstellung kommt. Sie begegnet der „angelsächsischen" Staatsvorstellung, die von einer liberalen und pluralistischen Gesellschaft ausgeht, prinzipiell skeptisch bis ablehnend und vertraut stattdessen in der Nachfolge Hegels auf die „unparteiische" Bürokratie des „neutralen" preußischen Staates – dazu passt die „neutrale Stabsstelle". Diese konservative Tradition wahrt überhaupt eine prinzipielle Distanz gegenüber dem Liberalismus wie gegenüber dem Kapitalismus und hat noch im 20. Jahrhundert eher ständestaatliche Positionen vertreten.

Die Prämisse des „neutralen", von den pluralistischen Interessen nicht „beschädigten" Staates liegt übrigens auch der in der Zwischenkriegszeit entwickelten ökonomischen Theorie des Ordoliberalismus zugrunde, die im Neoliberalismus der achtziger Jahre, ohne die Veränderungen nach dem Zweiten Weltkrieg zu reflektieren, wiedergekehrt ist. Der müsste eigentlich „Neo-Neoliberalismus" heißen, weil schon der Ordoliberalismus sich als Neoliberalismus gegenüber dem staatlich ungeregelten Manchester-Kapitalismus begriffen hatte. Weil im Ordoliberalismus der Staat als neutral betrachtet wird, darf die Regierung (als Teil des Staates) in seinem Verständnis keine Wirtschaftspolitik betreiben, sondern sich nur „neutral" gegen Monopole auf dem Markt wenden.

Gemeinwohl wird hier nicht als Ergebnis der Auseinandersetzung zwischen partikularen Interessen, sondern als Neutralität über allen verstanden. Hier werden auch die Übergänge zu einem Technokratieverständnis als Alternative zur Politik fließend, das wir in Kapitel 2 beschrieben haben. So erklärt sich zugleich die historische und kulturelle Affinität von Technokratie und Konservatismus, der historisch der pluralistischen Demokratie und Gesellschaft mit ihren Interessengruppen immer theoretisch distanziert gegenübergestanden hat. Praktisch haben Konservative mit den passenden Interessengruppen aber stets mühelos kooperiert und sich von ihnen unterstützen lassen. Wolfgang Schäuble, der bei der Vorstellung des Gutachtens im November 2019 eine Festrede gehalten hat, ist ein Anhänger des Ordoliberalismus und gehört in diese Tradition.

Den Staaten und Volkswirtschaften der EU ist diese deutsche Staats- und Wirtschaftsordnungstradition eher fremd. Sie hat aber in den ökonomischen Konsequenzen wegen der Stärke der deutschen Wirtschaft gerade in den letzten 15 Jahren, in denen die Bundesregierung konservativ geführt worden ist, einen großen Einfluss ausgeübt. So erklärt sich, dass unter der deutschen politischen wie ökonomischen Dominanz auch die nicht-deutschen konservativen Regierungen reicher Länder den Neoliberalismus, weil er ihren Interessen entsprach, als „neutrale", selbstverständlich richtige und gebotene Wirtschaftspolitik vertreten haben. Damit wird deutlich, wie wirkmächtig und weitverzweigt die deutsche konservative antiwestliche Staatstradition heute noch ist — oft unbewusst. Das aufzudecken, ist wichtig, weil die notwendige Weiterentwicklung unserer Demokratie hier vor einer Weggabelung steht.

Entweder wir sehen das Übel generell nur in den mächtigen gesellschaftlichen Interessen, versuchen, diese zu neutralisieren bzw. auszuschalten und uns prinzipiell gegen die pluralistische Gesellschaft und ihren Einfluss auf Staat und Politik zu richten. Dann geraten wir aber in die Falle der Technokratie oder einer „illiberalen Demokratie", die allen aktuellen rechtspopulistischen Bewegungen und Regierungen zugrunde liegt. Sie spaltet das theoretisch homogene Volk ab von den politischen Eliten mit der Tendenz, staatliche oder exekutive nationale Macht gegen die unterschiedlichen gesellschaftlichen Interessengruppen zu konzentrieren, um ihnen den Einfluss zu entziehen und die Wirtschaft möglichst unter staatliche Kontrolle zu bringen. Daraus folgt dann die Gegnerschaft gegen Gewaltenteilung und Rechtsstaat, damit auch gegen Minderheitenschutz und — im Namen der staatlichen Gemeinschaft — gegen die individuelle Freiheit. Der Hochhaltung individueller Freiheit wird vorgeworfen, Staat und Gesellschaft zu atomisieren und den Menschen ihre Einbettung in die Gemeinschaft und in ihre heimatliche Zugehörigkeit zu rauben. Dies ist die eine Alternative, Folgerungen aus den offensichtlichen Glaubwürdigkeitsdefiziten der liberalen Demokratie und den in ihr wirksamen, oft schrankenlosen Lobbyeinflüssen zu ziehen. Wir haben sie in Kapitel 3 behandelt.

Wenn wir die andere Alternative wählen, nehmen wir die individuelle Freiheit als Anker der politischen Gestaltung des Gemeinwesens und ihre pluralistischen Konsequenzen ernst. Dann bemühen wir uns — in wahrscheinlich unaufhörlicher politischer Anstrengung —, einerseits den Tendenzen der atomisierenden Vereinzelung, andererseits der Konzentration von gesellschaftlichen Interessen und ihren Übermachttendenzen entgegenzuwirken, durch Transparenz, Gegenmacht etc. Dann dürfen aber partikulare Interessen nicht von vornherein verpönt werden. Sie sind im Prinzip legal und legitim. Nur so kann man sie transparent halten, sonst verstecken sie sich in informellen Beziehungen. Die Idee des Lobbyregisters im Bürgergutachten ist hierzu ein guter und wichtiger Beitrag. Partikulare Interessen sind also legitim, aber ihr Missbrauch nicht. Politik besteht dann zu einem erheblichen Teil darin, die Grenze zwischen legitimem Gebrauch und illegitimem Missbrauch immer wieder zu bestimmen und dem Missbrauch entgegenzuwirken: durch Gesetze, ausdifferenzierte, auch gesellschaftliche Gewaltenteilung, durch soziale Grundsicherung und öffentliche Güter (vgl. Kapitel 3), und vor allem durch eine transnationale demokratische *Governance* (vgl. Kapitel 4 und 5) ebenso wie durch eine innerstaatliche Weiterentwicklung der Demokratie, d. h. durch mehr Bürgerteilhabe an demokratischen Entscheidungen. Die muss dann aber im Grundansatz mit der repräsentativen pluralistischen Demokratie vereinbar sein.

Die Weiterentwicklung der Demokratie kann auf überschaubarer Ebene neben Volksbefragungen auch Volksentscheide enthalten, aber nicht gegen die repräsentativ getroffenen Entscheidungen. Und sie muss viel stärker als bisher für Transparenz überall dort sorgen, wo politische Macht ausgeübt wird und die politische Gleichheit unterminiert werden kann: z. B. mit einem effektiven nationalen und transnationalen Lobbyregister, auch mit der Veröffentlichung von Einkommen ab einer bestimmten Höhe wie in Skandinavien.

Die Entscheidung für den zweiten Weg der Weiterentwicklung der westlich-liberalen pluralistischen Demokratie ist keine zwischen Freiheit und Gleichheit oder Gerechtigkeit! Denn politische Freiheit ohne politische Gleichheit und ohne soziale Gerechtigkeit (sowie Solidarität) verwandelt sich zum Privileg von immer weniger Menschen, die nicht mehr als politisch verantwortliche Bürger*innen handeln, und zur Unterwerfung der Mehrheit unter eine Minderheit. Empirisch können wir sie in vielen Ländern der Welt gegenwärtig beobachten. Das ruft an immer mehr Stellen der Welt soziale Unruhen hervor. Aber der alternative Weg – die Konzentration politischer Macht beim angeblich neutralen Staat und praktisch bei der Exekutive – tötet die Freiheit des Individuums!

Der Vorschlag des „Bürgergutachtens" geht insgesamt m. E. von einer letztlich vordemokratischen, staatsgläubigen bzw. autoritären politischen Theorie aus, der ich nicht folgen möchte. Wie sähe eine westlich-liberale Weiterentwicklung demokratischer Politik aus?

Wie im katholischen Irland die Homo-Ehe eine Mehrheit fand: Die Bürgerversammlung

Öffentlich am wirksamsten war die demokratiepolitische Neuerung in Irland. Durch Losverfahren wurden Personen ausgewählt, die sich über ein Jahr lang u. a. mit der weltanschaulich, sozial und emotional brisanten Frage beschäftigen sollten, ob im katholischen Irland die Homo-Ehe erlaubt sein sollte. Aus individuellen Zeugnissen erfahren wir, dass Personen aus sehr unterschiedlichen Herkünften, sozialen Schichten, Berufen und Zugehörigkeiten, die am Beginn des Prozesses einer Homo-Ehe ausgesprochen feindlich gegenübergestanden hatten, sich schließlich nach vielen Debatten mit reichhaltigen Informationen doch dafür entschieden haben.[10] Mehr noch, im katholischen Irland hat die Homo-Ehe, nach positiven Entscheidungen der Legislative und der Exekutive, im abschließenden Volksentscheid eine deutliche Mehrheit gefunden, die im Nachhinein ohne Komplikationen zur gesetzlichen Realisierung geführt hat. Es handelte sich also um ein mehrstufiges Verfahren, das den verfassungsmäßig legitimierten Institutionen letztlich die Entscheidung überlassen hat.

Folgende Aspekte haben hier m. E. eine zentrale Rolle gespielt: Die ausgewählten Bürger*innen hatten viel Zeit und ausgiebige Informationen, um sich von der Thematik ein eigenes Bild zu machen und dann ein eigenständiges Urteil zu fällen. Es handelte sich nicht um eine Interessenfrage im engeren Sinne, sondern um eine Entscheidung, in die langfristige weltanschauliche Aspekte und Lebenserfahrungen eingegangen sind. Schließlich zeigt sich, dass es zum sozialen und politischen Frieden beitragen kann, wenn schwierige Fragen mit ausreichend Zeit unter sehr verschiedenen Gesichtspunkten, also multiperspektivisch und zugleich mit Begründungen behandelt werden. Hier ging es nicht um ein abstraktes Gemeinwohl, auch nicht um eine politische Einzelentscheidung, sondern um Grundsatzfragen des friedlichen menschlichen Zusammenlebens.

Der Prozess war insofern erfolgreich, als er eine Frage mit potenziellem sozialem Sprengstoff politisch befriedend beantwortet hat. Dennoch stellen sich verschiedene Fragen, die auch in Irland kontrovers und durchaus kritisch gegenüber dem Prozess diskutiert worden sind. Es beginnt mit dem scheinbar einfachen Losverfahren. Denn die Auswahl blieb nicht zufällig, sondern sollte (wie beim „Bürgergutachten") zu einer sozialen Repräsentativität der Mitglieder der Versammlung führen, die das Losverfahren allein nicht bieten kann. Mehr noch: Es gibt gar keine wertfreien oder „unpolitischen" Kriterien für eine solche „Repräsentativität". Das gesuchte „Minipopulus" ist eine Illusion. Jede Vorstellung von der gesamten Gesellschaft ruht auf einer Gesellschaftstheorie, die notwendig umstritten bleibt. Welche soziale Bestimmung ist wichtig in der Gesellschaft? Wo verlaufen die entscheidenden Unterschiede oder sozialen Trennungen? Stadt/Land? Männer/Frauen? Jung/alt? Christlich/muslimisch? Man könnte unendlich fortfahren. Schließlich: Garantiert die „Repräsentativität" – die es als absolute nicht gibt – überhaupt die Qualität der Entscheidung? Oder die Gerechtigkeit?

Zudem spielt natürlich eine große Rolle, wer die Versammlung moderiert, wer die Abstimmungsfragen stellt, wer die Informationen beschafft und die Gutachten. Schließlich: Die Versammlung in Irland hat noch weitere Fragen behandelt, deren Ergebnisse aber in den Legitimierungsprozess nicht aufgenommen worden sind. Das irische Verfahren passt also nicht für alle Themen.

Trotzdem ermutigt das Beispiel Irland zu dem Gedanken, dass das Verständigungspotenzial in unseren Gesellschaften größer ist, als wir oft vermuten. Wir müssen uns nur die Zeit nehmen, unsere Positionen und Begründungen in Ruhe auszutauschen. Demokratische Politik braucht eben Zeit. Das zu beherzigen, ist in unseren schnelllebigen Zeiten schwierig, aber überaus wichtig.

Ein interessanter Kompromiss: Losverfahren plus repräsentative Wahlen

Der Journalist David van Reybrouck macht seinen Erneuerungsvorschlag zur Demokratie auf der nationalen Ebene nach Sichtung verschiedener historischer und zeitgenössischer Losverfahren als Alternativen zur repräsentativen Wahl. Deren Fehlergebnisse führt er vor allem auf die Bestechlichkeit von Politiker*innen, die der Wahlprozess immer eröffne, auf Wahlkämpfe, die das Gemeinwohl torpedierten, auf den Mangel an Repräsentativität der Wahlergebnisse und insgesamt auf die Abkehr von einer seriösen deliberativen Erörterung anstehender politischer Entscheidungen unter dem Aspekt des Gemeinwohls zurück. Dieser letzte Kritikpunkt ist der wichtigste. Denn sein Demokratieverständnis zielt im Wesentlichen auf die politische Gleichheit aller Bürger. Deshalb stellt er das Losverfahren mit Deliberation, die auf das Gemeinwohl zielt, auf der einen Seite den repräsentativen Wahlen als Legitimierung von Partikularinteressen auf der anderen Seite gegenüber. Deshalb hat er auch Vorbehalte gegenüber plebiszitären Demokratieformen, die zwar wie Versammlungen auf der Basis von Losverfahren direkte Entscheidungen der Bürger*innen ermöglichen. Aber bei ihnen kommt die Beratung zu kurz, sie sprechen eher das „Bauchgefühl" an.[11]

Nach dem Vergleich verschiedener praktischer Anwendungen des Losverfahrens schlägt er schließlich eine Verbindung von repräsentativer Wahl und Losverfahren vor, wenn auch zunächst mit der pragmatischen Absicht, die Bürger*innen überhaupt erst einmal an das Losverfahren zu gewöhnen. Mit dessen vorsichtiger Einführung in die repräsentative Demokratie liegt er auf derselben Linie wie der Politikwissenschaftler Hubertus Buchstein, der schon vor vielen Jahren nach möglichst wirksamen Kombinationen zwischen beiden Vorgehensweisen gesucht hat.[12] Buchstein plädiert neben dem gewählten Europaparlament für eine durch Losverfahren zustande gekommene weitere Kammer. Der französische Politikwissenschaftler Yves Sintomer denkt an eine Ergänzung von *Assemblée Nationale* und *Sénat* durch eine dritte Kammer, die mittels Losverfahren konstituiert ist.[13] Wichtig ist beiden der mit Gründen argumentierende Austausch über gemeinwohlorientierte Lösungen. Dass er zu kurz kommt, hat strukturelle Gründe, folgt aber auch aus der Versuchung der Medien, sensationellen Zuspitzungen den Vorzug zu geben gegenüber inhaltlicher Berichterstattung und sachlichen („langweiligen") Erwägungen; das hat gravierende Rückwirkungen auf die parlamentarische Auseinandersetzung.

Bei allen Kombinationen stellt sich die Frage, wie das Ergebnis einer Versammlung von Personen, die sich gut informiert über eine Frage beraten, zu einer Entscheidung werden kann, die die ganze Gesellschaft bindet. Denn ein wie auch immer zustande gekommener Teil der gesamten Gesellschaft kann nicht einfach legitimiert sein, für alle zu sprechen. Infolgedessen wird diese Legitimation entweder durch gewählte Abgeordnete bzw. durch eine gewählte Regierung hergestellt oder durch ein letztliches Plebiszit. In Irland wurden alle drei Verfahren angewandt, es wurde gleichsam mehr als doppelt genäht. Aber der Vorrang vernünftiger Argumentation im vorangegangenen Verfahren hat diese Legitimation ermöglicht und erhöht.

So kann denn auch aus der Frage nach der Legitimation politischer Entscheidungen gefolgert werden, dass prinzipiell, nicht nur aus pragmatischen Gründen, beide Verfahren − Wahl *und* Losverfahren bzw. gesamtgesellschaftliche Interessenvertretung *und* Deliberation − gebraucht werden. Denn demokratische politische Entscheidungen müssen eben immer beides einbeziehen: konkrete empirische Interessen, um die es in einzelnen Entscheidungen ja auch geht, und Begründungen aus Gemeinwohlerwägungen, also z. B. der Nachhaltigkeit, die über die vielfältigen Partikularinteressen und Einzelperspektiven hinausgehen. Legitimation braucht beides: Vertretung der empirischen Interessen und Deliberation, die sich am Gemeinwohl orientiert. Letztere ist in den letzten Jahren deutlich zu kurz gekommen. Deshalb sind die neu diskutierten Losverfahren durchaus hilfreich.

Es gibt in der Politik keine perfekten Lösungen, sondern immer nur möglichst klug austarierte vorläufige Vereinbarungen, die − beruhend auf der praktischen Erfahrung vieler Bürger*innen − haltbare, also nachhaltige Antworten auf die immer erneut aufbrechenden praktischen Fragen geben.

KAPITEL 7

Globale Nachhaltigkeit durch gemeinsame kommunale Entwicklung

Chancen von Beiräten für nachhaltige Politik

Der Wissenschaftliche Dienst des Deutschen Bundestages hat 2018 eine Zusammenstellung verschiedener bereits praktizierter Verfahren erweiterter Bürgerbeteiligung an politischen Entscheidungen, Gesetzesvorhaben oder Bürgerhaushalten veröffentlicht. Darin befinden sich auch Auswertungen von Vor- und Nachteilen der unterschiedlichen Modelle. Keines der beschriebenen Verfahren sieht eine deliberative Multi-Stakeholder-Beratung zwischen Politik, Unternehmenssektor und organisierter Zivilgesellschaft vor, wie ich sie in Kapitel 5 für die transnationale *Good Governance* vorgeschlagenen habe. Die Adressat*innen der bundesdeutschen Reformvorschläge sind jeweils einzelne Bürger*innen oder die Zivilgesellschaft. Traditionelle parlamentarische Anhörungen von Verbänden bleiben aktuell. Die Frage nach der politischen Gestaltung des globalen Kapitalismus durch eine weiterentwickelte demokratische Politik wird nicht gestellt. Politik und Wirtschaft bleiben unter dem Aspekt der Demokratie voneinander getrennt.

Generell gibt es im Grundgesetz der Bundesrepublik Deutschland keine Vorbehalte gegen die Einführung von Verfahren, die lediglich beratende Wirkung haben. Sie beeinträchtigen das Prinzip der repräsentativen Demokratie nicht. Insofern ist der folgende Vorschlag in Deutschland verfassungsrechtlich unbedenklich. In Bezug auf europäische und globale Kommunen und Städte steht zu vermuten, dass beratende Kommissionen generell als verfassungsrechtlich legitim „durchgehen".

Darin könnte man ihren Nachteil sehen, weil reine Beratung gegen eine klare Wirksamkeit sprechen könnte. Das muss allerdings dann nicht der Fall sein, wenn die Beratung prozedural zu einem Ergebnis führt, das im Allgemeinen oder doch in einem breit unterstützten Interesse liegt. Wenn viele Perspektiven in das Ergebnis eingehen, könnte das eintreten. Eben diese Affinität von Perspektivenvielfalt zu einer am Gemeinwohl orientierten Entscheidung liegt als Logik dem Multi-Stakeholder-Vorschlag der transnationalen *Good Governance* zugrunde.

Ich habe in Kapitel 4 für Nachhaltigkeit als normative Orientierungsgrundlage einer Weiterentwicklung transnationaler demokratischer *Governance* argumentiert. Sie erlaubt eine aktualisierte, empirisch durchdeklinierte Formulierung von „Gemeinwohl". Wenn Energieunternehmen, Greenpeace und Politik sich über eine Klimaregelung einigen können, spricht viel dafür, dass sie nachhaltig ist.

Die 17 Nachhaltigkeitsziele, die 2015 von den Vereinten Nationen beschlossen worden sind und bis 2030 verwirklicht werden sollen, umfassen nicht nur den ganzen Erdball, sondern zugleich alle Dimensionen unseres Zusammenlebens. Sie dokumentieren auch in diesem Sinne eine Perspektivenvielfalt. Darüber, wie, mit welchen Verfahren oder Institutionen sie verwirklicht werden sollen, sagen die Ziele allerdings wenig. In Ziel 16 werden vor allem starke Institutionen und ein stabiles Rechtssystem gefordert, in Ziel 17 ist die Rede von Partnerschaften als Maßgabe für das Verhältnis zwischen den Akteuren. Aber genauere Anweisungen gibt es nicht. Sie würden wohl auch für eine globale Entwicklungsstrategie schwer akzeptabel sein.

Für die Frage nach der Weiterentwicklung demokratischer Politik in der repräsentativen Demokratie ist aber schon das Partnerschaftsprinzip der Nachhaltigkeitsziele – Zusammenarbeit von Verschiedenen auf Augenhöhe – bedeutsam. Als Partner genannt werden Politik, Unternehmen und Zivilgesellschaft. Das entspricht unserer für die transnationale demokratische Politik in Kapitel 5 entwickelten Trias von Politik, organisierter Zivilgesellschaft und Unternehmen zur Gestaltung des globalen Kapitalismus und der „antagonistischen Kooperation" zwischen ihnen; wegen des eingebauten Konflikts (traditionell ein Treiber von Fortschritt) verweist sie auch auf einen Entwicklungsprozess.

Es handelt sich bei der Verwirklichung der Nachhaltigkeitsziele eben nicht um eine neue, endgültig anzustrebende, dann immer gleichbleibende Weltordnung, sondern um einen Entwicklungs*prozess*, der prinzipiell unabgeschlossen bleibt. Dasselbe gilt für die Gestaltung des globalen Kapitalismus. Überdies ergibt der Prozess sich nicht automatisch aus einer institutionellen Ordnung, sondern ist auf Akteure angewiesen, die ihn ständig mit Engagement und politischer Urteilskraft antreiben. Sonst müssten nicht ausdrücklich und differenziert Ziele beschrieben werden. Ein unpersönlicher, gar notwendiger Entwicklungsprozess setzt sich keine Ziele, sondern läuft einfach ab. Auch von Partnerschaft zu sprechen, ergäbe keinen Sinn, wenn nicht Akteure im Blick wären, die die Ziele umsetzen sollen. Dennoch sind die *Governance* bzw. die Politik sowie ihre Akteure, Institutionen und Verfahren in den Nachhaltigkeitszielen selbst nicht Gegenstand ausführlicher Beschreibung oder Analyse, obwohl dies für die Praxis erforderlich ist. Man wollte wohl auf jeden Fall vermeiden, global politische Vorschriften zu machen.

Stattdessen haben die Vereinten Nationen und andere Organisationen sich intensiv bemüht, Kriterien zu formulieren, an denen der Fortschritt bei der Zielerfüllung gemessen werden kann. Der soll dann z. B. durch internationales Monitoring kontinuierlich kontrolliert und auch durch die Veröffentlichung der Kontrollergebnisse vorangebracht werden – durch Ermutigung der Tüchtigen und durch „Beschämung" der zu Langsamen. Das hat allerdings den Eindruck erweckt, als wäre die Umsetzung der Nachhaltigkeitsziele die Aufgabe einer technokratisch effektiven Verwaltung, nicht von Politik als einer prinzipiell offenen, konfliktreichen Tätigkeit, in der die verschiedenen Akteure immer erneut Entscheidungen aushandeln und treffen müssen über Fragen, die umstritten sind und zugleich einer verbindlichen Antwort bedürfen. Würden aber technisch effektive Verwaltungen ausreichen, so setzte dies voraus, dass es zwischen den Nachhaltigkeitszielen bei ihrer Umsetzung ohne Konflikte abgehen könnte. Ausführliche Umsetzungsagenden und -berichte haben diesen Eindruck verstärkt, zumal die Ziele als „besonderer" Bereich oft nicht auf die „nebenherlaufende" praktische Politik von Parlamenten oder Regierungen der einzelnen Nationalstaaten angewendet worden sind. Die Flüchtlings- und Migrationspolitik Deutschlands und der EU stellt z. B. keinen Zusammenhang mit den Nachhaltigkeitszielen her, steht ihnen vielmehr entgegen. Aber das wird nicht thematisiert. Die beiden Themen bleiben in der öffentlichen Diskussion voneinander getrennt.

Wie nachhaltige Politik gelingen kann

Wenn man nun nach der politischen Umsetzung der Ziele fragt, liegt es nahe, die globalen Nachhaltigkeitsziele in ihren internen Zusammenhängen und Wechselwirkungen als ein großes System auszubuchstabieren und dann umfassend, d. h. de facto zentral angeordnet bzw. *top-down*, umzusetzen. Schon wenn man diese Logik ausspricht, merkt man, wie unmöglich das ist. Acht Milliarden Menschen müssten daran teilnehmen, die konkreten Bedingungen und Anwendungserfordernisse sind in ihren jeweils ganz unterschiedlichen Wahrnehmungen unüberschaubar und letztlich unendlich; ganz zu schweigen von der Flexibilität, die erforderlich wäre, um dem unaufhörlichen Wandel der Wirklichkeit gerecht zu werden. Wir sind an Niklas Luhmann (vgl. Kapitel 1) erinnert, der den unaufhörlichen Wandel von Gesellschaften und politischen Konstellationen als Argument dafür angeführt hat, dass Politik in der Gegenwart überhaupt unmöglich geworden sei.

Wenn man nicht aufgeben will, muss man Wege finden, die umfassende globale Koordination mit Flexibilität und dezentraler politischer Praxis zu verbinden; aber nicht so, dass die „Untereinheiten" Befehle der „Zentrale" einfach ausführen. Vielmehr müssen die Menschen vor Ort die einzelnen politischen Schritte, die die umfassende Orientierung der Nachhaltigkeit erfordert, vorschlagen und gehen, damit die immer erneut notwendige Koordination der verschiedenen dezentralen Einzelziele, Akteure und Prozesse auf ihr Interesse stößt und realisiert werden kann. Zugleich brauchen die dezentralen Akteure global integrierende Anhaltspunkte, nach denen sie sich richten können, um sich nicht gegenseitig zu behindern, sondern zu ergänzen und damit die globale Wirkung zu verstärken.

Deshalb erfordert eine globale Nachhaltigkeitspolitik, zumal sie alle Dimensionen unseres Zusammenlebens und nicht nur z. B. wirtschaftliche oder technologische Kooperationen betrifft, eine unaufhörliche Kommunikation zwischen den verschiedenen individuellen und kollektiven Akteuren. Hier ist die „Mehrsprachigkeit" gefordert, die Fritz W. Scharpf Niklas Luhmann entgegengehalten hat. Sie kann nur effektiv wirken, wenn die Teilnehmer*innen um Verständigung bemüht und in der Lage sind, trotz aller Unterschiede der Interessen, der kulturellen Gewohnheiten, der Wahrnehmungen oder der konkreten Herausforderungen das Gemeinsame, z. B. die gemeinsame Ziel- oder Wertebasis für die Gestaltung des Genderverhältnisses, zu suchen und zu finden, von der aus sie ihr Handeln koordinieren können.

Ein praktikabler und zielführender Weg dafür ist die multiperspektivische „antagonistische Kooperation" zwischen Politik, der organisierten Zivilgesellschaft und Unternehmen, die ich in Kapitel 5 beschrieben habe. Sie zielt darauf, trotz aller Konflikte deliberativ verallgemeinerbare Interessen oder Werte zu finden – wie sie ja in den Nachhaltigkeitszielen schon konkret ausdifferenziert, aber nicht theoretisch systematisiert worden sind. Für ihre praktische Anwendung ist es aber hilfreich, das Gemeinsame in den unterschiedlichen Zielen sowie Handlungs- und Erfolgslogiken den zahlreichen Akteuren bewusst zu machen und die Nachhaltigkeitsziele mit Blick auf eine längerfristige Strategie zu systematisieren, um sie besser umsetzen zu können.

Dieses Ansinnen ist keineswegs hoffnungslos, weil überall auf der Welt Initiativen entstanden sind, die darauf hinarbeiten. Dabei tun sich besonders aktiv und konstruktiv Städte und Gemeinden hervor. Sie sind offenkundig erfolgreicher als nationale Regierungen darin, kooperative Umsetzungen der Nachhaltigkeitsziele zustande zu bringen. Das liegt z. T. an den Gründen, die schon die transnationale demokratische *Governance* erforderlich gemacht haben, wie sie in Kapitel 4 zur Sprache gebracht worden sind. Die Quellen der Macht kommen, gerade in demokratischen Nationalstaaten, aus den nationalen Wahlen. Interessen oder Herausforderungen zu berücksichtigen, die außerhalb dessen liegen, steht dem Machterwerb oder -erhalt nationaler Regierungen oft entgegen. Deshalb bleiben sie außen vor.

Möglicherweise speist sich überdies die Identifikation der Menschen mit den Nationalstaaten weniger aus konkreten verhandelbaren Interessen, sondern mehr aus ideellen oder ideologischen Motiven und Identifikationen. Unabhängig davon, was der deutsche Staat konkret tut, bietet er mir die Möglichkeit, meinen Ort in der Welt zu definieren und sich mit ihm zu identifizieren. Das hat dann oft eine große Bedeutung für mein Selbstwertgefühl (wir kennen das aus der Nationalismusforschung), das kaum bereit ist, Kompromisse einzugehen, sondern ständig danach strebt, sich auf Kosten anderer zu stärken. Anders ist das in Städten und Gemeinden. Hier liegen die Herausforderungen viel konkreter auf der Hand, man kann Fortschritte oder Stillstand ebenso wie die materiellen oder auch ideellen Vorteile, die aus der Kooperation herrühren, genauer und schneller erkennen. Wenn der Kindergarten, den wir gemeinsam planen und bauen, gut für mein Kind sorgt, ist das ein Vorteil. Zugleich erfährt man den psychisch-emotionalen Gewinn von Kooperation eher, der oft zu einer Verbindung zwischen den Bürger*innen, zu einer gegenseitigen Wertschätzung und zur Identifikation mit dem Gemeinwesen führt. Politik wird hier nicht – wie ganz überwiegend zwischen Nationalstaaten – als Nullsummenspiel erlebt, sondern häufig als Win-win-Situation, als materielle und psychische Bereicherung. Daraus entsteht ein tragfähiges Gefühl der Zusammengehörigkeit, ja der Heimat. Das ist in einer Welt unaufhörlichen Wandels, der auch in der Zusammensetzung der Gesellschaft oder des eigenen Freundeskreises spürbar ist, kostbar. Man könnte sagen, Heimat ist dort, wo ich meinen Lebensalltag mitbestimmen kann, Freunde habe und mich wohl und zugehörig fühle. Das muss nicht unbedingt mein Geburtsort sein.

Überdies findet man in den oft ähnlichen Herausforderungen der unterschiedlichen Städte überall auf der Welt trotz vieler kultureller und historischer Unterschiede leichter eine gemeinsame Basis der Verständigung. Deshalb eignen sich Städte und Kommunen ganz besonders dafür, demokratische Politik zugunsten von mehr Bürgerteilhabe weiterzuentwickeln.

Entwicklungsbeiräte als Quadratur des Kreises

Allerdings erscheint es für die Stärkung der Bürgerteilhabe hilfreich, ja nötig, die bisherigen politischen Entscheidungsprozesse in Gemeinden und Städten weiterzuentwickeln und auszubauen, um eine nachhaltige „antagonistische Kooperation" zwischen den Stakeholdern Politik, organisierter Zivilgesellschaft und Unternehmen zustande zu bringen und zu etablieren. Dazu können vor allem Entwicklungsbeiräte beitragen, die von den repräsentativ gewählten Autoritäten der Städte und Gemeinden einberufen werden sollten, um ihre langfristige Entwicklung im Sinne der Nachhaltigkeitsziele gemeinsam vorzubereiten. Ziel ist die Weiterentwicklung demokratischer Politik durch beratende Teilhabe.

Sie ist für die Stärkung von Demokratie und für ihre qualitative Verbesserung viel fruchtbarer und lehrreicher als Vetorechte oder zuspitzende Plebiszite. Gemeinsam etwas abzulehnen, ist immer leichter, als gemeinsam etwas Konstruktives auf die Beine zu stellen, zumal wenn sich unterschiedliche Interessen dabei im Wege stehen. Und einmalige Plebiszite verschaffen zwar in der Vorbereitung, wenn es gut geht, viele Informationen, wenn es schlechter geht, viel Wirbel und viele Animositäten. Sie sorgen deshalb nicht für den gemeinsamen Boden konstruktiver Politik und für gemeinwohlorientierte Lösungen; im Gegenteil, sie polarisieren meistens, denn sie leben von der Zuspitzung und machen gemeinsame Politik danach viel schwerer. Die Brexit-Abstimmung ist auch dafür ein anschauliches Beispiel.

Anders ist es bei der gemeinsam-partizipativen kommunalen Entwicklung. Sie führt von Anfang an zusammen, weil ihr Ziel nicht die Durchsetzung eines bestimmten Interesses, sondern eine möglichst gute gemeinsame Zukunft ist – im Idealfall für alle. Wenn die Einigung der Bürger*innen auf gemeinsame Projekte, die zueinander passen müssen, durch finanzielle Anreize unterstützt wird – umso besser! In der Entstehung der nationalstaatlichen Demokratie wurde das Budgetrecht der Parlamente historisch der Obrigkeit abgetrotzt, aber die Gelder nicht immer für gemeinsame Zukunftsprojekte der Repräsentanten oder der Repräsentierten verwendet, die diese als gemeinsame Lebenswelt direkt hätten erfahren können.

Hier stritten verschiedene Interessengruppen miteinander, und bis heute wirkt das eher wie ein Nullsummenspiel als wie eine Win-win-Situation. Natürlich gibt es auch auf der kommunalen Ebene Zwänge, sich für oder gegen ein Projekt zu entscheiden. Nullsummenspiele sind nicht prinzipiell zu vermeiden. Aber angesichts der Nähe in der gemeinsamen Lebenswelt und angesichts der erkennbaren existenziellen globalen Herausforderungen ist die Chance, zu gemeinsamen Lösungen zu kommen, größer. In der Politik kommt es eben auch immer auf den Willen an, sich zu einigen.

Auf kommunaler Ebene werden gerade die Unternehmen direkt mit den Interessen, Bedürfnissen und Ansprüchen der Mitbürger*innen konfrontiert und können sich deshalb viel schwerer in ihre einzelwirtschaftliche Logik der Profit*maximierung* auch auf Kosten anderer (z. B. durch Zersiedelung des Landes oder durch die Entleerung der Innenstädte) zurückziehen. Umgekehrt können in einer solchen durchaus konfliktreichen Kooperation alle Beteiligten leichter Win-win-Situationen entdecken. Damit kommt anstelle der Profit*maximierung* die vor Jahrzehnten normativ weitaus anerkanntere Profit*optimierung* wieder in den Blick, bei der eben auch außerbetriebliche Interessen in einem überdies längeren Zeithorizont einbezogen werden. Allerdings muss solche gemeinsame Entwicklung gut vorbereitet und moderiert werden.

Die durch Wahlen legitimierte kommunale Politik und Verwaltung, insbesondere die Bürgermeister*innen, sollten ihre organisierte Zivilgesellschaft, ihre Bürger*innen und ihre Unternehmen einladen, mit ihnen zusammen über ihre zukünftige Entwicklung zu beraten. Solche Beiräte hätten in der repräsentativen Demokratie nur beratenden Charakter. Aber sie wären wirksam, weil alle − einerseits gewählte und andererseits freiwillig teilhabende, nur beratende Bürger*innen − *gemeinsam* berieten. Und wenn sie eine Lösung finden, warum sollten Bürgermeister*innen, Stadtverordnete und Verwaltung nicht umsetzen, was eine breite Unterstützung findet?

Solche Beratungen können mit einem Teilaspekt beginnen, z. B. mit verkehrsberuhigten Straßen, Infrastrukturprojekten, Bildung vor Ort, der Entwicklung der Bevölkerung, der Rekonstruktion eines bedeutenden Hauses oder dem Bedarf an Arbeitskräften. Geschieht dies unter dem Gesichtspunkt der Nachhaltigkeit, dann kommen zwangsläufig weitere Aspekte über den ersten Teilbereich hinaus in den Blick.

Was in einem solchen gemeinsamen Lernprozess erarbeitet worden ist, hilft den politisch repräsentativen Autoritäten, die Entwicklung ohne große Konflikte und deshalb auch viel effektiver zu gestalten und die Projekte schneller umzusetzen. Man käme mit weniger Einsprüchen und juristischen Verfahren aus. Es entstünde Vertrauen, und Vertrauen reduziert Komplexität, wie Luhmann ausführlich dargelegt hat.[1] Auch deshalb würden sich die Gewählten vermutlich an das Ergebnis des Entwicklungsbeirats halten. Zugleich behielten sie als gewählte Repräsentant*innen das letzte Wort bei den Entscheidungen.

Eine solche Organisation kommunaler Politik wäre eine gelungene „Quadratur des Kreises" in der Verbindung von repräsentativer und direkter Demokratie. Und es würden sich sehr viel mehr Bürger*innen aktiv einbringen können als bei einmaligen Versammlungen oder Plebisziten. Der deliberative Austausch von Gründen würde zum täglichen Geschäft und damit zu einer Gewohnheit, zu einer eingeübten demokratisch-politischen Haltung.

Damit diese Fortentwicklung der repräsentativ-demokratischen Politik gelingt, muss sie gut vorbereitet und organisiert werden. Die einladende Administration muss also in den Städten sowohl personell als auch finanziell umsichtig für die Organisation der Beiräte sorgen. Das erfordert Finanzmittel und kompetentes Personal. Deshalb schrecken viele Kommunen davor zurück. Sie sind dafür nicht hinreichend ausgestattet.

Aber eine demokratische Weiterentwicklung ist nicht umsonst zu haben. Wir müssten sie uns durch die Finanzierung von personeller Dienstleistung etwas kosten lassen. Demokratische Vereinbarung und sozialer Frieden kosten Geld, schon jetzt. Auch Regierung und Parlament unserer repräsentativen Demokratien sind nicht gratis. Aber das ist gut angelegtes Geld, weil damit ein friedliches, rechtlich transparent geregeltes und produktives Zusammenleben ermöglicht und der soziale Zusammenhalt durch die Identifikation mit der gemeinsamen Entwicklung gestärkt werden. Die Zeiten, in denen man kurzsichtig staatliche und politische Infrastruktur geringgeschätzt hat, sollten vorbei sein. Das hat uns nicht zuletzt die Corona-Krise gelehrt.

Im Einzelnen braucht es eine kompetente Organisation dieser Beiräte, auch zur Vorbereitung ihrer Sitzungen, ebenso wie deren kluge Moderation und Durchführung. Sie sollte vom Bürgermeisteramt ausgehen, aber nicht von ihm selbst übernommen werden und eine Bestandsaufnahme der möglichen Teilnehmer*innen ebenso wie der Thematiken umfassen. Auch die Organisation von Informationen und Fachkompetenz ist wichtig. Die Konkretisierung hängt von den jeweiligen lokalen Herausforderungen und Chancen ab. Bei der Zulassung zur Teilnahme sollte nicht restriktiv verfahren werden, weil es sich um ein Beratungsgremium handelt. Wer mitmachen möchte, sollte das können. Funktional ist wahrscheinlich eine Zahl von ca. dreißig bis sechzig Personen angeraten. Für eine begrenzte Zeit (z. B. zwei Jahre) ist eine Verbindlichkeit anzuvisieren, damit die Teilhabe ernst genommen wird. Die Sitzungen sollten wenigstens vier Mal im Jahr stattfinden, um eine spürbare Kontinuität zu sichern und Ergebnisse zu erzielen. Wenn möglich, sollte wissenschaftliche Unterstützung zurate gezogen werden, ebenso wie überhaupt Information und Fachkompetenz z. B. für die Planung. Das liegt auch im Interesse einer praxisnahen modernen Wissenschaft. Im Fall der irischen Versammlung über die Homo-Ehe hat sich das als äußerst wichtig und hilfreich erwiesen.

Solche kommunalen Beiräte für nachhaltige Entwicklung stehen nicht im Widerspruch zu den oben beschriebenen Bürgerversammlungen, die durch Losverfahren zustande kommen. Aber die Logik ihrer Perspektivenvielfalt folgt nicht der Logik des „Minipopulus" mit all seinen Schwierigkeiten, Repräsentativität zu sichern. Vielmehr geht es um drei unterschiedliche prinzipielle Zugänge zur Definition von Nachhaltigkeit bzw. Gemeinwohl: Bewährung am Markt, zivilgesellschaftliches Engagement und politische Integration. *Das Ganze in einem Austausch begründender Argumentation.* Allerdings spricht einiges dafür, in diese Beiräte zusätzlich per Losverfahren solche Mitglieder mit aufzunehmen, die nicht zu den „üblichen Verdächtigen" des politischen Aktivismus gehören. Es geht ja auch um die aktive Einladung von mehr Bürger*innen zur politischen Mitbestimmung.

Die vorgeschlagenen Beiräte müssen also gut organisiert und finanziert werden, aber sie sind viel weniger aufwendig als die Bürgerversammlungen in den vorangegangenen Beispielen. Sie sind zudem niederschwellig und können flächendeckend eingerichtet werden. Kompetenz sammelt sich in den Kommunen nachhaltig an und wird durch ständige politische Praxis verstärkt. Damit bekommen nicht nur einige Ausgewählte die Chance zur Teilhabe und zu reicherer politischer Erfahrung, sondern die Gesellschaft in ihrer Breite. Für die Ermöglichung von Projekten muss bedacht werden, dass Anträge zu deren Finanzierung, z. B. bei der EU oder auch bei anderen Gebern, oft abschreckend kompliziert sind. Sie müssen dringend vereinfacht werden. Um den Umgang mit Steuergeldern verantwortlich zu gestalten, sollte eine vereinfachte Beantragung und Abrechnung mit „Integritätspakten" zur Vermeidung von Korruption verbunden werden, wie „Transparency International" sie seit Jahren theoretisch und praktisch vorbereitet hat.

Aber sind Städte und Kommunen nicht zu begrenzt, um die Dimension globaler Nachhaltigkeit abzudecken? Hier kommen die überall auf der Welt zunehmenden Städtebünde ins Spiel.

KAPITEL 8

Kommunen und Städte als Motor globaler demokratischer Politik

Horte demokratischer politischer Kultur

Städte und Kommunen scheinen für sich genommen als kleinste lokale Einheiten im Vergleich zu Nationalstaaten oder Staatenbünden nicht in der Lage zu sein, flächendeckende Lösungen für globale Herausforderungen zu bieten. Aber das täuscht. Denn sie können zum einen Anstöße und Beispiele für eine gute Praxis geben und damit neue transnationale Dynamiken auslösen. Vor allem aber können sie durch Koordination untereinander zusammenwirken und dadurch über globale Räume hinweg politisch gestalten.

Städtebünde hat es seit Athen und Sparta in der Antike, seit den oberitalienischen Städten in der Frühen Neuzeit und etwas später im Bereich der Hanse gegeben. Sie haben in verschiedener Gestalt und auf verschiedenen Gebieten gemeinsame Politik betrieben, ohne in einem Territorium oder in einer gemeinsamen Verfassung verbunden gewesen zu sein. Die Periode des Nationalstaats hat uns den Blick dafür verstellt, dass gemeinsames Handeln nicht nur im oder durch den Nationalstaat möglich ist.

1913 wurde am Rand der Weltausstellung in Gent die „Union Internationale des Villes" (UIV) gegründet. Sie hatte von vornherein internationale Ambitionen und wollte u. a. im Völkerbund neben den Nationalstaaten für eine pragmatische internationale Kooperation sorgen. Schon damals propagierten die Städte Frieden und Kooperation viel engagierter und erfolgreicher als die Nationalstaaten. Der Völkerbund ist als Bund von Nationalstaaten in Sachen Frieden bekanntlich gescheitert.

Die Nationalstaaten haben sich allerdings immer gegen die „Newcomer" in den internationalen Beziehungen gewehrt. Machtpolitisch war das verständlich, dem Frieden hat dieser Widerstand nicht gedient. Dem hätten Kooperationen und Netzwerke zwischen den Städten besser getan.

Nach der Katastrophe von Nationalsozialismus und Zweitem Weltkrieg sowie vor allem nach dem Ende des Kalten Krieges 1989 haben sich Städtekooperationen wieder vervielfacht, und nun globaler. Heute sind sie die Hoffnungsträger für das Erreichen der globalen Nachhaltigkeitsziele, ob beim Klima, bei der sozialen wie der militärischen Sicherheit, der Energieeinsparung, bei Innovationen in der Mobilität, im Wohnungsbau oder bei der friedlichen Regelung von Migration.[1] Darüber hinaus bieten sie durch mehr Bürgerpartizipation vor Ort eine Stärkung nicht nur lokaler demokratischer Politik, sondern zugleich neue Chancen bei der demokratisch-politischen Gestaltung des globalen Kapitalismus. Durch die lokale Gestaltung, in der sich Nachhaltigkeit immer konkretisieren muss, erlangen sie eine zentrale Bedeutung für die Wirksamkeit auch global nachhaltiger Politik. Die Methode der „antagonistischen Kooperation", die global erforderlich und chancenreich ist, kann auf lokaler Ebene vorzüglich eingeübt, trainiert, fruchtbar und zum politischen Habitus gemacht werden, der durch die Praxis die erforderliche politische Kultur herausbildet, ohne die demokratische Politik nirgends gelingen kann.

Demokratische Politik ist nämlich, gerade weil es bei ihr immer um die Lösung von Konflikten geht, zugleich auf gemeinsame Prinzipien und eine Kultur des kultivierten Streites, der Verständigung, des Konsenses und der Lösungsorientierung angewiesen. Dazu gehören selbstbewusste Bürger*innen, die sich nicht machtlos fühlen und Demagogen hinterherlaufen. Kompetenzgefühl wird für demokratische Teilhabe gebraucht und zugleich durch sie gestärkt. Der Akku für politische Teilhabe füllt sich während der konkreten Praxis immer neu auf. Der Harvard-Professor Robert Putnam hat den Akku „Sozialkapital" genannt und hinzugefügt, dass dies das einzige Kapital sei, das sich durch die ständige Nutzung (nicht die anderweitige Investition) vermehrt.[2]

Zur demokratischen Teilhabe gehören weiter Kooperationsfähigkeit, Kreativität, Fantasie (ganz wichtig!) und Gerechtigkeitssinn, also zentral die Fähigkeit und Bereitschaft, sich an die Stelle der anderen zu setzen. Das fällt viel leichter, wenn man die anderen persönlich kennt und nicht nur Geschichten über sie vernimmt. Unverzichtbar ist auch die Gewohnheit, die eigenen wohlverstandenen, d. h. auch langfristigen, Interessen zu erkennen und danach zu handeln. Alles, was Hannah Arendt ausführlich philosophisch und kulturell über Politik ganz allgemein begründet hat (vgl. Kapitel 1), findet in Städten und

Gemeinden am leichtesten seine anschauliche Anwendung. Sie hat ihr Politikverständnis ja am Beispiel des Stadtstaats Athen entfaltet – wenn auch mit Blick auf ihre Gegenwart.

Diese politische Kultur muss zur Erfüllung der Nachhaltigkeitsziele nicht nur von einzelnen Bürger*innen praktiziert werden, sondern auch von den beiden anderen Partnern der „antagonistischen Kooperation": der organisierten Zivilgesellschaft und den Unternehmen. Sie müssen auf allen Ebenen, eben von Anfang an auch auf der lokalen, die Verantwortung zu tragen lernen, die ihnen für die globale Gestaltung des Kapitalismus und für die Erfüllung der Nachhaltigkeitsziele zufällt. Demokratische Politik ist ein unaufhörlicher Lernprozess für alle Beteiligten. Niemand ist mehr mächtig genug, allein und ohne Lernen in Frieden zu leben – um an Karl W. Deutschs Definition von „Macht" zu erinnern.

In Zusammenschlüssen überwinden Städte und Kommunen lokale Beschränkungen

Praktisch haben Städte und Kommunen und vor allem deren Netzwerke bereits gezeigt, dass sie entscheidende Beiträge zur Verwirklichung der Nachhaltigkeitsziele geleistet haben und noch leisten. Sie haben Leitbilder entwickelt – z. B. die „nachhaltige Stadt" oder die „sichere Stadt" – und helfen sich gegenseitig bei der Auswertung ihrer Erfahrungen. Interessanterweise hat sich dabei die Norm der *best practices* – bei denen es im neoliberalen Geist immer nur um die „besten" geht – als problematisch erwiesen, weil sie unterschiedliche Bedingungen, unter denen Kommunen arbeiten müssen, gleichsetzt oder ausblendet. Dadurch entsteht eine Nivellierung, die Innovationen verhindert zugunsten von unkreativer Nachahmung – das ist überhaupt ein unbedachtes Ergebnis der Manie des Wettbewerbsdenkens der letzten vierzig Jahre.

Die globale Bedeutung von Städten ist schon seit den neunziger Jahren des vorigen Jahrhunderts von der Soziologin und Politikwissenschaftlerin Saskia Sassen[3] und vom Politikwissenschaftler Benjamin R.

Barber[4] öffentlich betont worden. Sie haben zunächst eher die großen globalen Städte thematisiert. Diese Bedeutung tritt immer mehr ins Bewusstsein und hat auch in der juristischen Diskussion ihren Niederschlag gefunden. Denn politische Initiativen neigen zur Verstetigung ihrer Wirksamkeit, indem sie auch juristisch abgesichert werden. So ist eine lebhafte Diskussion über transnationale Rechte von Städten entstanden.

Globale Herausforderungen legen theoretisch zentralisierte Strategien nahe, die aber, wie gesagt, praktisch nicht realistisch sind. Am Beispiel des Klimaschutzes kann kurz gezeigt werden, wie sich inzwischen Städte global vernetzen, um mehr Dynamik in die globale Politik zugunsten von Nachhaltigkeit zu bringen. Hier verbindet sich also Globales mit Lokalem, wo ja auch Hand angelegt werden muss, wenn man bedenkt, dass 2050 ca. 75 Prozent der Menschen in Städten und Kommunen leben werden und dort der entsprechende CO_2-Ausstoß zu bekämpfen sein wird.

So hat auch beim Klimaschutz schnell die Einsicht Raum gewonnen, dass er nicht durch *einen* Akt oder *einen* völkerrechtlichen Vertrag herbeigeführt werden kann, sondern ein Bündel von Maßnahmen braucht.[5] In diesem Sinne haben die Vereinten Nationen Anfang der 1990er-Jahre zunächst eine Rahmenkonvention für den Klimaschutz („The United Nations Framework Convention on Climate Change") geschaffen. Sie legt nicht einzelnen Staaten Pflichten auf, sondern errichtet ein Regime von Konferenzen für 195 Staaten als globale Vertragspartner, die Fortschritte im Klimaschutz miteinander vereinbaren und in Protokollen verbindlich festhalten wollen.[6]

Freilich hat sich in den letzten Jahren immer deutlicher gezeigt, wie schwer sich die Nationalstaaten mit solchen gemeinsamen Verpflichtungen tun. Das Ergebnis waren wiederholte Enttäuschungen nach medial hoch geschürten Erwartungen. Nach der Konferenz von Paris 2015, die einen Durchbruch zu bringen schien, geht es nun immer langsamer voran, was viel Resignation mit sich bringt. Die Klimakonferenz von Madrid im Jahr 2019 hat das wieder offenbart.

Deshalb verwundert es nicht, dass weitere Akteure gesucht und auch aktiv werden, um den Klimawandel erfolgreich zu bremsen oder zumindest zu lindern. Elinor Ostrom, die sich mit genossenschaftlichen und gemeinschaftlichen Organisationsformen befasst hat,[7] plädiert daher für eine polyzentrische Vorgehensweise,[8] bei der sich allerdings schnell die Frage nach den Koordinationsmöglichkeiten stellt. Auch das Intergovernmental Panel on Climate Change (IPCC), UN-Habitat sowie der Wissenschaftliche Beirat der Bundesregierung für Globale Umweltveränderungen (WBGU) plädieren für eine Koordinierung kommunaler Akteure, um mit der Dekarbonisierung der Welt voranzukommen. Es gibt einen „Konvent der Bürgermeister", der 6000 Städte und Gemeinden miteinander verbindet. Internationale Geber wie die Weltbank sind ebenfalls an solchen Zusammenschlüssen interessiert. Die „ICLEI – Local Governments for Sustainability" vereint tausend Städte und Kommunen unter dem Leitbild der Nachhaltigkeit und auch die Klimaschutzinitiative „C40 – Cities Climate Leadership Group" versteht sich als Schrittmacherin globaler Politik gegen den Klimawandel.[9]

Die Megastädte im globalen Süden, die schon jetzt für etwa 65 Prozent des BIP-Wachstums verantwortlich sind und in denen bis ca. 2050 vermutlich 75 Prozent der Weltbevölkerung leben werden,[10] brauchen dringend Institutionen und gangbare Wege für ihren sozialen Frieden unter den Bedingungen einer sehr vielfältigen Bevölkerung und großer sozialer Gegensätze. Sie brauchen sie für praktikable Infrastrukturen, für Sicherheit, sozialen Zusammenhalt, für Klimaschutz, insgesamt für ihre Nachhaltigkeit. Daher konzentrieren sich in Städten und Gemeinden wie unter einem Brennglas die gegenwärtigen und zukünftigen globalen Herausforderungen. Deshalb liegt es nahe, aus ihren Entwicklungen Anregungen aufzunehmen, auch für die Themen des sozialökologischen Wandels und der Migration, die besonders dringlich sind und die im Anschluss exemplarisch für die demokratischen Entwicklungsmöglichkeiten der Städte präsentiert werden sollen.

Die bisherigen Zusammenschlüsse von Städten sind zwar noch etwas unübersichtlich und nicht perfekt. Aber die Entwicklung zeigt, dass Städte und Kommunen mehr politischen Spielraum und Dynamik bieten, um initiativ zu werden und innovativ zu handeln, als Nationalstaaten. Sie haben mehr Chancen dafür, weil sie kleiner sind, weil in ihnen zwar natürlich viele Rivalitäten zwischen Personen, aber nicht so sehr zwischen den politischen Gemeinwesen als solchen und Ideologien – wie zwischen Nationalstaaten – bestehen, weil die Probleme unter den Nägeln brennen und der Bedarf an Lösungen im Alltag vielfach dringender zu spüren ist als auf der abgehobeneren nationalen Ebene. Auch kann man besser kontrollieren, was gelingt und was nicht. Es steigert schließlich auch die Motivation, wenn sich Erfolg zeigt. Und übrigens auch den sozialen Zusammenhalt.

In den folgenden drei Abschnitten möchte ich anhand der Beispiele Digitalisierung, sozialökologischer Wandel und Asyl- und Flüchtlingspolitik zeigen, wie Kommunen und Städte als Motoren gemeinsamer transnationaler Entwicklung wirken und durch beratende gemeinsame Multi-Stakeholder-Teilhabe von Politik, organisierter Zivilgesellschaft und Unternehmen innerhalb und zwischen den Kommunen zur globalen Nachhaltigkeit beitragen können.

Beispiel: Die demokratische Digitalisierung

Man geht ein Wagnis ein, wenn man versucht, Digitalisierung zu definieren und zu bestimmen, worin denn die lokalen und die globalen Herausforderungen dieser Entwicklung liegen. Dabei beginne ich mit Digitalisierung als Transformation analoger Informationen (Zeichen, Bilder, Töne) in digitale. Dies ist der fundamentale technologische Vorgang, der der Digitalisierung als umfassender technischer, sozialer, politischer und kultureller Entwicklung zugrunde liegt. Dadurch lassen sich Informationen praktisch grenzenlos sammeln – was im Analogen nicht möglich ist –, dauerhaft haltbar machen und miteinander so verbinden, dass damit eigenständige, nicht einzeln von Menschen gesteuerte Prozesse in Gang gesetzt werden können. Während Automatisierung sich auf immer gleiche Vorgänge richtete, bietet die Digitalisierung zusätzlich die Möglichkeit zu immer neuen Kombinationen von Informationen und Prozessen.

Der technische Vorgang der Digitalisierung hatte und hat immense Auswirkungen. Mit ihm eröffnen sich enorme Chancen und Herausforderungen für demokratische Politik. Denn der Vorgang erlaubt eine prinzipiell unendliche Sammlung und Integration von Informationen, die positiv gehandhabt, die aber auch missbraucht werden können. Die komplexen technischen Zusammenhänge dieses primären Vorgangs und die ebenso komplexen sozialen und politischen Folgerungen und Rückkopplungen sind für uns alle schwer überschaubar. Deshalb ist Wissen hier besonders offensichtlich Macht. Und die Wissensunterschiede sind eklatant. Vor allem zwischen den Generationen. Überdies unterliegt dieses Wissen − nicht nur die Informationen über faktische Entwicklungen, sondern auch deren Verknüpfungen und Beurteilungen − einem andauernden rasanten Wandel, so dass eine Kontrolle dieser Macht besonders schwierig, aber auch wichtig ist. Denn demokratische Politik verlangt Kontrolle.

Digitalisierung verbindet sich im Verständnis vieler darüber hinaus mit der Automatisierung der Produktion und − noch einen Schritt weiter − mit der Künstlichen Intelligenz. Diese potenziert die Automatisierung, indem sie automatisierte Schritte in eigenständige Entscheidungsprozesse integriert, die nicht mehr ohne Weiteres steuerbar sind. Viele halten diese eigenständigen Entscheidungsprozesse für besonders wertvoll, weil sie „neutral" ablaufen, ohne menschliches Dazutun. Sie überwinden in deren Augen Wertung und „Parteilichkeit".

Andere dagegen erkennen in ihnen versteckte normative Weichenstellungen, denen sich Menschen nicht einfach unterwerfen dürfen. Bei näherem Hinsehen werden sie schon von den Programmierer*innen in den Prozess der Künstlichen Intelligenz eingeführt, also von Menschen. Aber sie sind nicht immer klar erkennbar. Das ist für politische Entscheidungen, die ja immer Wertentscheidungen einschließen, besonders wichtig. Die verführerisch weitreichenden Anwendungen automatisierter Entscheidungen stellen dann eine erhebliche Gefahr oder zumindest Herausforderung dar − z. B. wenn Künstliche Intelligenz in den USA immer häufiger über vorzeitige Entlassungen von Strafgefangenen entscheidet, mit allen Konsequenzen von sozialen Vorurteilen und Verwerfungen, die sie theoretisch beeinflussen. Das irritiert, jedenfalls dann, wenn wir an unserer Bürgerverantwortung als Folge unserer Freiheit festhalten wollen. Wir sehen: Die Digitalisierung schafft technisch gigantisch weitreichende Macht- und Wirkungspotenziale. Wie kann man sie kontrollieren und demokratisch politisch gestalten? Politische Kontrolle und Gestaltung müssen sich von Anfang an auf die Dynamik (und die darin beschlossene Logik und Organisation) richten, die die Digitalisierung als konstanten technischen Wandel vorantreibt. Gegenwärtig stehen sich offenbar vor allem – idealtypisch – eine privatkapitalistisch gewinnorientierte in den USA und eine staatskapitalistisch kontrollorientierte Dynamik in China gegenüber. Die Europäische Union hat demgegenüber bisher keinen eigenständigen Typus von Entwicklungsdynamik hervorgebracht.

Die privatkapitalistische Dynamik geht von den Unternehmen im Verbund mit der Wissenschaft aus und erzeugt bisher eine oligopolistische Tendenz. Die Unternehmen zielen darauf, unendliches Datenmaterial einzusammeln, das im Wesentlichen dafür verwendet werden soll, die Nachfrage nach immer neuen Waren und Konsum zu steigern. Dabei sind z. B. auch Wahlhilfen auf dieser Basis und die daraus folgende Besetzung von politischen Positionen als kommerzielle Unterfangen zu betrachten. Die Beratungsfirma Cambridge Analytica bspw., die inzwischen, auch weil sie bankrottging, geschlossen ist, hat widerrechtlich Daten gesammelt und für Wahlbeeinflussungen verkauft. Die politischen Auftraggeber*innen waren oder sind dann die Konsument*innen.

Das hat erhebliche politische und sozial-kulturelle Konsequenzen. Politisch hebeln diese Aktivitäten die Demokratie aus, weil Ämter sichtbar und immer drastischer käuflich werden können. Sozial-kulturell unterminieren sie Kreativität und sozialen aktiven Zusammenhalt zugunsten von massenhaftem, sich dauernd steigerndem individuellem und unkreativem Konsum. Menschen leben tendenziell als individuelle Konsument*innen ohne Beziehungen nebeneinanderher. Meistens mit einem iPhone in der Hand. Das kann man täglich in den öffentlichen Verkehrsmitteln beobachten. Und sie verbrauchen viele kostbare Rohstoffe, jedenfalls, solange die Rohstoffelemente von iPhones nicht konsequent recycelt werden. Hier tut sich auch ein Gegensatz zum Klimaschutz und zum sparsamen, pfleglichen Umgang mit den globalen Ressourcen auf.

Die in China praktizierte staatskapitalistische Dynamik zielt dagegen mithilfe von gesammelten Daten im Wesentlichen auf die Konzentration politischer Macht zur Kontrolle der chinesischen Regierung/ der Partei über das Land und die Bevölkerung. Sie ist mit demokratischer Politik zugunsten der Würde jedes Menschen und seiner Freiheit nicht vereinbar, aber schon weit fortgeschritten. Ob eine Mehrheit von Chines*innen das kulturell wirklich akzeptiert, kann in einem Land ohne freie öffentliche Meinung nicht beurteilt werden. Wie in dieser Hinsicht die Chinesen längerfristig auf die politische Handhabung des Corona-Virus durch die Kommunistische Partei reagieren werden, bleibt abzuwarten. Schon jetzt zeigt sich allerdings ein energischer Wille zur politischen Manipulation bei der chinesischen Führung.

Schließlich ist zu fragen, ob es eine dritte Entwicklungsdynamik gibt, die demokratisch politisch gestaltet werden kann und weder auf private Machtkonzentration zur Profitmaximierung und Konsumsteigerung noch auf staatliche Machtkonzentration zur Kontrolle über die Bürger*innen zielt. Sie müsste bereits mit einer politischen Bestimmung bzw. Orientierung der Forschungs- und Gestaltungslogik der digitalen Welt einsetzen, die eher dezentral konzipiert und angelegt sein muss, um von den Bürger*innen mitbestimmt werden zu können. Überdies müssten die Daten öffentlich einsehbar sein und dazu dienen, das Leben der Bürger*innen besser und lebenswerter zu machen, anstatt private oder staatliche Machtkonzentrationen, private Profite, grenzenlosen Konsum oder undemokratische Kontrolle zu begünstigen. Dabei lautet eine zentrale Frage, wem die digital erworbenen Daten gehören, wem sie zugänglich sind und wie sie verwendet werden.

Man könnte sich vorstellen, dass hier im Unterschied zu den USA und zu China ein spezifisch europäischer Weg eingeschlagen werden sollte. Das ist naheliegend. Allerdings wird es kaum dazu kommen, wenn die EU einfach die bisherige privatkapitalistische Logik verfolgt, selbst wenn sie sich dabei von den USA technologisch unabhängig zu machen versucht.

Interessant sind hier als Alternative Initiativen von Städten, die es nicht nur in Europa, sondern überall auf der Welt gibt: Die Rede ist von den *Smart Cities*. Um ihre komplexen Herausforderungen gemeinsam anzugehen und dabei voneinander zu lernen, haben sich inzwischen viele Städte über den Globus hinweg zu *Smart Cities* zusammengeschlossen. Entsprechend komplex ist auch der Bedeutungsgehalt der Bezeichnung „smart". Das Committee on Digital and Knowledge-based Cities der United Cities and Local Governments (UCLG) hat darüber einiges publiziert. Ausgehend von den Fortschritten der Digitalisierung nach der Jahrtausendwende geht es sowohl innerhalb der Städte als auch zwischen ihnen um eine intelligente Vernetzung, die das „Internet der Dinge" möglich macht. Mit dieser Digitalisierungstechnologie können alle Gegenstände miteinander verbunden werden, vom Blutdruckgerät über die Armbanduhr bis zur Kaffeemaschine zu Hause.[11] *Smart Cities* versuchen, daraus für die Gestaltung ihrer Städte, für die Infrastruktur, Mobilität, Bildung, Wirtschaft, Arbeitskräfteerschließung, für die Lebensqualität ihrer Bürger*innen und nicht zuletzt für eine Regierungsweise, die mehr Partizipation erlaubt, Vorteile zu ziehen. Kommunikationstechnologien können das Alltagsleben erleichtern, die Stadtplanung kann zum Austausch neuer Ideen einladen. Die Transparenz der Stadtverwaltung kann erhöht und mit pro-aktiven Verfahren ausgestattet werden.[12]

Es gibt auch eine EU-Initiative zu *Smart Cities*. Sie heißt „European Innovation Partnership on Smart Cities and Communities" (EIP-SSC). Durch die EIP-SCC sind Energie-, Verkehrs- und Technische-Intelligenz-Industrien aufgefordert, mit den urbanen Regionen verstärkt zusammenzuarbeiten und ihre Technologien zu integrieren, um besser auf die Bedürfnisse der Städte einzugehen. Innovative, integrierte und effiziente Technologien können so vorangetrieben werden und auf dem Markt Fuß fassen.[13] Die Initiative zielt darauf, über strategische Partnerschaften zwischen Städten für die Entwicklung besserer urbaner Infrastrukturen zu sorgen, und zwar durch eine fruchtbarere Zusammenarbeit zwischen Städten und Industrien. Bei ihrer Gründung 2011 ging es zunächst vor allem um die technologisch innovative Gestaltung der Energieversorgung, um die Klimaziele für 2020 zu erreichen. Hier zeigt sich bereits eine Nähe zwischen Digitalisierung und Klimaschutz in den *Smart Cities*.

Freilich ist bei dieser EU-Initiative und bei den einzelnen Städten nicht von vornherein ausgemacht, ob „smart" sich eher auf technische Effizienz bezieht und zu einer technokratischen *Governance* in Verbindung mit rein privatkapitalistisch orientierten Unternehmen tendiert, oder ob gleichgewichtig und „eingewoben" auch die demokratische Gestaltung durch die Bürger*innen beabsichtigt und realisiert wird. Wie diese verschiedenen Aspekte zusammengebracht werden sollen, steht damit also noch nicht fest. Mithin wird es trotz der oben genannten „natürlichen" Konvergenz von kommunalen Entwicklungsbedarfen und technologischer Digitalisierung nicht automatisch zu einer „gemeinsamen kommunalen Entwicklung" für die Gestaltung der Digitalisierung kommen. Demokratische Politik muss von den Bürgern gewollt sein und aktiv betrieben werden, damit ihnen die Digitalisierung nicht über den Kopf wächst, sondern im Gegenteil von ihnen genutzt werden kann. Aber das ist möglich!

Schon aus den Bedürfnissen der Städte folgt jedenfalls – im Unterschied zur privatkapitalistischen Gewinnlogik und zur chinesischen staatlich-politischen Kontrolllogik – ein prinzipiell demokratisch verwendbarer Ansatz. Im Interesse der Städte liegen nicht private oder staatliche Machtkonzentration, sondern eher vielfältige, von Bürger*innen angeregte Anwendungen im Alltagsleben. Das geschieht zunächst häufig mit dem Ziel der praktischen Verbesserung, der Konkretisierung und Weiterentwicklung von Techniken, z. B. bei der Innovation von Mobilitätskonzepten. Wie kann man die Anschlüsse der öffentlichen Transportmittel so bequem gestalten, dass die Bürger*innen sie lieber nutzen als ihre privaten Autos? Daraus folgt ganz natürlich die Frage, auf welchen Wegen, in welchen Strukturen, in welchen Räumen Bürger*innen dabei ihre Erfahrungen einbringen können – hier haben ja viele von ihnen ihre besondere Technik- und Anwendungsexpertise –, und weiter, wie prinzipiell die Verfahren der Mitbestimmung, also die *Governance* der Digitalisierung aussehen sollte. Damit sind wir genau bei der gemeinsamen kommunalen (oder städtischen) Entwicklung in „Entwicklungsbeiräten" angekommen, die wir als zentralen Ort der Weiterentwicklung repräsentativ-demokratischer Politik im Dienste globaler Nachhaltigkeit ausgemacht haben.

Es geht also im engeren Sinne nicht nur um die gleichsam „von außen" kommende „Anwendung" von Multi-Stakeholder-Entwicklungsbeiräten auf die Gestaltung der Digitalisierung, sondern um die gegenseitige Befruchtung und Auswertung von Potenzialen technologischer Erneuerung einerseits und demokratischer Teilhabe und Entwicklungsberatung andererseits. Hier wird demokratische Politik in den immer größeren Städten, die ja herausragende Merkmale der Globalisierung sind, durch die „natürliche" Konvergenz von technischen Möglichkeiten und demokratischen Fähigkeiten und Wünschen der Bürger*innen gestärkt. Und das auch in den kleineren Kommunen und auf dem Land, das durch die Digitalisierung technisch ganz neue Perspektiven erhält.

Eine der Städte, die ganz ausdrücklich auf die demokratische Gestaltung der Digitalisierung aus ist, sie nicht nur zur technischen Effizienzsteigerung, sondern auch zu einer demokratischen Stadtentwicklung nutzen will, ist Barcelona. Die Stadt arbeitet durchaus mit privaten Unternehmen wie Cisco, Philips und thyssenkrupp Elevator zusammen, um z. B. in Sachen Mobilitätssysteme voneinander zu lernen, auch um Erleichterungen und „smarte" Lösungen, die sich Bürger*innen aus Barcelona ausgedacht haben, gut und schnell umzusetzen. Bei einer solchen Kooperation mit dem Privatsektor ist es eine Frage der politischen Kritikfähigkeit, der technologischen Kompetenz und vor allem der Transparenz, zu vermeiden, dass die privaten Firmen selbst das Zepter in die Hand nehmen. Aber aus der Website der Stadt geht hervor, dass sie auf Open-Source-Technologien setzt und eine Sensorplattform eingerichtet hat, sowie CityOS, eine weitere Open-Source-Plattform zur Analyse von Daten. Es geht der Stadt also um die freie Zugänglichkeit ihrer Informationen. Hinzu kommen Service-Apps, die den Zugriff der Bürger*innen auf sämtliche Daten erleichtern. Die bürgernahe *Governance* ist der Stadtverwaltung also unverzichtbar.

Auch diese Daten sollen demokratisch kontrolliert werden. Sie sind und bleiben sämtlich im Eigentum der Stadt und können sowohl von den Bürger*innen als auch von Unternehmen genutzt werden. Aber auch der Datenschutz steht ganz oben an. Dieses Spannungsverhältnis überzeugend zu lösen, ist sicher eine nicht einfache Aufgabe. Es braucht immer Bürger*innen, die das können und wollen.

Zugleich ist es ein Anliegen Barcelonas, für alle Bewohner*innen ein andauerndes und inklusives Lernen zu organisieren, sowohl für die jungen internet-affinen als auch für die älteren. Denn je besser sie Bescheid wissen, desto leichter fällt ihnen die demokratische Teilhabe an der Stadtentwicklung. Darüber hinaus: Je breiter das Wissen und die Kompetenz verteilt sind, desto mehr auch die Macht – und desto besser kann Machtmissbrauch verhindert werden.

So können demokratisch ausgerichtete *Smart Cities* nicht nur in Europa, sondern global zu einem Motor demokratisch-nachhaltiger Gestaltung der Digitalisierung in der Globalisierung werden und durch kommunale Entwicklungsbeiräte mit Vertreter*innen aus Politik, der organisierten Zivilgesellschaft und Unternehmen den Bürger*innen wichtige Möglichkeiten der demokratischen Teilhabe bieten.

Damit wird deutlich: Die anfängliche idealtypische geografisch-politische Aufteilung zwischen den USA und China ist nur vordergründig systematisch plausibel. Gerade auch in den privatkapitalistischen USA gibt es wichtige Initiativen von *Smart Cities*. Und auch in Nationalstaaten mit politisch autoritären Regierungen wie Brasilien oder den europäischen Ländern Polen und Ungarn bilden Städte und Gemeinden tendenziell „Inseln" demokratischer Politik, die sich zu einem immer breiteren demokratisch-politischen „Festland" zusammentun oder koordinieren können. In den Visegrád-Staaten[14] Mitteleuropas sind das immerhin alle vier Hauptstädte. Ob das gelingt, hängt von den Machtverhältnissen z. B. zwischen Öffentlichkeit und sozialer Dynamik einerseits und der jeweiligen nationalen Regierungsmacht wie von deren Befugnissen andererseits ab. Und nicht zuletzt davon, ob die Europäische Union intelligent und kreativ auf die autoritären Tendenzen der polnischen und der ungarischen Regierungen reagiert, z. B. indem sie eine direkte Finanzierung der Städte ermöglicht.

Demokratisch-politische Fähigkeiten und Gewohnheiten, die immer erneut durch die Praxis in der gemeinsamen kommunalen Entwicklung erworben werden, können im Übrigen auch dabei helfen, im digitalisierten Arbeitsleben die Traditionen und Erfahrungen demokratischer Mitbestimmung in der Industrie zugunsten von „gemeinsamer Entwicklung" auf der Höhe der Zeit fruchtbar zu machen; auch wenn die digitalisierte Arbeit tendenziell nicht mehr lokal konzentriert und massenhaft organisiert geschieht. Vielleicht gerade deswegen. Untersuchungen haben gezeigt, dass digitale technologische Entwicklungen für die Gestaltung einer guten Arbeit dann am besten gelingen und die Arbeitnehmer*innen am wenigsten verunsichern, wenn diese langfristig bei deren Einführung mitbestimmen. Sie behalten damit eine Kontrolle, die ihnen zu einem gedeihlichen Übergang in neue Arbeitsmethoden verhilft.

Entscheidend dafür ist die gezielte und kreative Aktivität von Gewerkschaften, die Digitalisierung konsequent mit demokratischer Teilhabe verbinden müssen und nicht zu einer seelenlosen Rationalisierung verkommen lassen dürfen. Letztere verspricht vielleicht kurzfristig Effizienz oder betriebswirtschaftlich Gewinn, aber keine Nachhaltigkeit. Nur wo der Mut zur unaufhörlichen Qualifizierung der Menschen und das Vertrauen darin bestehen, dass sie damit Produktion, Verwaltung und Wertschöpfung kreativ und dezentral weiterentwickeln, werden die Potenziale für eine sinnvolle Arbeit freigesetzt. Die Digitalisierung der Arbeit muss – wie Politik im Allgemeinen – in einem ganzheitlichen Entwicklungshorizont geschehen, anstatt auf Einzelakte stupider Tätigkeiten reduziert zu werden.

Um die dazugehörige Qualifikation auch für Arbeitnehmer*innen attraktiv zu machen, müssen sie vom ersten Schritt ihrer Bildung an die Chance haben, ihre Neugier und ihr Interesse am Lernen zu bewahren. Die häufig sehr schnell nach Schulbeginn eintretende Angst vor einem Scheitern, das als Beschämung erlebt wird, muss dazu überwunden werden, genauer: Sie darf gar nicht erst aufkommen. Das hat weitreichende Konsequenzen für das gesamte Bildungssystem und seine Kultur. Vor allem ist wichtig, dass sie Ermutigung und nicht Beschämung fördern. System und Kultur sind in dieser Hinsicht bei uns in Deutschland noch weit davon entfernt, beflügelnd und attraktiv zu wirken. Die dort herrührenden schlechten Erinnerungen vieler Arbeitnehmer*innen an ihre Schulzeit sind praktisch ein gravierendes Hindernis für das heute landläufig proklamierte „lebenslange Lernen", das oft die Assoziation von „lebenslänglich" erweckt und dadurch abstoßend wirkt.

Jedenfalls: Die Bürger*innen sind auch in der globalen Digitalisierung nicht notwendig einem anonymen undurchsichtigen Prozess ausgeliefert, wenn sie den Willen, die Weitsicht, den Mut und die Energie aufbringen, ihre Geschicke selbst in die Hand zu nehmen. Dazu müssen sie das gewohnte Bild einer Welt, die transnational allein von Nationalstaaten gestaltet wird, um die neuen Akteure erweitern, die längst immer dynamischer am Werk sind und entscheidende Chancen für eine wirksame demokratische Politik im Dienste globaler Nachhaltigkeit bieten: Städte, Kommunen und Unternehmen.

Beispiel: Globaler Klimaschutz und sozialökologischer Wandel

In seinem Buch „Die große Transformation"[15] beschreibt der langjährige Direktor des Wuppertal Instituts Uwe Schneidewind, der im Jahr 2020 das Amt des Wuppertaler Oberbürgermeisters angetreten hat, Strategien zur politischen Umsetzung nachhaltiger Politik und wertet sie aus. Es geht ihm im Wesentlichen darum, zu zeigen, dass es immer menschliche Anstöße für den Wandel geben muss, dass also nichts von allein geschieht; und dass es dazu eines Bewusstseinswandels bedarf. In beidem ist ihm klar zuzustimmen. Zugleich stellt sich allerdings die weitere Frage, von welchen Orten im politisch-gesellschaftlichen Raum – selbst individuelle – Anstöße für globale nachhaltige Lösungen vornehmlich ausgehen können.

Schneidewind stellt die Nachhaltigkeitsziele in den Mittelpunkt des sozialökologischen Wandels und mit ihnen das notwendige Zusammenspiel von Zivilgesellschaft, Unternehmen und Politik. Er betont die Notwendigkeit, dezentrale Initiativen für Nachhaltigkeit in einer umfassenden Organisation und Orientierung miteinander zu koordinieren. Die auf den Klimakonferenzen global vereinbarten Ziele und die kommunalen Initiativen müssen zueinander passen. Aber wie wir immer wieder beobachten, fällt es den nationalen Regierungen, auf sich allein gestellt, schwer, sie gemeinsam zu konkretisieren und fortzuschreiben. Deshalb ist die politische Teilhabe der Bürger*innen in den Kommunen und Städten ein unverzichtbarer Motor. Sie zeigt: Wo Lösungen dringend und möglich sind, einigen sich Bürger*innen leichter als nationale Regierungen, die unter ganz anderem Lobbydruck stehen und sich oft der parteipolitischen Machtkonkurrenz unterwerfen. Bürgerbeteiligung vor Ort bietet die Chance, Probleme aus vielfältigen Perspektiven anzugehen, systematische Zusammenhänge zu erkennen und damit der erforderlichen Komplexität der politischen Strategien gerecht zu werden, ohne vor ihr zu kapitulieren.

Schneidewind betont, dass die Transformation „reflektiert", also umsichtig unter Berücksichtigung der verschiedenen „Nebenwirkungen", gestaltet werden muss. Er spricht deshalb von notwendig „reflexiven" Institutionen.[16] Grandiose Planungen, die ihre Nebenwirkungen oder die Frage, ob sie von der Bürgerschaft akzeptiert werden, ausblenden, sollte man vermeiden, auch wenn sie vielen imposant erscheinen. Die von mir propagierten kommunalen Multi-Stakeholder-Entwicklungsbeiräte sind schon wegen ihrer inneren diversen Zusammensetzung solche reflexiven Institutionen. Sie sind deshalb besonders geeignet, die auf Perspektivenvielfalt (vgl. Kapitel 4) angewiesene Nachhaltigkeit bei allen Entscheidungen zu beachten.

Bei der großen nachhaltigen Transformation geht es auch nach Maja Göpel um einen radikalen, aber „inkrementalistischen" und experimentierfreudigen Wandel. Die Bürger*innen, die den Wandel politisch initiieren, müssen die Implikationen ihres Handelns überprüfen und sich darüber verständigen können. Das spricht wieder für Kommunen und Städte als Motoren des Wandels. Sie bringen in der Regel viele verschiedene Menschen zusammen und begünstigen mit ihrer Diversität kreative und innovative Initiativen in ihrem Lebensumfeld.

Was Uwe Schneidewind und Maja Göpel die „Große Transformation" nennen, ist die unaufhörliche Anstrengung, alle Möglichkeiten vor Ort zu nutzen und zu erweitern – bei der Stadtentwicklung, beim Wohnungsbau, bei der Mobilität, bei der Erzeugung von erneuerbarer Energie, bei der Wärmeentwicklung –, um koordiniert nachhaltige Politik zu betreiben, also um das Klima zu schützen, die Ressourcen zu schonen und die Transformation zugleich so zu gestalten, dass die globalen Vereinbarungen erfüllt werden können.

Eine besondere Herausforderung stellt im sozialökologischen Wandel die Schließung von umweltschädlichen Industrien, insbesondere von Kohlekraftwerken, und damit der Verlust von Arbeitsplätzen dar, überall auf der Welt. Hier wird wieder deutlich, dass Umweltschutz und soziale Gerechtigkeit zusammengehören. Denn die Armen, vor allem im globalen Süden, leiden mehr unter der Klimaerwärmung als die Reichen im Norden. Den Armen im Norden wiederum machen die Kosten des Klimaschutzes mehr zu schaffen als den Reichen. Die langfristigen Vorteile und kurzfristigen Nachteile des Klimaschutzes fallen oft nicht zusammen und treffen nicht dieselben Menschen. Wer seinen Arbeitsplatz an seinem Wohnort verliert, hat nichts davon, wenn an anderen Orten neue Arbeitsplätze entstehen.

In seiner ungehemmten Logik, ohne politische Regulierung, verlangt der Kapitalismus, dass die Menschen – als Produktionsfaktoren – sich nach der Produktion richten, mit ihr mitwandern an einen anderen Ort. So geschah das meistens in der Geschichte. Ganze Landstriche verödeten, andere blühten auf. Auch im chinesischen Staatskapitalismus gibt es deshalb Hunderttausende von Wanderarbeiter*innen, die von ihren Familien getrennt leben müssen. Was aus historischer oder geografischer Distanz nicht weiter berührt, zerstört von Nahem betrachtet grausam Biografien und Menschenleben.

Der Würde der Menschen entspricht es jedenfalls nicht, wenn sie zu Anhängseln der wirtschaftlichen Entwicklung werden. Und in freiheitlichen politischen Systemen lassen sie sich ein solches Anhängsel-Dasein auch nicht mehr einfach gefallen. Aktuell reagieren sie bei Wahlen darauf oft mit Protest, Ressentiments oder Gewalt, votieren für rechtsextreme Parteien und bringen so ihre Enttäuschung und ihre Wut über ihre Lebenssituation zum Ausdruck. Für Demokratien ist das inzwischen zu einer überall sichtbaren Gefahr geworden.

Deshalb ist es höchst dringlich, den sozialökologischen Wandel gerecht zu gestalten. International heißt die Forderung *Just Transition*.

Dabei trifft der jetzt dringend erforderliche Wandel in eine Situation, in der weltweit, gerade in den entwickelten Industriegesellschaften, in den letzten vierzig Jahren die Gegensätze zwischen Arm und Reich unglaublich angewachsen sind, wo harte Armut und verschwenderischer Reichtum dicht beieinander existieren. Das hat zu Erbitterung, Beschädigungen des Selbstwertgefühls und zu menschenfeindlichen Ressentiments geführt. Vor allem aber sind viele Menschen tief misstrauisch geworden gegenüber „der" Politik, aber auch gegenüber ihren Mitmenschen und gegenüber ihrer eigenen Wirkmächtigkeit.

Der Aufbau einer neuen Wirtschaftsstruktur, der uns im sozialökologischen Wandel gelingen muss, braucht deshalb vor allem Wege, auf denen die Menschen wieder neues Vertrauen entwickeln können, zu sich selbst, zu den Mitmenschen und in die Politik. Viele Menschen glauben gegenwärtig insbesondere demokratischen Politikern auf der nationalen Ebene kein Wort mehr, selbst wenn die sich um Ehrlichkeit bemühen. Meist fehlen Bürger*innen zudem die politische Erfahrung und das Wissen, um die heute oft sehr komplizierten politischen Vorgänge und Entscheidungen zu durchschauen und einzuordnen.

Neues Vertrauen kann nur entstehen, wenn die Menschen eigene neue, bessere Erfahrungen machen können. Denn auf die können sie dann bauen. So können sie durch eigene Beobachtungen Schritt für Schritt Personen finden, mit denen sie zusammenarbeiten möchten. Elinor Ostrom hat in ihren Untersuchungen zur Allmende gezeigt, dass gemeinschaftliche Nutzung von Eigentum dort funktioniert, wo die Teilhaber*innen das Verhalten untereinander erleben und überprüfen können.[17] So entsteht und so erhält sich Vertrauen.

Da viele Bürger*innen, die vor einem Wirtschaftsstrukturwandel stehen, bisher die Notwendigkeit des Wandels nicht akzeptieren, ist ihre eigene Teilhabe an der Einschätzung der aktuellen Situation und der Erfordernisse des sozialökologischen Wandels − gerade auch in dessen größeren Zusammenhängen des Klimawandels − dringend erforderlich. Was willkürlich und sinnlos schien, wird dann eher plausibel und erhält Sinn.

Diese Zusammenhänge kommen in gemeinsamen kommunalen Entwicklungsbeiräten praktisch unvermeidlich auf die Tagesordnung.

Für eine *Just Transition*, die Bürger*innen sich „aneignen" können müssen, ist deren Teilhabe so hilfreich und erforderlich, weil sie auf diese Weise erfahren können, wie sie gemeinsam Gerechtigkeit in ihrer Kommune oder in ihrer Stadt gestalten können. In den Kommunen der Lausitz und Umgebung, in Görlitz oder in Augustusburg, haben aktive Bürgermeister beim Aufbau eines solchen Vertrauens gute Erfahrungen gemacht. Wenn die Chance geboten wird, sich nicht nur zu beschweren oder sich sorgenvoll in die eigenen vier Wände zurückzuziehen, sondern an der Entwicklung der eigenen Lebenswelt mitzuwirken, Ideen vorzubringen und sie dann auch umsetzen zu können, dann entsteht eine positive Dynamik, dann können Negativzirkel in positive verwandelt werden, dann gelingen auch Bauvorhaben viel schneller.

Vor Ort kennt man in der Regel die eigenen Ressourcen besser, vor allem was die Menschen, ihre Bildung, ihre professionellen Fähigkeiten und ihre Energien angeht. Synergien und Investitionen können gezielter eingesetzt werden. In einem Entwicklungsbeirat können sich Vertreter der Kommunalverwaltung, von Unternehmen und der organisierten Zivilgesellschaft – von Gewerkschaften über die Caritas bis zu örtlichen Bürgerinitiativen – gegenseitig auf pfiffige Gedanken bringen.

Das heißt nicht, dass die nationalen Regierungen und Parlamente die Hände in den Schoß legen und einfach auf die Bürgermeister warten können. Sie haben z. B. in der „Kohlekommission" (Kommission für Wachstum Strukturwandel und Beschäftigung) erfolgreich zum Ausstieg aus der Braunkohle und der nachfolgenden Gesetzgebung als legitimierte Parlamentarier*innen die langen Linien beraten und die Möglichkeiten des Budgets bestimmt – gemeinsam mit Vertreter*innen der organisierten Zivilgesellschaft und mit Unternehmen. Aber ohne eine Rückgewinnung des Vertrauens vor Ort, ohne die Aktivität und Initiative der Bürger*innen, selbst neue Produktionen, Arbeitsplatzideen oder wirtschaftliche Tätigkeiten zu entwerfen, praktisch umzusetzen und sich mit ihnen zu identifizieren, können Finanzierungen allein nicht viel bewirken.

Es gibt noch einen weiteren Grund, der dafürspricht, den sozialökologischen Wandel im Zusammenhang einer breiteren Entwick-

lungsperspektive anzugehen. Denn die Arbeit, die dann ausgeht –
Kohle- oder Stahlproduktion, früher auch Textilproduktion oder
Werften –, war immer auch ein unverzichtbarer Teil des Selbstver-
ständnisses, der eigenen kulturellen Identität und des damit ver-
bundenen Selbstwertgefühls der Menschen. Soziale und wirtschaftliche Umbrüche finden also immer in einem kulturellen, wertenden
und emotionalen Kontext statt, der das Selbstwertgefühl der Menschen in der Regel begründet, jedenfalls berührt.
Nicht nur in Deutschland ist man stolz auf seine Arbeit. Die Lau-
sitzer*innen waren stolz darauf, dass sie einen großen Teil der Energie für Deutschland lieferten. Die Bergarbeiter in Nordfrankreich
haben das für ihr Land ähnlich gefühlt. Wenn ihre Arbeit auf dem
veränderten Markt ihren Wert verliert, nimmt sich vielleicht die ganze
Person als entwertet wahr. Dann entstehen Depressionen, Vereinzelung und Abwanderung, die wiederum wirtschaftliche Folgen nach
sich ziehen. Menschen sind keine Maschinen, die automatisch produ-
zieren, sondern lebendige Wesen, die sich selbst fühlen und bewusst
wahrnehmen.

Einen neuen kulturellen und sinnhaften Kontext aufzubauen oder
in einen neuen überzugehen, der auch das eigene Selbstwertgefühl
wieder stärkt, gehört also dazu, wenn der sozialökologische Wandel
gelingen soll. Technokratische Maßnahmen genügen dafür nicht.
Und dieser Kontext kann auch nicht nur von außen kommen. Wenn
Bürger*innen sich damit identifizieren können sollen, müssen sie die
Möglichkeit haben, ihn – durchaus mit Anstößen von außen – aus sich
heraus und für sich selbst zu entwickeln und dabei an ihre Vergangen-
heiten anzuknüpfen.

Das hat handfeste Konsequenzen für eine Rückkehrpolitik, da
z. B. in der Lausitz in Zukunft Arbeitskräfte für neue wirtschaftliche
Aktivitäten fehlen werden. Dazu gehören dann attraktive Kultur- und
Bildungsstätten, eine interessante lokale Architektur, die den Menschen
ein Heimat- und Zugehörigkeitsgefühl vermittelt. Chöre, Theaterwerk-
stätten, Fußballvereine, überhaupt Sport: All diese Aspekte finden sich
in einem Entwicklungsbeirat zusammen, der sich eben nicht nur auf
wirtschaftliche Spezialaspekte konzentriert, sondern den Horizont der

gesamten Lebenswelt umfasst. Und das gilt nicht nur für den sozial-ökologischen Wandel, sondern ganz generell, nicht zuletzt für die Revitalisierung des Landes in Deutschland und in Europa.

Gemeinsame kommunale Entwicklung in kommunalen Entwicklungsbeiräten kann Schritt für Schritt enttäuschte und resignierte Bürger*innen anregen, sich zusammenzutun, mit anderen Kommunen zu vernetzen, von ihnen zu lernen und einen eigenen Pioniergeist zu entfachen. So kann es gelingen, den sozialökologischen Wandel, der zunächst als Überforderung erlebt wird und der so viele sorgt und ängstigt, umgekehrt als Anreiz für eine bessere Zukunft anzunehmen und sich seine politische Gestaltung zu eigen zu machen.

Auch die Gerechtigkeitsfrage in der *Just Transition* lässt sich so besser bearbeiten. Denn wenn man die Verteilung der Güter und Finanzen im exemplarischen Fall der eigenen Kommune miterlebt und besser durchschaut, besteht eine gute Chance, das wichtigste pragmatische Gerechtigkeitsprinzip anzuwenden, nämlich sich an die Stelle der anderen zu setzen. Das heißt nicht, dass man mit allem zufrieden sein wird. Im Gegenteil, man lernt dann auch hautnah den harten politischen Interessenkampf kennen. Aber der verschwindet nicht in einem dunklen Dickicht, das zu Verschwörungstheorien verleitet und Selbstmitleid wie Passivität fördert. Was man durchschaut, kann man leichter verstehen und dann auch beeinflussen. Man kann im Gefühl der Selbstwirksamkeit eingreifen und politisch handeln. Politik macht dann doch Sinn! Sie zeigt Wirkung, und sie macht das eigene Leben im Zusammenhandeln mit anderen sinnvoll.

Beispiel: Asyl- und Flüchtlingspolitik

Das gilt auch für eine kreative, in die Zukunft gerichtete Asyl-, Flüchtlings- und Migrationspolitik, die den Werten der liberalen Demokratie entspricht. Es gibt wohl gegenwärtig keine politische Herausforderung, die für unsere nachhaltige gemeinsame Entwicklung, d. h. für den zukünftigen Frieden in Europa und auf unserer ganzen Erde, so wichtig ist wie eine verständigungsorientierte Asyl-, Flüchtlings-

und Migrationspolitik. Denn Flucht und Migration sind kein aktuelles Ausnahmegeschehen. Sie begleiten die menschliche Geschichte seit Jahrhunderten, wenn nicht Jahrtausenden. Migration jedenfalls wird sich auch in den kommenden Jahrhunderten fortsetzen. In einer zusammengewachsenen Welt mit einem immer dynamischeren globalen Kapitalismus, der sie ja oft auslöst, wird sie unsere Gesellschaften sprengen, wenn es uns nicht gelingt, sie friedlich und gerecht zu regeln.

Aktuell aber wird das Thema von vielen demokratischen Parteien, die nur im Hier und Jetzt mit dem Blick auf die nächste Wahl Politik machen, gemieden wie eine ansteckende Krankheit, weil man Wahlverluste und rechte Bewegungen befürchtet, selbst wenn es gute Lösungen gibt. Sie folgen der demagogischen Behauptung, dass eine konstruktive Antwort, die sogar im beiderseitigen Interesse von Einheimischen wie von Geflüchteten oder von Migrant*innen (nicht dasselbe!) läge, sofort einen sogenannten Pull-Effekt auslösen würde. Würden Afrikaner*innen aus dem Mittelmeer gerettet, anstatt zu ertrinken, oder erhielten sie einen legalen Zugang nach Europa, fänden hier sogar einen neuen Lebensmittelpunkt und würden zu unserem Bruttosozialprodukt beitragen, dann würde, so heißt es, der Pull-Effekt sie zu Millionen auf den europäischen Kontinent locken. Eine Erfolgsgeschichte darf aus ihrer Flucht nicht werden. Deshalb muss man all die ungeregelten verheerenden Verhältnisse belassen, wie sie aktuell sind.

Das wird nicht immer so klar ausgesprochen, aber das ist die beschämende Logik hinter der aktuellen Abschreckungspolitik der Bundesregierung, vieler europäischer Länder und der Europäischen Union, auch nach ihrem neuen Vorschlag. So versuchen Politiker*innen die Herausforderung täglich zu verdrängen und werden doch immer wieder eingeholt von der Wucht der schrecklichen Bilder der Verzweiflung und des Todes von Bürgerkriegsflüchtlingen und Asylsuchenden, die uns täglich im Fernsehen und im Internet begegnen. Ich wage die Behauptung, dass ohne eine friedliche verständigungsorientierte und gerechte Antwort auf diese Herausforderung, die auch die jeweils Einheimischen einbeziehen muss, die anderen globalen Fragen ungelöst bleiben. Denn es sind nicht in erster Linie die Zahlen, mit denen Propaganda gemacht und Angst ausgelöst wird, sondern es ist die Tatsache, dass diese Frage ungeregelt bleibt, die den Bürger*innen Angst einflößt. Ungeregelt zerreißt die Asyl- und Flüchtlingsfrage unsere Gesellschaften, absorbiert die Politik und hält sie von anderen dringenden Herausforderungen ab, in Deutschland und in der Europäischen Union.

Nur langsam verbreitet sich die Einsicht, dass diese Frage nicht schnell vorübergeht, sondern uns auf unabsehbare Zeit begleiten wird. Praktisch reagieren die meisten demokratischen Regierungen und auch die Europäische Union bis jetzt dennoch kurzsichtig mit Abwehr und dem Versuch, die Außengrenzen Europas dicht zu machen und so viele Geflüchtete wie möglich, wenn sie doch das Land erreicht haben, wieder abzuschieben. Die zahlenmäßige Verringerung der ankommenden und die Erhöhung der Zahl der abgeschobenen Geflüchteten markieren seit Jahren die Nachrichten, wenn Innenminister sich öffentlich mit Erfolgsmeldungen profilieren wollen. Legale Wege nach Europa, ein gelungenes neues Zusammenleben, gegenseitige kulturelle oder ökonomische Bereicherung sind für sie in der Regel keine Erfolgsmeldungen. Diese negative Logik beginnt schon damit, dass Migration von vornherein, weil sie beim Innenminister ressortiert, vornehmlich unter dem Gesichtspunkt der Sicherheitsgefährdung betrachtet wird, nicht z. B. des ökonomischen Gewinns, ohne den wir den Standard unserer Wirtschaft gar nicht halten könnten, oder der kulturellen Bereicherung. Im zweiten Fall könnte sie im Wirtschaftsministerium oder im Kultusministerium angesiedelt werden.

Die EU will seit Jahren eine Festung um sich herum errichten. Der neue konservative Verteidigungsminister Griechenlands hat sich sogar neuerdings einen Zaun ausgedacht, den er im Mittelmeer um die griechischen Inseln ziehen möchte. Man kann darauf warten, dass dann demnächst Fotos um die Welt gehen werden, auf denen die Leichen ertrunkener Kinder sich in diesen Zäunen verfangen. Die Welt wird aufschreien, das Foto wahrscheinlich als eindrucksvollstes Foto des Jahres auszeichnen und dann zur Tagesordnung übergehen.

Das völkerrechtlich verbotene sogenannte *Refoulement* bzw. *Pushback*, also das Zurückbringen von Geflüchteten hinter die eigene

Landesgrenze, Hunderte von ertrunkenen Geflüchteten im Mittelmeer, menschenunwürdiges Leben in Lagern auf den griechischen Inseln, deren Raum und Ausstattung bei Weitem nicht ausreichen, traumatisierte Kinder ohne Begleitung, Kranke, die nicht behandelt werden, Hunderte von Toten, die in der Sahara verdursten, Hunderte von Geflüchteten, die in libyschen Lagern gequält werden – all das gehört zum Alltag der gegenwärtigen europäischen Asyl- und Flüchtlingspolitik, wofür die EU keine Lösung findet. Als Europäer*innen haften wir moralisch und politisch für dieses Vergehen mit.

Zudem hat der Europäische Gerichtshof für Menschenrechte am 13. Februar 2020 ein fatales Urteil gefällt und seine eigene bisherige Rechtsprechung gegen das *Refoulement* bzw. *Pushback* um 180 Grad gewendet. Er erlaubt nun die Rückführung ohne Prüfung des Asylantrags, allerdings nur, wenn legale Übergänge für Asylsuchende oder für Migranten vorhanden sind.

Das wäre eine plausible Position und käme den Forderungen nach legalen Zugängen entgegen, wenn das Gericht geprüft hätte, ob diese Übergänge wirklich für Flüchtlinge passierbar sind oder nur auf dem Papier stehen, wie dies in der spanischen Enklave Ceuta in Afrika, um die es im Urteil ging, der Fall ist. Denn dort filtern zuvor marokkanische Behörden gegen europäische Finanzierung den Zugang nach eigenem Ermessen. Damit wird hier wie auf der Balkanroute legalisiert, was Migrationsfeinde wie Viktor Orbán immer schon vorgeschlagen haben: Sie eröffnen einen Grenzübergang, lassen praktisch keine Personen durch und können nun gerichtlich unbehelligt Flüchtlinge zurückführen. Juristisch müsste auch geklärt werden, ob die Richter*innen das Recht haben, die Rückführung als Strafe gegen illegalen Grenzübertritt zu legitimieren, wie dies in ihrem Urteil geschieht.

So lebt die EU seit Jahren in Bezug auf ihre Werte im Selbstwiderspruch. Denn sie hört nicht auf zu behaupten, dass die gemeinsamen Werte der Würde des Menschen, der Menschenrechte, von Freiheit, Demokratie, Rechtsstaat und Solidarität die Union zusammenhalten. Und sie weiß, dass sie diesen Werten selbst dauernd zuwiderhandelt. Wer sich selbst unaufhörlich widerspricht, ist nicht verlässlich und zerstört deshalb Vertrauen – im Inneren und nach außen. Auch die Behauptung, wir könnten innerhalb der EU nur Freizügigkeit zwischen den Staaten walten lassen, wenn wir uns nach außen abschließen, ist unwahrhaftig. Denn zum einen gelingt dieses Abschließen nie, vielmehr finden die Schlepper immer neue, meist gefährlichere Wege. Wenn die EU überdies zur Rechtfertigung ihres Verhaltens formal die Bekämpfung der Schlepper ganz oben ansetzt, um ihre unmoralische Haltung zu verstecken, verhält sie sich unehrlich. Denn das ursprüngliche Problem sind nicht die Schlepper, sondern die Fluchtgründe selbst.

Zum zweiten kann Offenheit heute psychologisch nirgendwo gelebt werden, wenn sie zugleich auf Exklusivität beruht. Wenn wir für den europäischen Binnenverkehr die Offenheit nicht nur als Faktum, sondern als generellen, kulturell und ökonomisch Frucht bringenden Wert verkünden, können wir ihn nicht nur für einen innereuropäisch abgegrenzten Raum bzw. für eine privilegierte Menschengruppe reklamieren und den anderen, die existenziell auf Offenheit angewiesen sind, verwehren. Vielleicht war das mal im Mittelalter möglich, als es selbstverständlich Menschen zweiter und dritter Klasse gab. Dann konnte die „erste Klasse" in sich Offenheit praktizieren und sie den anderen zwei- und drittklassigen selbstverständlich verbieten. So konnten Sklav*innen in der Antike gerechtfertigt werden, auch wenn das nicht ausdrücklich so drastisch geschah. Heute ist die gleiche Würde aller Menschen in der UN-Menschenrechtserklärung verankert. Sie zurückzudrehen, heißt de facto, unehrlich zu handeln. Und diese Unehrlichkeit setzt sich dann innerhalb der EU fort, wie wir am Beispiel der Erosion der innereuropäischen Solidarität sehen werden.

Die entscheidenden Personen in der Europäischen Union, vor allem die Regierungschefinnen und -chefs im mächtigsten Entscheidungsorgan der EU, dem Europäischen Rat, meinen offensichtlich, dass ein solcher moralischer Selbstwiderspruch kein Problem darstellt, dass man damit lange weiterleben kann. Da irren sie leichtfertig und bleiben hinter ihrer Verantwortung zurück. Natürlich können wir unsere Werte nie ganz verwirklichen. Wir sind endliche Menschen. Aber zwischen einer reflektierten Politik, die sich an Werten orientiert und energisch versucht, sie zu verwirklichen, und einer Praxis, die sie zynisch jahrelang mit Füßen tritt, gibt es doch einen Unterschied. Die Tatsache, dass der Widerspruch bisher nicht zu einem Eklat oder Zusammenbruch führt, wiegt die EU-Entscheider*innen in eine trügerische und gefährliche Ruhe. Gefährlich ist die schleichende Erosion, weil sie Gegenkräfte schlafen lässt oder lähmt.

Längst zeigen sich nämlich die destruktiven Wirkungen des europäischen Selbstwiderspruchs: Der Mangel an Solidarität gegenüber den Geflüchteten geht nicht zufällig einher mit einem Mangel an Solidarität innerhalb der EU, zwischen den europäischen Ländern. Zwischen Nord und Süd ebenso wie zwischen Ost und West klafft in der EU ein immer größerer Riss, aus dem Misstrauen wächst. Es wird sich in das kollektive Gedächtnis der Südeuropäer tief einschreiben, dass die Regierungen des Nordens sie mit der Ankunft der Geflüchteten jahrelang alleingelassen haben und weiter lassen, weil sie keinen Weg für deren dezentrale Aufnahme finden. Technokratisch und latent menschenverachtend spricht man im Allgemeinen von der „Verteilung" der Flüchtlinge, als ob es sich dabei um Pakete handelte. Die friedlich und gerecht geregelte dezentrale Aufnahme der Geflüchteten in der EU ist das Nadelöhr, durch das jede angemessene europäische Asyl- und Flüchtlingspolitik passen muss. Ohne dies kann sie nicht gelingen.

Zugleich nehmen die Bürger*innen in Mittelosteuropa durchaus ärgerlich zur Kenntnis, dass die vorurteilsbereiten Westeuropäer*innen ihnen kollektiv vorwerfen oder unterstellen, fremdenfeindlich zu sein, weil die Regierungen sich fremdenfeindlich verhalten. Dabei haben sich schon 2017 z. B. in Polen mehr als 17 Städte ausdrücklich öffentlich bereit erklärt, Geflüchtete aufzunehmen, was ihnen ihre Zentralregierung praktisch nicht erlaubt.[18]

Übrigens erlaubt auch der deutsche Innenminister den deutschen Städten, die dazu bereit sind, bisher nicht, aus Seenot Gerettete aufzunehmen. Nach unserem Grundgesetz *könnte* er es erlauben.

So grassieren Misstrauen und Vorurteilsbereitschaft, die eine vertrauensvolle Zusammenarbeit zwischen den europäischen Regierungen verhindern. Demokratische Politik zugunsten von Nachhaltigkeit braucht aber Vertrauen, sowohl zwischen den Regierungen als auch zwischen den Bürger*innen, um gemeinsam Lösungen zu finden. Der Vertrauensverlust, der aus dem Selbstwiderspruch hinsichtlich der eigenen Werte rührt, unterminiert damit zugleich den Zusammenhalt in der EU, die ihre ungelösten Probleme vor sich herschiebt. Der neue Kommissionsvorschlag ändert daran nichts.

Und dies in einer globalen Arena, die immer unübersichtlicher wird. Ein nachhaltig demokratisch verlässlicher Akteur ist hier zurzeit weder in der US-amerikanischen Regierung noch in China oder in Südostasien zu erkennen. Das böte Europa, wenn es seine eigenen Werte wieder ernst nähme, eigentlich eine Chance, in der globalen Arena mit eigenem Profil und einer eigenen Mission aufzutreten, um die sich die EU-Länder scharen und die zugleich nach innen integrierend wirken könnten. Dann könnte sie sich im Unterschied zu den anderen globalen Machtzentren als eigenständig und zugleich als demokratie- und sozialpolitisch nachhaltig profilieren. Das würde ihr zudem Autorität verschaffen, die aus der Übereinstimmung von Reden und Handeln erwächst. So offerierte die Europäische Union für ihre Gesellschaften eine sinnstiftende Alternative zur chinesischen Diktatur und zum rabiaten Lobbykapitalismus der aktuellen US-amerikanischen Regierung. Eine werteorientierte Politik hat auch die Chance, sozialen Zusammenhalt und Sinn zu stiften!

Das Potenzial dazu hat die Europäische Union z. T. in ihren Unternehmen, vor allem aber in ihrer Zivilgesellschaft, namentlich in ihren Städten und Gemeinden. Von hier kommen schon jetzt viele mutige und fantasievolle Versuche, Geflüchteten zu helfen und sie zu retten, vornehmlich aus Seenot, aber überhaupt von der Unbill ihrer schrecklichen Flucht. Diese Initiativen sind in den letzten Jahren immer stärker geworden und bieten eine realistische Hoffnung auf eine bessere Politik für eine bessere Welt.

In Deutschland haben sich inzwischen 140 Städte unter dem Namen „Seebrücke" zusammengeschlossen, die Geflüchtete aufnehmen wollen. In den Niederlanden sind nach Auskunft eines Utrechter Verwaltungsvertreters 160 dazu bereit. Von ihnen haben ca. vierzig Städte sich zu „Sicheren Häfen" erklärt und sind mit ihrem Angebot auf das Innenministerium zugegangen. Immer mehr Städte schließen sich dieser Initiative an. Mithilfe der Kirchen, insbesondere der evangelischen, und unterstützt von vielen anderen Nichtregierungsorganisationen zielen sie auf eine Europäisierung dieses Willkommensnetzwerkes. Im übrigen Europa stehen dafür bereits viele Städte bereit: Barcelona, Palermo, Athen, Neapel, Budapest, Warschau, Prag, Paris, Bratislava, Utrecht usw.

In den USA haben sich ebenfalls längst Städte zusammengetan, die gegen die Migrationspolitik von Präsident Trump die Menschlichkeit retten und Geflüchtete aufnehmen wollen. Wir sehen also auch bei diesem besonders brisanten Thema – wie bei der Digitalisierung und bei der sozialökologischen Transformation für den Klimaschutz –, dass wir angesichts der blockierenden Politik der meisten nationalen Regierungen nicht resignieren müssen, sondern dass neue Akteure auf den Plan treten, um menschenfreundliche und nachhaltige Politik zu retten und weiterzuentwickeln.

Im Übrigen geht es bei der Asyl- und Flüchtlingspolitik nicht nur um einen moralischen Selbstwiderspruch. Denn er ist eng verkoppelt mit einer gravierenden Kurzsichtigkeit gegenüber den eigenen Interessen, langfristig ein gutes Leben in Freiheit, sozialer Verbundenheit mit den Mitbürger*innen und in angemessenem Wohlstand zu führen. Dazu brauchen wir Gemeinsamkeit in der EU und (!) mit Afrika! Ein Beispiel: Anstatt eine nachhaltige Verständigung und Zusammenarbeit in beiderseitigem Interesse mit ihren Nachbarn in Afrika anzustreben, die sich an den Werten Freiheit, Gerechtigkeit und Solidarität für alle orientieren müsste, unterstellt die EU ihre finanziellen Mittel für eine Entwicklungszusammenarbeit prinzipiell dem Ziel, sich vor Flüchtlingen zu „schützen" und eigene wirtschaftliche Investitionen in Afrika zu fördern, möglichst niemanden in die EU hereinzulassen und möglichst viele von denen, die es doch geschafft haben, wieder nach Afrika zurückzuschicken. Sie instrumentalisiert also die Mittel für Entwicklungszusammenarbeit. Sie finanziert davon Frontex, die Grenz- und Küstenwache der EU für die Sicherung der europäischen Außengrenze und die Rückführung von Geflüchteten. Nicht nur wird diese Egozentrik natürlich überall bemerkt und weckt nicht gerade Respekt oder Sympathien für eine verlässliche Zusammenarbeit in der Zukunft. Die EU veranlasst auch afrikanische Transitländer, ihre Grenzen gegeneinander zu schließen, damit keine Flüchtlinge nach Europa durchkommen. Damit unterminiert sie die Versuche der Afrikanischen Union, analog zur Europäischen Union ihre Binnengrenzen möglichst zu öffnen, um mehr wirtschaftlichen Wohlstand zu schaffen. Der würde längerfristig Fluchtgründe verringern. So weitsichtig muss die EU sein!

Stattdessen steigert die EU die Fluchtgründe durch ihre kurzsichtigen Forderungen, Grenzen zwischen den afrikanischen Staaten hochzuziehen, und erhöht damit die Zahl derer, die nach Europa fliehen wollen. Wie immer gehen auch in dieser Frage moralische Überzeugungen mit *wohlverstandenen* langfristigen eigenen Interessen einher. Offenheit für uns Europäer*innen und trennende Mauern zwischen den Afrikaner*innen, das geht dagegen nicht zusammen, das ist der Selbstwiderspruch! Wenn man sich einen Augenblick an die Stelle der anderen setzt, wird das ganz schnell plausibel. Aber in den EU-Staaten, insbesondere im Europäischen Rat und in der Folge auch in der formal mit der Ausführung von dessen Beschlüssen beauftragten Europäischen Kommission, findet man dazu offenbar weder die Einsicht noch den Mut.

Und der wäre nicht so schwer aufzubringen. Denn es gibt Vorschläge für nachhaltige Lösungen, in denen moralische Überzeugung und wohlverstandene eigene Interessen wirklich konvergieren. Die 140 „Seebrücke"-Städte und die vierzig Städte „Sichere Häfen", die bereit sind, Geflüchtete aufzunehmen, habe ich schon genannt. Die EU müsste einen Fonds einrichten, der kommunale Integrationsaufgaben finanzieren und in gleicher Höhe in anderweitige Entwicklungsaufgaben, die die aufnehmende Kommune selbst festlegen könnte, investieren würde. Bei ihm könnten sich Kommunen bewerben, die sich zur Aufnahme von Geflüchteten entschließen. So könnte man Gerechtigkeit zwischen den neu Aufgenommenen und den Einheimischen herstellen und Ressentiments abbauen. Angesichts der Milliarden, die für den notwendigen Aufbau der Wirtschaft nach Corona gerade in den europäischen Kommunen jetzt ausgegeben werden müssen, wäre es nur zu plausibel, einen europäischen „Fonds für kommunale Integration und Entwicklung" einzurichten. Wir würden endlich über den Tellerrand hinausdenken und handeln.

In den oben ausführlich beschriebenen Multi-Stakeholder-Entwicklungsbeiräten könnten die Städte und Kommunen über ihre zukünftige Entwicklung beraten und dabei auch über die Frage, ob sie aus demografischen Gründen, um ihren Kindergarten vor Ort zu erhalten oder um einen Arbeitskräftemangel zu beheben, Geflüchtete aufnehmen wollen. Sie könnten gemeinsam mit Unternehmen und Nichtregierungsorganisationen ihre Möglichkeiten, Chancen und Grenzen erörtern und würden vermutlich sehr viel mehr Synergien entdecken, als wenn nur eine Abteilung der Kommunalverwaltung sich intern berät, selbst wenn sie sich einzeln mit den Stakeholdern zusammensetzt. Eine solche Entscheidung wäre kommunal gut verankert, würde es deshalb Bürgermeister*innen und Verwaltung auch öffentlich vereinfachen, Geflüchtete aufzunehmen. Die Aufnahme wäre freiwillig, würde also Rechtsextreme mit ihrem Widerwillen gegen Geflüchtete nicht stärken. Und sie wäre gerecht und würde diejenigen zufriedenstellen, die reklamieren, dass sie nicht hinter Geflüchteten zurückstehen wollen.

Gerechtigkeit würde also für Geflüchtete wie für Einheimische gelten und die gegenwärtige Situation befrieden. Es gäbe viele Einzelheiten zu regeln, aber das ist möglich. Ein gut durchdachtes *Matching*-System muss zwischen den Angeboten und Wünschen der Kommunen und den Fähigkeiten und Wünschen der Geflüchteten vermitteln. Mit einem Zusammenspiel von wirtschaftlichen und menschlich-humanitären Motiven kann man erreichen, dass ältere, kranke oder alleinstehende Menschen nicht aussortiert werden, weil sie „unrentabel" sind.

Die Kommunen brauchen Verlässlichkeit darüber, dass die neuen Mitbewohner*innen auch für eine gewisse Zeit bleiben. Dazu gibt es aus der Städte- und Raumplanung Erfahrungen mit materiellen und immateriellen „Haltefaktoren" jedenfalls für die Zeit, in der Geflüchtete von den Kommunen finanziell bzw. durch Sachleistungen unterstützt werden. Wenn durch eigene Arbeit z. B. Wohneigentum gebildet werden kann (das gilt vor allem für kleine Kommunen auf dem Land, die aber durchaus auch begehrt sind, wenn die Infrastruktur stimmt), wenn die persönliche Aufnahme und Integration aller Familienmitglieder (auch der oft zunächst nicht mitarbeitenden Mütter) tatkräftig unterstützt wird, wenn der Fußballclub mit offenen Armen empfängt, weil er die elf Mitglieder (plus Reserve!) für die Mannschaft vollbekommen will, wenn Musik, Theater, kurz: kulturelle Aktivitäten, das Leben lebenswert machen – dann kann man zumeist damit rechnen, dass Geflüchtete, zumal wenn sie sich vorher freiwillig für den Ort entscheiden konnten, nicht gleich wieder wegziehen.

Das Ganze trägt erheblich zur globalen Nachhaltigkeit bei, für die die Gestaltung von Migration auch in Zukunft einen wichtigen Stellenwert haben wird. Die Angst vor der Globalisierung geht deutlich zurück, wenn die „Fremden" ein persönliches Gesicht bekommen, wenn man mit ihnen kollegial oder gar freundschaftlich verkehrt und von ihnen aus persönlichen Berichten ihre Fluchtgründe erfährt. Das wird dann eine Globalisierung „zum Anfassen", die man nicht mehr als Schreckgespenst fürchten muss, die man mitgestalten kann, die man trotz aller Komplexität viel besser versteht.

Und sie kann sogar den sozialen Zusammenhalt aller, auch der Einheimischen, stärken, der erfahrungsgemäß hilft, das eigene Dasein als sinnvoll zu erleben. Sicher wird es selbst bei freiwilligen Aufnahmen in Städten und Kommunen auch Gegner*innen der Aufnahme geben. Auch Konflikte werden entstehen. Es gibt kein Leben ohne Konflikte. Aber sie können an konkreten Fragen behandelt, an den eigenen Interessen der Bürger*innen geprüft und bestmöglich gelöst werden. Das geschieht dann nicht über die Köpfe der Bürger*innen hinweg, was den Hauptärger erregt. Die Aufnahme ist, wie die Entwicklung selbst, ein gemeinsames Projekt der Bürger*innen, und alle Erfahrung lehrt, dass gemeinsame freiwillige Projekte Menschen am verlässlichsten zusammenbringen. Es geht um die Gestaltung einer gemeinsamen Zukunft. Allein diese Zukunftsorientierung verleiht einer solchen Initiative eine positive Perspektive. Vorhandene Städtepartnerschaften können genutzt werden, um gemeinsam zu lernen und Fehler anderer zu vermeiden.

„Heimat" wird offen auch für solche, die nicht schon immer ortsansässig waren. Durch Mitgestalten wird der Ort zum eigenen Ort, verliert seine Fremdheit, man will ihn pflegen und hüten. Das Städtchen Hettstädt im Südharz in Sachsen-Anhalt hat ca. 20 000 Einwohner*innen und sich entschieden, Geflüchtete aufzunehmen, um der Abwanderung entgegenzuwirken und die vorhandenen Kindergärten und Schulen zu erhalten. Mit Erfolg. Ein Absolvent einer Kunsthochschule hat mit einer Theatergruppe aus Einheimischen und neu Angekommenen ein Theaterstück geschrieben und aufgeführt. Es ging um Flucht und Ankommen. Die Einheimischen spielten die Geflüchteten, diese die Einheimischen. Wenn das Stück gespielt wird, ist die große Scheune, die zum Gemeinschaftshaus umgebaut worden ist, immer voll …

Eine wichtige Grundlage für das Gelingen dieser Aufnahmestrategie ist die Freiwilligkeit. Dagegen wird oft eingewandt, es müsse in der EU für alle verpflichtend sein, Geflüchtete solidarisch aufzunehmen. Ich halte dagegen: Wer das nach fünf erfolglosen Jahren weiter fordert, will den Status quo erhalten, mit aller beschriebenen elenden Dynamik. Für die Aufnehmenden gibt es eine Belohnung, weil sie eine Weiterentwicklung ihrer Kommune finanzieren können. Viele Städte und Gemeinden gerade auch in Mittelosteuropa, deren Regierungen gegenwärtig die Aufnahme verweigern, werden mitmachen wollen und von innen mit zunehmendem Gewicht von ihren Regierungen die Solidarität einfordern, die die EU von außen nicht erzwingen kann. Diese Städte hätten neben ihrem bereits dokumentierten Aufnahmewillen überdies einen finanziellen Vorteil davon. Ganz zu schweigen von kulturellen, menschlichen und ökonomischen Bereicherungen durch die neuen Mitbürger*innen.

Die Europäische Union käme wieder in Übereinkunft mit ihren Werten und würde sich kulturell, sozial und ökonomisch so öffnen, dass sie die Zukunft in offenen Gesellschaften kreativ und zuversichtlich angehen kann.

Aktuell könnte das durch eine freiwillige Zusammenarbeit von Staaten, eine andere Art von „Koalition der Willigen", begonnen werden, deren Innenminister*innen sich bereit erklären, Angebote ihrer

Städte und Gemeinden zur Aufnahme anzunehmen. Man könnte mit einem kleinen Fonds oder durch eine Zusammenlegung von einigen europäischen Töpfen beginnen und ausprobieren, wie die Strategie funktioniert. Wir kämen endlich zu einer Überwindung der fatalen Blockade, die die Europäische Union dabei lähmt, ihre Aufgaben zu erfüllen. Und es brächte eine Erweiterung politischer Teilhabe der Bürger*innen, was wiederum die repräsentative Demokratie stärkt.

Was folgt?

Soviel ist klar: Die Globalisierung hat die Reichweite und Wirkung der einzelnen Nationalstaaten deutlich eingeschränkt. Damit wird die Möglichkeit demokratischer Politik zusammen mit dem Projekt der liberalen Demokratie infrage gestellt. Hier liegt der entscheidende Grund dafür, dass sie so massiv das Vertrauen der Bürger*innen verloren hat. Denn demokratische Politik haben wir bisher immer explizit oder implizit im Staat – Singular! – erlebt und uns vorgestellt. Die nationalistischen Gegenbewegungen gegen die Globalisierung, deren menschenverachtende Ressentiments sich vielfach aus Ohnmachtsgefühlen ihrer Unterstützer*innen speisen, rühren aus der subjektiven Wahrnehmung, dass „der kleine Mann" in der Globalisierung politisch nichts mehr zu sagen, dass er die Kontrolle verloren hat. Die Anhänger*innen spüren, dass eine gemeinwohlorientierte politische Gestaltung der globalen Herausforderungen immer weniger gelingt, weil demokratische Politik zwar im Rahmen des Nationalstaats wirksam praktiziert werden konnte, aber heute in der Globalisierung in vielen Politikfeldern nur noch grenzüberschreitend wirken kann. Der Ruf: „Zurück zum Nationalstaat!" ist nostalgisch verständlich, führt aber in eine politische Sackgasse.

In meinem Essay habe ich gezeigt: Doch, demokratische Politik, die von der Gesellschaft als legitim anerkannt wird und sich an der Würde des Menschen orientiert, war nicht nur im Nationalstaat, sondern ist auch über nationalstaatliche Grenzen hinweg trotz Globalisierung möglich. Allerdings verlangt sie viel von uns, wir müssen sie wollen und weiterentwickeln.

Politische Entscheidungen brauchen eine breitere Basis als bisher, um in sich stetig wandelnden Gesellschaften und im globalen Kapitalismus mit nachhaltigen Lösungen wirken zu können. Die durch Wahl legitimierten Politiker*innen müssen sich zur Vorbereitung ihrer Entscheidungen mit der organisierten Zivilgesellschaft und mit dem Unternehmenssektor zusammentun und gemeinsam auf der Basis von Argumenten und Begründungen – deliberativ – ihre

Positionen und Handlungslogiken verstehen und abwägen. Das eröffnet den Weg für Lösungen, die eine Vielfalt von Perspektiven in
die Entscheidung einbeziehen und dadurch die prinzipiell legitimen
Partikularinteressen, auch die kapitalistische Gewinnlogik, zugunsten
einer Gemeinwohlorientierung zusammenbringen. Das muss auf
allen Ebenen geschehen: von der kommunalen über die regionale und
nationalstaatliche bis zur globalen. So kann demokratische Politik von
der Kommune an zu einem Habitus aller werden. In unserem Leben
spielt Gewöhnung eine große Rolle.

Aus der „antagonistischen Kooperation" zwischen Politik, organisierter Zivilgesellschaft und Unternehmen entsteht eine Multi-Sta-
keholder-*Governance*, die gewählte und dadurch legitime Politik auf
der gesellschaftlichen Ebene in die Lage versetzt, lokale und globale
Herausforderungen zugleich mit Fantasie, Lösungsorientiertheit und
Erfolg anzugehen. Hier liegt die Chance, den ökonomischen Liberalismus, sprich: den globalen Kapitalismus, wenn und weil er auf den verschiedenen Ebenen konkret mit den Voraussetzungen und externen
Kosten seines Handelns konfrontiert wird, durch Nachhaltigkeits- und
Gemeinwohlgebote zu bändigen und, wenn möglich kooperativ, politisch zu gestalten.

Dabei spielen Städte und Kommunen als Motoren der globalen
Nachhaltigkeit durch gemeinsame kommunale Entwicklung eine zunehmend wichtige Rolle. Das Wort „gemeinsam" zielt dabei sowohl
auf Teilhabe der Zivilgesellschaft und der Unternehmen an der Entwicklung der eigenen Kommune als auch auf die transnationale und
globale Kooperation, insbesondere die Gemeinsamkeit zwischen
Städten und Städtebünden.

Dadurch wird die nationale Ebene nicht missachtet oder verletzt.
Aber wir müssen in der EU wie in der globalen Politik, z. B. beim Klima,
erkennen, dass die nationalen Regierungen auf der transnationalen
Ebene – nicht zufällig – für sich allein immer häufiger dabei scheitern,
haltbare Verabredungen zu treffen. Sie sind weit mehr als die Städte
und Kommunen den zugleich national und international agierenden
Lobbys ausgesetzt, namentlich den transnationalen Konzernen, die infolge ihrer Macht und ihrer Marktlogik mit Arbeitsplatzverlegungen und

Verweigerung von Investitionen drohen können. Und sie fürchten bei unpopulären Entscheidungen die protestierenden Wähler*innen. Kleine rechtsextreme Parteien können so einen völlig unangemessenen, oft erpresserischen Einfluss auf globale Politik ausüben. Nationalstaaten werden bei ihren Antworten auf die globalen Herausforderungen deshalb immer hilfloser, wenn sie es nicht schaffen, ihrerseits besser als bisher sowohl über die nationalen Grenzen hinweg als auch mit der internen regionalen Ebene und mit Städten zusammenzuarbeiten. Das führt uns zu einer vertieften Rückbesinnung auf das Prinzip der Subsidiarität. Nach diesem Grundsatz der katholischen Soziallehre, aber auch der dezentral-sozialistischen Tradition soll ja, um der Stärkung der Person willen, die jeweils kleinste soziale Einheit bis zurück zur individuellen Person die Aufgabe verantwortlich übernehmen, die sie zu erfüllen vermag. Das dient ihrer Stärkung. Dabei ist die unterste Einheit in der Subsidiarität wahrlich nicht der Nationalstaat, wie in der Europäischen Union oft gedankenlos behauptet wird, nur weil die Europäischen Verträge historisch zwischen den Nationalstaaten abgeschlossen worden sind.

Die Globalisierung in ihren verschiedenen Dimensionen hat die Koordinatensysteme der letzten hundert Jahre verschoben. Wo in nächster Zukunft Macht, Autorität und Lösungskompetenzen liegen, ist heute nicht ausgemacht. Einerseits beobachten wir eine Rückkehr zur Mächte- und Koalitionspolitik der Nationalstaaten, wie wir sie aus dem 19. Jahrhundert kennen. Andererseits erkennen wir von der lokalen bis zur globalen Ebene und in den verschiedenen Sektoren der Gesellschaft eine Auflösung von Machtblöcken in Netzwerke: in der Wissenschaft, in der Kultur, zwischen Interessenverbänden, Bürgerinitiativen und vor allem zwischen Städten und Gemeinden.

Die Digitalisierung ist ein mächtiger Treiber bei dieser Dezentralisierung von Macht und der Vernetzung. Städte und Gemeinden werden dadurch auch global immer wichtiger: Ihre herausragenden Wertschöpfungsfaktoren sind nicht mehr wie früher bei den Physiokraten Grund und Boden, und auch nicht mehr wie in der hohen Zeit des Bürgertums die industrielle Arbeit – sondern die kreativen Menschen, die sich in ihnen, auch in Landgemeinden, versammeln. Aber ohne eine gut durchdachte Politik und organisierte *Governance*-Praxis kann diese Kreativität nicht ihr Lösungspotenzial entfalten.

Deshalb müssen wir gegen die Rückkehr kruder nationalstaatlicher Macht- und Blockpolitik aus dem 19. Jahrhundert nun im 21. Jahrhundert zielstrebig kooperative Netzwerke stärken, vor allem von Städten und Gemeinden. Eine wichtige Unterstützung für die Weiterentwicklung demokratischer Politik ist dabei die Einrichtung von kommunalen Entwicklungsbeiräten, die die „antagonistische Kooperation" von Politik, organisierter Zivilgesellschaft und Unternehmen institutionalisieren und Politik damit allen Bürger*innen zugänglich machen. Wenn es gelingt, die darin enthaltene Vielfalt von Perspektiven und Handlungslogiken begründet, argumentativ und produktiv zusammenzubringen, kann Politik nachhaltige, gemeinwohlorientierte Lösungen erarbeiten und umsetzen.

Das verlangt kulturell Fairness und die Fähigkeit, „sich an die Stelle der anderen zu setzen". Immanuel Kant hat diese Fähigkeit, die Perspektiven anderer nachzuvollziehen, neben dem „Selbstdenken" und dem „jederzeit mit sich einstimmig denken" als eine der drei Maximen des „Gemeinsinns" begründet. Dies ist ein Weg, dem politischen Liberalismus als Grundlage einer Politik im Dienste von individueller Freiheit und Würde gegenüber dem ökonomischen Liberalismus, sprich: dem globalen Kapitalismus wieder die Oberhand zu verschaffen. So kann die globale Nachhaltigkeit im kommunalen Alltag verankert werden.

Die „antagonistische Kooperation" von Politik, organisierter Zivilgesellschaft und Unternehmen unterstützt zugleich den sozialen Zusammenhalt. Sie ermöglicht den Bürger*innen die Erfahrung, dass Politik, die im Blick auf das Ganze Gemeinsamkeit schafft, nicht nur wirksam sein, sondern dem individuellen Dasein auch Sinn stiften kann. In dieser doppelten Bedeutung behaupte ich: Demokratische Politik ist trotz Globalisierung möglich, sie macht auch in Zukunft Sinn!

Anhang

Abkürzungsverzeichnis

BDI	Bundesverband der Deutschen Industrie
BIP	Bruttoinlandsprodukt
CityOS	City Operating System
CO2	Kohlenstoffdioxid
CSO	Civil Society Organization
DDR	Deutsche Demokratische Republik
EIP-SSC	European Innovation Partnership on Smart Cities and Communities
EU	Europäische Union
EZB	Europäische Zentralbank
G7, G8, G20	Gruppe der Sieben, Gruppe der Acht, Gruppe der Zwanzig
ICLEI	ursprünglich: International Council for Local Environmental Initiatives
ILO	International Labour Organization
IPCC	Intergovernmental Panel on Climate Change
KPD	Kommunistische Partei Deutschlands
KPdSU	Kommunistische Partei der Sowjetunion
NGO	Non-Governmental Organization (Nichtregierungsorganisation)
NS	Nationalsozialismus
OECD	Organisation for Economic Co-operation and Development (Organisation für wirtschaftliche Zusammenarbeit und Entwicklung)
SED	Sozialistische Einheitspartei Deutschlands
SPD	Sozialdemokratische Partei Deutschlands
TTIP	Transatlantic Trade and Investment Partnership (Transatlantische Handels- und Investitionspartnerschaft/Transatlantisches Freihandelsabkommen)
UCLG	United Cities and Local Governments
UIV	Union Internationale des Villes
UN	United Nations (Vereinte Nationen)
UNEP	United Nations Environment Programme
UN-HABITAT	United Nations Human Settlements Programme
WBGU	Wissenschaftlicher Beirat der Bundesregierung für Globale Umweltveränderungen

Anmerkungen

Einleitung

1 Hoffmann von Fallersleben, August Heinrich: Ein Lied aus meiner Zeit, in: Deutsche Lieder aus der Schweiz, Zürich/Winterthur 1843, S. 24–26.

Kapitel 1

1 Abraham Lincoln, The Gettysburg Address, 19.11.1863, URL: https://rmc. library.cornell.edu/gettysburg/good_cause/transcript.htm [eingesehen am 15.06.2020].
2 Niccolò Machiavelli, Der Fürst. Aus dem Italienischen übs. von Ernst Merian-Genast. Mit einer Einf. von Hans Freyer, Stuttgart 1961, 15. Kapitel, S. 95.
3 Ebd., S. 101.
4 Thomas Hobbes, Leviathan oder Stoff, Form und Gewalt eines bürgerlichen und kirchlichen Staates. Hrsg. von Iring Fetscher, Frankfurt a. M./Berlin/Wien 1976, 13. Kapitel, S. 95.
5 Ebd., S. 96.
6 John Locke, Über den wahren Ursprung, die Reichweite und den Zweck der staatlichen Regierung. Hrsg. und eingeleitet von Walter Euchner, Frankfurt a. M. 1977, 5. Kapitel, § 35, S. 221.
7 Vgl. ebd.
8 Vgl. C. B. Macpherson, Die politische Theorie des Besitzindividualismus. Von Hobbes bis Locke, Frankfurt a. M. 1967.
9 Charles de Montesquieu, Vom Geist der Gesetze. Eingeleitet, ausgewählt und übs. von Kurt Weigand, Stuttgart 1984, Buch XI, 4. Kapitel, S. 211.
10 Ebd., 6. Kapitel, S. 212.
11 Ebd., S. 223.
12 Vgl. Pierre Rosanvallon, Die gute Regierung, Hamburg 2016, S. 10 u. S. 15.
13 Montesquieu, Geist der Gesetze, 6. Kapitel, S. 214.
14 Ebd., S. 215.
15 Ebd., S. 216.
16 Ebd., S. 217.
17 Vgl. Ernst Fraenkel, Deutschland und die westlichen Demokratien, Stuttgart 1964.
18 Jean-Jacques Rousseau, Vom Gesellschaftsvertrag oder Grundsätze des Staatsrechts. In Zusammenarbeit mit Eva Pietzcker neu übs. und hrsg. von Hans Brockard, Stuttgart 1977, Zweites Buch, 1. Kapitel, S. 27.
19 Ebd., 2. Kapitel, S. 28.
20 Ebd., S. 29.
21 Ebd., 3. Kapitel, S. 31.
22 Ebd., 4. Kapitel, S. 33.
23 Ebd.
24 Ebd., S. 36.
25 Vgl. ebd., 5. Kapitel, S. 38.
26 Ebd., 7. Kapitel, S. 44.
27 Ebd., S. 45.

28 Ebd., S. 43 f.
29 Ebd., S. 43.
30 Den Begriff Arbeit verstand Hegel als historischen Prozess der Entäußerung, Verwirklichung und Wiederaneignung/Wiedererkennung des Geistes. Darin, dass sich die Idee am Ursprung der Welt zur Wirklichkeit entäußert, durch das menschliche Bewusstsein begriffen wird, sich so wiedererkennt und dadurch im menschlichen Geist wieder aneignet, vollzieht sich nach Hegel Geschichte. In seiner „Phänomenologie des Geistes" hat er diesen philosophischen Gedanken umfassend und detailliert entfaltet.
31 Karl Marx, Der Bürgerkrieg in Frankreich. MEW (Marx Engels Werke), Bd. 17, Berlin 1962, S. 343.
32 Vgl. ebd., S. 546.
33 Michail Gorbatschow, Die Rede zum 70. Jahrestag der Oktoberrevolution, Bergisch-Gladbach 1987, S. 77.
34 Vgl. Elinor Ostrom, Governing the Commons: The Evolution of Institutions for Collective Action, Cambridge 1990.
35 Vgl. Carol Gilligan, Die andere Stimme. Lebenskonflikte und Moral einer Frau, München 1996.
36 Zum Beispiel beschäftigt sich das Global Institute for Women's Leadership am Londoner King's College mit ebendieser Frage und ist zu der Schlussfolgerung gekommen: „Women political leaders key to ‚more equal and caring societies‘", 29.07.2020, URL: https://www.kcl.ac.uk/news/women-political-leaders-key-to-more-equal-and-caring-societies [eingesehen am 14.08.2020]. Vgl. dazu den ausführlichen Bericht von Minna Cowper-Coles, Women political leaders: the impact of gender on democracy. Hrsg. vom Global Institute for Women's Leadership und der Westminster Foundation for Democracy, 2020, URL: https://www.kcl.ac.uk/giwl/assets/women-political-leaders.pdf [eingesehen am 14.08.2020].
37 Vgl. Niklas Luhmann, Zur Semantik der Selbstbeschreibung politischer Systeme, in: Udo Bermbach (Hrsg.), PVS-Sonderheft 15/1984, Opladen 1984, S. 99–125, hier S. 102.
38 Ebd., S. 103.
39 Vgl. Niklas Luhmann, Politische Steuerung: Ein Diskussionsbeitrag, in: Politische Vierteljahresschrift, Jg. 30 (1989), H. 1, S. 4–9, hier S. 7.
40 Dieser berühmte, mit Leibniz verbundene Topos in der Philosophie nimmt an, dass die kleinste Einheit von Wirklichkeit, das unteilbare „Individuum", von außen nicht einsehbar und auch nicht beeinflussbar ist. Auch im täglichen Leben begegnet man im übertragenen Sinne verschlossenen Menschen, die z. B. durch Verhandlungen nicht erreichbar sind.
41 Fritz W. Scharpf, Politische Steuerung und politische Institutionen, in: Politische Vierteljahresschrift, Jg. 30 (1989), H. 1, S. 10–21, hier S. 15.
42 Ebd.
43 Carl Schmitt, Der Begriff des Politischen, Berlin 1932, S. 26.
44 Ebd. [Hervorhebung der Verfasserin].
45 Ebd., S. 27.
46 Ebd.
47 Siehe dazu o. V., o. T., in: Frankfurter Allgemeine Zeitung, 16.11.1991, S. 5.
48 Schmitt, Begriff des Politischen, S. 28.

49 Schmitt, ebd., S. 29 [Hervorhebungen der Verfasserin].
50 Ebd., S. 30.
51 Ebd., S. 33.
52 Ebd., S. 35.
53 Ebd., S. 36.
54 Vgl. Hannah Arendt, Vita Activa oder Vom tätigen Leben, München 1967, S. 165.
55 Immanuel Kant, Kritik der Urteilskraft, § 40. Werkausgabe, Bd. 10. Hrsg. von Wilhelm Weischedel, Wiesbaden 1957, S. 388 f.
56 Vgl. Hannah Arendt, Das Urteilen. Texte zu Kants politischer Philosophie. Hrsg. und mit einem Essay von Ronald Beiner, München/Zürich 1985, S. 90.
57 Ebd., S. 68.
58 Ebd., S. 69.
59 Vgl. Arendt, Vita Activa, S. 39.
60 Vgl. Hannah Arendt, Von der Menschlichkeit in finsteren Zeiten. Rede über Lessing, München 1960, S. 40 f.
61 Vgl. ebd., S. 42.
62 Jürgen Habermas, Zwischen Naturalismus und Religion. Philosophische Aufsätze, Frankfurt a. M. 2005, S. 106.
63 Arendt, Vita Activa, S. 167.
64 Ebd., S. 166.
65 Ebd., S. 231.
66 Ebd., S. 236 f.
67 Vgl. ebd., S. 232.
68 Vgl. Hannah Arendt, Wahrheit und Lüge in der Politik, München 1972, S. 64 f.
69 Vgl. ebd.
70 Vgl. ebd., S. 58.
71 Vgl. ebd., S. 48 f. u. S. 61.
72 Ebd., S. 80.
73 Vgl. ebd., S. 82.
74 Ebd., S. 83 f.
75 Max Weber [1920/21], Wirtschaft und Gesellschaft, Tübingen ⁵1972, S. 28.
76 Arendt, Wahrheit und Lüge, S. 85.
77 Arendt, Vita Activa, S. 195.

Kapitel 2

1 Rat für Nachhaltige Entwicklung (Hrsg.), Visionen 2050, Berlin 2011, S. 83.
2 Ebd.
3 Vgl. zum Vorangegangenen Rosanvallon, Die gute Regierung, S. 86 ff.

Kapitel 3

1 Fritz Stern, Kulturpessimismus als politische Gefahr. Eine Analyse nationaler Ideologie in Deutschland, Stuttgart 2005.
2 Vgl. Immanuel Kant, Grundlegung zur Metaphysik der Sitten. Werkausgabe, Bd. 7. Hrsg. von Wilhelm Weischedel, Wiesbaden 1956, S. 61.

3   Vgl. Richard G. Wilkinson u. Kate Pickett, The Spirit Level: Why More Equal
     Societies Almost Always Do Better, London 2009.
4   Vgl. Wilhelm Heitmeyer (Hrsg.), Deutsche Zustände, 10 Bände, Suhrkamp,
     Frankfurt a. M. 2002–2011.
5   Montesquieu, Geist der Gesetze, 6. Kapitel, S. 212.
6   Jules Kortenhorst (Rocky Mountain Institute) u. Andrew Steer (World Re-
     sources Institute), Koalition der Willigen, in: Der Tagesspiegel, 16.12.2019, S. 6.

Kapitel 4

1   Wolfgang Haber, Die unbequemen Wahrheiten der Ökologie. Eine Nachhaltig-
     keitsperspektive für das 21. Jahrhundert, München 2009, S. 10.
2   Volker Hauff (Hrsg.), Unsere gemeinsame Zukunft. Der Brundtland-Bericht
     der Weltkommission für Umwelt und Entwicklung, Greven 1987, S. 46.
3   Vgl. Ralf Dahrendorf: Pfade aus Utopia. Arbeiten zur Theorie und Methode
     der Soziologie, München 1967.
4   Vgl. Philipp Hildebrand, „Moral und Geschäfte sind keine Gegensätze", in: Die
     Zeit, 12.03.2020, S. 27.

Kapitel 5

1   Immanuel Kant: Kritik der Praktischen Vernunft, § 7 Grundgesetz der reinen
     praktischen Vernunft. Werkausgabe, Bd. 12. Hrsg. von Wilhelm Weischedel,
     Wiesbaden 1956, S. 140.
2   Karl W. Deutsch, The Nerves of Government, New York 1963 (dt: Politische
     Kybernetik. Modelle und Perspektiven, Freiburg i. Br. 1969, S. 171).
3   Ebd., S. 171.

Kapitel 6

1   Edmund Burke: Speeches on the American War, Boston 1898. Eigene Über-
     setzung, nach Otto Heinrich von der Gablentz: Die politischen Theorien seit
     der amerikanischen Unabhängigkeitserklärung. Politische Theorien Teil III,
     Köln/Opladen ³1967, S. 82 f.
2   Vgl. Montesquieu, Geist der Gesetze, 6. Kapitel, S. 216.
3   Kant, Kritik der Urteilskraft, S. 388 f.
4   Vgl. Armin Schäfer, Der Verlust politischer Gleichheit. Warum ungleiche Be-
     teiligung der Demokratie schadet. In: Klaus Armingeon (Hrsg.), Staatstätig-
     keiten, Parteien und Demokratie, Wiesbaden 2013.
5   Mehr Demokratie e. V., Bürgergutachten Demokratie. Die Empfehlungen des
     Bürgerrats in Leipzig, Berlin 2019.
6   Ebd., S. 33.
7   Ebd., S. 26.
8   Ebd., S. 20.
9   Ebd., S. 17.
10   Matthias Ebert, Demokratie-Experiment im Losverfahren. In: BR Fernsehen,
     29.10.2017, URL: https://www.br.de/br-fernsehen/sendungen/euroblick/
     euroblick-irland-demokratie-100.html [eingesehen am 12.06.2020].

11 Vgl. David van Reybrouck, Gegen Wahlen. Warum Abstimmen nicht demokratisch ist, Göttingen 2013, S. 129.

12 Vgl. Hubertus Buchstein, Demokratie und Lotterie. Das Los als politisches Entscheidungsinstrument von der Antike bis zur EU, Frankfurt a. M./New York 2009.

13 Vgl. Yves Sintomer, Das demokratische Experiment: Geschichte des Losverfahrens in der Politik von Athen bis heute, Wiesbaden 2016.

Kapitel 7

1 Vgl. Niklas Luhmann, Vertrauen: Ein Mechanismus zur Reduktion sozialer Komplexität, Stuttgart 1968 (Originalausgabe).

Kapitel 8

1 Vgl. sehr informativ Helmut Philipp Aust, Das Recht der globalen Stadt, Tübingen 2017.

2 Vgl. Robert D. Putnam, Making Democracy Work. Civic Traditions in Modern Italy, Princeton 1993.

3 Vgl. Saskia Sassen, The Global City: New York, London, Tokyo, Princeton 1991.

4 Vgl. Benjamin R. Barber, If Mayors Ruled the World. Dysfunctional Nations, Rising Cities, New Haven 2013.

5 Zum Folgenden sehr lehrreich Aust, Das Recht der globalen Stadt.

6 Vgl. ebd., S. 279.

7 Vgl. Ostrom, Governing the Commons.

8 Vgl. Aust, Das Recht der globalen Stadt, S. 284.

9 Vgl. ebd., S. 285.

10 Vgl. Sassen, Global City.

11 Vgl. Ulrich Sendler, Das Gespinst der Digitalisierung. Menschheit im Umbruch − auf dem Weg zu einer neuen Weltanschauung, Wiesbaden 2018, S. 31 ff.

12 Vgl. dazu sehr prägnant die langjährige Leiterin und Gestalterin der Digitalisierung in Barcelona, Francesca Bria, im Interview mit Niklas Maak: „Holt euch eure Daten zurück!", in: FAZ, 19.10.2020, S.13.

13 Vgl. Klima- und Energiefonds, Europäische Innovationspartnerschaft (EIP) „Smart Cities and Communities", URL: https://www.smartcities.at/europa/eu-netzwerk/eip-smart-cities [eingesehen am 12.06.2020].

14 Informelles Bündnis der Staaten Polen, Tschechien, Slowakei und Ungarn.

15 Uwe Schneidewind, Die Große Transformation. Eine Einführung in die Kunst gesellschaftlichen Wandels, Frankfurt a. M. 2018.

16 Ebd., S. 95 ff.

17 Vgl. Ostrom, Governing the Commons.

18 Vgl. Deklaracja prezydentów o współdziałaniu miast Unii Metropolii Polskich w dziedzinie migracji, Gdansk 2017 (Erklärung der Stadtpräsidenten über das Zusammenwirken der Mitglieder der Union der polnischen Metropolen im Bereich der Migration).

Literaturverzeichnis

Arendt, Hannah: Das Urteilen. Texte zu Kants politischer Philosophie. Hrsg. und mit einem Essay von Ronald Beiner, München/Zürich 1985.

Arendt, Hannah: Vita Activa oder Vom tätigen Leben, München 1967.

Arendt, Hannah: Von der Menschlichkeit in finsteren Zeiten. Rede über Lessing, München 1960.

Arendt, Hannah: Wahrheit und Lüge in der Politik, München 1972.

Aust, Helmut Philipp: Das Recht der globalen Stadt, Tübingen 2017.

Barber, Benjamin R.: If Mayors Ruled the World. Dysfunctional Nations, Rising Cities, New Haven 2013.

Bria, Francesca/Maak, Niklas: „Holt euch eure Daten zurück!", in: FAZ, 19.10.2020, S. 13.

Buchstein, Hubertus: Demokratie und Lotterie. Das Los als politisches Entscheidungsinstrument von der Antike bis zur EU, Frankfurt a. M./New York 2009.

Burke, Edmund: Speeches on the American War, Boston 1898.

Cowper-Coles, Minna, Women political leaders: the impact of gender on democracy. hrsg. vom Global Institute for Women's Leadership und der Westminster Foundation for Democracy, 2020, URL: https://www.kcl.ac.uk/giwl/assets/women-political-leaders.pdf [eingesehen am 14.08.2020].

Dahrendorf, Ralf: Pfade aus Utopia. Arbeiten zur Theorie und Methode der Soziologie, München 1967.

Deklaracja prezydentów o współdziałaniu miast Unii Metropolii Polskich w dziedzinie migracji, Gdansk 2017 (Erklärung der Stadtpräsidenten über das Zusammenwirken der Mitglieder der Union der polnischen Metropolen im Bereich der Migration).

Deutsch, Karl W.: The Nerves of Government, New York 1963 (deutsche Ausgabe: Politische Kybernetik. Modelle und Perspektiven, Freiburg i. Br. 1969).

Ebert, Matthias: Demokratie-Experiment im Losverfahren. In: BR Fernsehen, 29.10.2017, URL: https://www.br.de/br-fernsehen/sendungen/euroblick/euroblick-irland-demokratie-100.html [eingesehen am 12.06.2020].

Fraenkel, Ernst: Deutschland und die westlichen Demokratien, Stuttgart 1964.

Fearless cities: a guide to the global municipalist movement, zusammengestellt von Barcelona En Comú, Oxford 2019.

Gablentz, Otto Heinrich von der: Die politischen Theorien seit der amerikanischen Unabhängigkeitserklärung. Politische Theorien, Teil III, Köln/Opladen [3]1967.

Gilligan, Carol: Die andere Stimme. Lebenskonflikte und Moral einer Frau, München 1996.

Global Institute for Women's Leadership, Women political leaders key to „more equal and caring societies", 29.07.2020, URL: https://www.kcl.ac.uk/news/women-political-leaders-key-to-more-equal-and-caring-societies [eingesehen am 14.08.2020].

Gorbatschow, Michail: Die Rede zum 70. Jahrestag der Oktoberrevolution, Bergisch-Gladbach 1987.

Haber, Wolfgang: Die unbequemen Wahrheiten der Ökologie. Eine Nachhaltigkeitsperspektive für das 21. Jahrhundert, München 2009.

Habermas, Jürgen: Zwischen Naturalismus und Religion. Philosophische Aufsätze, Frankfurt a. M. 2005.

Hauff, Volker (Hrsg.): Unsere gemeinsame Zukunft. Der Brundtland-Bericht der Weltkommission für Umwelt und Entwicklung, Greven 1987.

Heitmeyer, Wilhelm (Hrsg.): Deutsche Zustände, 10 Bände, Frankfurt a. M. 2002–2011.

Hildebrand, Philipp: „Moral und Geschäfte sind keine Gegensätze", in: Die Zeit, 12.03.2020.

Hobbes, Thomas: Leviathan oder Stoff, Form und Gewalt eines bürgerlichen und kirchlichen Staates. Hrsg. von Iring Fetscher, Frankfurt a. M./Berlin/Wien 1976.

Hoffmann von Fallersleben, August Heinrich: Ein Lied aus meiner Zeit, in: Deutsche Lieder aus der Schweiz, Zürich/Winterthur 1843.

Kant, Immanuel: Grundlegung zur Metaphysik der Sitten. Werkausgabe, Bd. 7. Hrsg. von Wilhelm Weischedel, Wiesbaden 1956.

Kant, Immanuel: Kritik der Praktischen Vernunft, Werkausgabe, Bd. 12. Hrsg. von Wilhelm Weischedel, Wiesbaden 1956.

Kant, Immanuel: Kritik der Urteilskraft. Werkausgabe, Bd. 10. Hrsg. von Wilhelm Weischedel, Wiesbaden 1957.

Klima- und Energiefonds: Europäische Innovationspartnerschaft (EIP) „Smart Cities and Communities", URL: https://www.smartcities.at/europa/eu-netzwerk/eip-smart-cities [eingesehen am 12.06.2020].

Kortenhorst, Jules (Rocky Mountain Institute) u. Steer, Andrew (World Resources Institutes), Koalition der Willigen, in: Der Tagesspiegel, 16.12.2019.

Lincoln, Abraham: The Gettysburg Address, 19.11.1863, URL: https://rmc.library.cornell.edu/gettysburg/good_cause/transcript.htm [eingesehen am 15.06.2020].

Locke, John: Über den wahren Ursprung, die Reichweite und den Zweck der staatlichen Regierung. Hrsg. und eingeleitet von Walter Euchner, Frankfurt a. M. 1977.

Luhmann, Niklas: Politische Steuerung: Ein Diskussionsbeitrag, in: Politische Vierteljahresschrift, Jg. 30 (1989), H. 1, S. 4–9.

Luhmann, Niklas: Vertrauen: Ein Mechanismus zur Reduktion sozialer Komplexität, Stuttgart 1968 (Originalausgabe).

Luhmann, Niklas: Zur Semantik der Selbstbeschreibung politischer Systeme, in: Udo Bermbach (Hrsg.), PVS-Sonderheft 15/1984, Opladen 1984, S. 99–125.

Machiavelli, Niccolò: Der Fürst. Aus dem Italienischen übertragen von Ernst Me-rian-Genast. Mit einer Einf. von Hans Freyer, Stuttgart 1961.

Macpherson, C. B.: Die politische Theorie des Besitzindividualismus. Von Hobbes bis Locke, Frankfurt a. M. 1967.

Marx, Karl: Der Bürgerkrieg in Frankreich. MEW, Bd. 17, Berlin 1962.

Mehr Demokratie e. V., Bürgergutachten Demokratie. Die Empfehlungen des Bürgerrats in Leipzig, Berlin 2019.

Montesquieu, Charles de: Vom Geist der Gesetze. Eingeleitet, ausgewählt und übersetzt von Kurt Weigand, Stuttgart 1984.

Ostrom, Elinor: Governing the Commons: The Evolution of Institutions for Collective Action, Cambridge 1990.

O. V., o. T., in: FAZ, 16.11.1991, S. 5.

Putnam, Robert D.: Making Democracy Work. Civic Traditions in Modern Italy, Princeton 1993.

Rat für Nachhaltige Entwicklung (Hrsg.): Visionen 2050, Berlin 2011.

Rawls, John: A Theory of Justice, Harvard 1971.

Reybrouck, David van: Gegen Wahlen. Warum Abstimmen nicht demokratisch ist, Göttingen 2013.

Rosanvallon, Pierre: Die gute Regierung, Hamburg 2016.

Rousseau, Jean-Jacques: Vom Gesellschaftsvertrag oder Grundsätze des Staats-rechts. In Zusammenarbeit mit Eva Pietzcker neu übersetzt und hrsg. von Hans Brockard, Stuttgart 1977.

Sassen, Saskia: The Global City: New York, London, Tokyo, Princeton 1991.

Schäfer, Armin: Der Verlust politischer Gleichheit. Warum ungleiche Beteiligung der Demokratie schadet. In: Klaus Armingeon (Hrsg.): Staatstätigkeiten, Parteien und Demokratie, Wiesbaden 2013, S. 547–566.

Scharpf, Fritz W.: Politische Steuerung und politische Institutionen, in: Politische Vierteljahresschrift, Jg. 30 (1989), H. 1, S. 10–21.

Schmitt, Carl: Der Begriff des Politischen, Berlin 1932.

Schneidewind, Uwe: Die Große Transformation. Eine Einführung in die Kunst gesellschaftlichen Wandels, Frankfurt a. M. 2018.

Sendler, Ulrich: Das Gespinst der Digitalisierung. Menschheit im Umbruch – auf dem Weg zu einer neuen Weltanschauung, Wiesbaden 2018.

Sintomer, Yves: Das demokratische Experiment: Geschichte des Losverfahrens in der Politik von Athen bis heute, Wiesbaden 2016.

Stern, Fritz: Kulturpessimismus als politische Gefahr. Eine Analyse nationaler Ideologie in Deutschland, Stuttgart 2005.

Weber, Max [1920/21]: Wirtschaft und Gesellschaft, Tübingen [5]1972.

Wilkinson Richard G. u. Pickett, Kate: The Spirit Level: Why More Equal Societies Almost Always Do Better, London 2009.

Die Deutsche Nationalbibliothek verzeichnet diese Publikation in der Deutschen Nationalbibliografie; detaillierte bibliografische Daten sind im Internet über www.dnb.de abrufbar.

wbg THEISS ist ein Imprint wbg.

© 2021 by wbg (Wissenschaftliche Buchgesellschaft), Darmstadt
Die Herausgabe des Werkes wurde durch die Vereinsmitglieder der wbg ermöglicht.
Lektorat: Splendid.Text- und Webdesign, Göttingen
Gestaltung und Satz: Arnold & Domnick, Leipzig
Umschlaggestaltung: Andreas Heilmann, Hamburg
Umschlagmotiv: Foto: Hans-Christian Plambeck, Berlin

Gedruckt auf säurefreiem und alterungsbeständigem Papier
Printed in Germany

Besuchen Sie uns im Internet: **www.wbg-wissenverbindet.de**

ISBN 978-3-8062-4308-6

Elektronisch sind folgende Ausgaben erhältlich:
eBook (PDF): ISBN 978-3-8062-4314-7
eBook (epub): ISBN 978-3-8062-4315-4